LES GENS DE MOGADOR
Tome III

De mère arlésienne et de père nîmois, Elisabeth Barbier est
née à Nîmes (Gard) en 1911. Exilée à Paris dès sa prime
enfance, elle y vit dans l'attente des mois d'été qui la ramè-
nent dans son Occitanie natale.
Licenciée ès lettres, et accessoirement en droit, elle étudie la
pathologie mentale avec Georges Dumas et André Ombre-
dane et s'intéresse passionnément au théâtre dans l'entourage
de la célèbre famille de comédiens Pitoëff.
Mariée en 1935 après de longues fiançailles avec un médecin
d'Avignon, Raymond Barbier (mort en 1942), elle se fixe
dans cette ville où elle a dirigé une compagnie de comédiens
amateurs pendant des années, et participé de très près à la
naissance du Festival d'Avignon, tout en poursuivant une
carrière de romancière.
Elle a publié : Les Gens de Mogador (Julia, t. I et II ;
Ludivine, t. III et IV ; Dominique, t. V et VI), Ni le jour ni
l'heure, Serres Paradis, Mon Père ce héros.
Elisabeth Barbier est membre du jury du Prix Femina.

Les seize ans frondeurs de Ludivine Peyrissac ne sont pas
décidés à baisser pavillon quel que ce soit, et M. Frédéric Vernet, le maître du domaine de Mogador, que tout
Tarascon proclame un beau parti l'agace par son air
moqueur. Elle s'en cache d'autant moins qu'elle a une
fortune suffisante pour vivre à sa guise, et aucune envie de
se mettre au cou le carcan du mariage.
Cette indépendance d'esprit, ces façons de « pouliche sauvage » séduisent Frédéric. Quant à Ludivine, le revoir suffira
pour que son imagination, puis son cœur, en soient occupés.
Date est donc prise pour les noces.
Accueillie à bras ouverts dans le clan des Vernet, et d'abord
par sa belle-mère Julia, heureuse d'avoir en face de soi une
bru pourvue de caractère, Ludivine n'est encore qu'une jolie
couventine, coquette, et avide d'engranger toutes les joies
de la vie, prête à sortir ses griffes pour assurer sa souve-
raineté et son bonheur.
Est-ce là ce qu'attend d'elle Frédéric ? L'existence à Mogador va se charger de remodeler Ludivine, sans, cependant,
modifier le fond de sa nature possessive — et c'est ce qui
donne son intensité dramatique à ce volume, le troisième de
la chronique des *Gens de Mogador*, grands propriétaires
terriens du Midi.

ŒUVRES D'ELISABETH BARBIER

ELISABETH BARBIER

LES GENS DE MOGADOR
III

Ludivine

Tome I

ROMAN

JULLIARD

A Georges et Jane Roux,
en mémoire de R. B.

E. B.

« ... N'est-ce pas ici le verger merveilleux dont parlent les lais de harpe : une
muraille d'air l'enclôt de toutes parts ;
des arbres fleuris, un sol embaumé ; le
héros y vit sans vieillir entre les bras de
son amie et nulle force ennemie ne peut
briser la muraille d'air ?

« Déjà, sur les tours de Tintagel, reten-
tissent les trompes des guetteurs qui
annoncent l'aube.

« Non, dit Tristan, la muraille d'air est
déjà brisée, et ce n'est pas ici le verger
merveilleux. Mais, un jour, Amie, nous
irons ensemble au pays fortuné dont nul
ne retourne. Là s'élève un château de
marbre blanc ; à chacune de ses mille
fenêtres, brille un cierge allumé ; à chacune, un jongleur joue et chante une
mélodie sans fin ; le soleil n'y brille pas :
et pourtant, nul ne regrette sa lumière :
c'est l'heureux pays des vivants. »

TRISTAN ET ISEUT.
(Chant VI)

I

Derrière la porte fermée, on appelait :

« Ludivine, Ludivine, dépêchez-vous. Il est près de midi. Maman demande si vous êtes bientôt prête. »

« Elle m'agace. Dieu qu'elle m'agace ! » pensa Ludivine, campée devant la psyché, en corset et jupon blanc, le peigne en main, bataillant avec ses épingles à cheveux. Suavement, elle dit :

« Tout de suite, ma chère, je me coiffe.

— Puis-je entrer ? » insista la voix.

Ludivine invoqua la malédiction du Seigneur sur la tête de l'importune et, les yeux au ciel :

« Mais naturellement, Elise, je vous en prie. »

Elise entra, et suffoqua devant le négligé de son amie, et le désordre de la chambre : « Mais, vous n'êtes pas encore habillée ?... Et vos cheveux !... Doux Jésus ! Qu'est-ce que Maman va dire ?... » Elle vint à la glace et s'admira avec une timide complaisance : « Aimez-vous ma toilette ? Ce mouvement de retroussis par-derrière, c'est élégant, n'est-ce pas ? Mlle Berthe l'a recopié sur un modèle de Redfern. Et, ma chère, vous avez vu, Maman m'a prêté sa modestie en malines. »

Ludivine examinait à côté d'elle, dans la psyché, la blonde jeune personne en robe d'ottoman rose dragée, garnie de velours en coquillés.

« Ravissante », dit-elle avec conviction. Elle pensait : « Un bonbon. On la lécherait, dans tout son rose. Au diable le rose. Un jour, je serai une dame et je m'habillerai de jaune avec du chantilly noir. »

Un bruit de roues et d'essieux grinçants monta de la cour par la fenêtre ouverte.

« Mon Dieu, écoutez !... » Elise se précipita pour regarder à travers le grillage de la mousti-quaire. « La voiture ! Oh ! Ludivine, vite, vite, je vais vous aider. Votre robe, votre tournure, vite ! »

Elle tournoyait au milieu de la chambre, en

grand désarroi, fouillant au hasard parmi les jupons, les vêtements épars, tandis que son amie achevait tranquillement de piquer la dernière épingle dans un édifice de savantes torsades noires.

On frappa à la porte.

« Madame fait dire à ces demoiselles qu'elle les attend au salon.

— Oh ! mon Dieu !... se désolait Elise. Que va dire Maman ? M. Vernet qui nous attend...

— Je me moque de M. Vernet ! » cria Ludivine excédée, en frappant du pied. Soulagée par cet éclat, elle reprit, avec le calme des grands capitaines :

« Aidez-moi seulement à me corseter, Elise, et vous descendrez tout de suite. J'aurais plus tôt fini, seule. Tenez, vous avez les cordons. Allons, serrez, serrez. Mais serrez donc, n'ayez pas peur !... Je ne me sens pas même soutenue. » Empoignant l'espagnolette de la fenêtre, elle s'y accrocha avec énergie tandis qu'Elise, de toutes ses forces, tirait sur les lacets. « Là, ça suffit, consentit-elle, à demi étouffée. Passez-les-moi, je les nouerai moi-même. Maintenant, courez, je vous rejoins. » Elle jeta un coup d'œil malicieux sur le visage de la pauvre Elise, empourpré par l'effort.

« Vite, chérie, n'oubliez pas que M. Vernet vous attend. »

Elise, cramoisie, s'élança vers l'escalier.

« Ouf ! » soupira Ludivine : « *M. Vernet va venir... M. Vernet dit... M. Vernet pense... Le rose plaira-t-il à M. Vernet ?* » Où est mon cache-corset ? Seigneur ! Faites que je retrouve mon cache-corset !... Merci, mon Dieu, le voilà. Depuis huit jours, M. Vernet est le Messie attendu dans cette maison, dirait-on pas ? Oh ! j'étouffe. Quelle abomination d'être serrée comme ça. Ma tournure... Où est-elle encore passée ?... « *Et vite, et dépêchez-vous, et courez !... Un gentleman farmer, pensez donc !...* »

Elle pinçait les lèvres et fronçait son petit nez avec affectation, tout en bataillant contre les attaches du jupon qu'elle venait d'emmêler avec celles de la tournure. — Et cette Elise !... La voilà assotée du premier venu, sur commande, avant même de l'avoir vu... Bonté divine ! J'aime mieux retourner au couvent. Oh ! ce nœud !... C'est commode de s'ajuster seule !... Maintenant le jupon de dessus. Là, sur le lit... Joli, ce jupon parme. Si j'étais mariée... Mais le mariage... : « Oui, mon ami... Comme vous voudrez, mon ami... » Non, non, non ! Vivre à ma guise, dépenser de l'argent, voyager... Quand mon tuteur m'aura rendu ses comptes, je me ferai habiller à Paris. « *Mademoiselle, je vous aime. Je suis fou de vous. Je mourrais pour un de vos sourires...* »

Elle s'assit sur le coin d'une causeuse encombrée de lingeries, et promena autour d'elle le regard d'une inaccessible souveraine, tout en enfilant ses bottines de chevreau mordoré. — Ah ! le tire-boutons ?... Il était sur la coiffeuse. Bien entendu, elle a tout dérangé. Bon, le voici. Me mettre en frais ? Pas aujourd'hui, en tout cas... « *M. Vernet vient pour affaires.* » Oui, bien : la belle argenterie... La toilette rose...

« Voyons, quelle robe ? Celle-ci ? Bien suffisante. Au moins, n'avoir pas l'air endimanché... »

Les bras levés protégeant sa coiffure, elle passait, avec quelques difficultés, une très simple robe de popeline crème nouée derrière d'un « pouf » de ruban écossais vert pomme à larges pans.

« Mademoiselle, mademoiselle !

— Louis, entrez donc ! Vous tombez bien, ma fille. Venez me boutonner. » Devant la figure effarée de la petite domestique, elle éclata de rire : « Est-ce que Mme Daubenois s'impatiente très fort ?

— Oh ! non, mademoiselle, madame est au salon avec...

— ...M. Vernet, coupa-t-elle. Oui, je sais, mais qu'a-t-elle dit ?

— Elle a dit comme ça que je monte pour

dire à mademoiselle qu'on attend mademoiselle pour passer à table. »

« Il est indiscutable que ce ton crème
m'éclaircit le teint et fait valoir la nuance de
mes yeux, constatait Ludivine, devant la glace,
avec satisfaction. Et mes yeux sont ce que j'ai
de plus joli. »

Ils étaient, en effet, ces yeux, d'une étonnante couleur bleu sombre presque violette : le
violet velouté de certaines pensées. Ils écla-
taient en feux de pierres dans le mince visage
ovale où la finesse du nez, très légèrement
busqué, le dessin pur des lèvres, la matité
dorée de la peau accusaient une lointaine
ascendance sarrasine, soulignée par les reflets
noirs de la chevelure. Des pommettes un peu
saillantes, un petit front lisse et bombé achevaient de caractériser le charme particulier de
ces traits.

La taille de Ludivine se fût aisément passée
du corset ; sa gorge ronde, menue, haut attachée, était de celles qu'il est agréable de
contempler chez une pensionnaire de seize ans.
Elancée sans être grande, elle avait la démarche
de ces filles d'Arles ou d'Avignon que chan-
taient alors Aubanel et Mistral.

Jolie personne en vérité. Mais cette peau
de brune... ! Ludivine eût donné beaucoup pour
posséder le teint blanc à la mode.

Elle sourit à Louisa admirative, qui s'embrouillait dans le boutonnage.

« Eh bien, que l'on m'attende !

— Oh ! mademoiselle..., souffla Louisa, scandalisée.

— Allons, petite, dit Ludivine, olympienne, après un ultime regard vers le miroir, j'y vais à l'instant. Vous remettrez de l'ordre dans la chambre. »

Elle descendit lentement l'escalier sonore, tout en mordant ses lèvres pour les rendre plus rouges.

En bas, la conversation languit quelque peu.

Elise, toute raidie au bord de sa chaise (« *Tiens-toi droite, ma fille* »), sourit timidement quand l'invité s'adresse à elle, rougit pour répondre, et se tait avec grâce. Le notaire insiste : Reprenez donc un doigt de rasteau, je vous en prie... et surveille à la dérobée le visage de son épouse. Clémence Daubenois se sent parvenir au point culminant de sa patience.

La responsable de ces affres, opérant son entrée, discerna tout cela d'un coup d'œil.

« Ah ! vous voici, enfin ?... » Dans la voix de la notairesse, l'aigreur contenue le disputait à la distinction de l'accent.

Ludivine esquissa une révérence de pensionnaire.

« Je suis vraiment confuse de vous avoir fait attendre, madame. »

Amusé, le visiteur nota le bref éclair des yeux violets qui proclamait indubitablement le contraire. Son regard rencontra celui de la jeune fille.

Par exemple ! De qui se moquait-il ? Elle détourna la tête avec irritation.

Maître Daubenois la prit par le bras :

« Ma chère enfant, je vous présente M. Frédéric Vernet, de Fontfresque, qui nous fait le plaisir d'être notre hôte, aujourd'hui... Mademoiselle Ludivine Peyrissac, ma pupille et l'amie de notre fille, venue passer quelque temps avec nous.

— Mademoiselle, je suis charmé... »

Elle l'interrompit avec raideur :

« Moi de même, monsieur... »

La lueur de malice s'accentua dans le regard de Frédéric Vernet.

« Je vous en prie, mademoiselle, vous me comblez. »

Furieuse, elle se contint et alla s'asseoir avec dignité auprès d'Elise. Cela commençait bien. Et il n'était même pas laid, avec ça, ni rien de ce qu'elle avait imaginé. Très grand, les épaules larges, de longues jambes, des cheveux bouclés, une fine moustache châtain clair, des traits virils, et ces yeux gris gênants, plantés droit sur elle, avec la déplaisante ironie qu'elle venait d'y surprendre...

« Madame est servie », vint dire opportunément Louisa gonflée d'orgueil, portant ainsi qu'une couronne impériale le bonnet des grands jours, orné de broderies assorties au tablier.

Frédéric Vernet, s'inclinant avec aisance, offrit son bras à la notairesse pour passer dans la salle à manger.

*
**

« Eh bien, nous voilà tranquilles », soupirait à part elle Ludivine, quelques heures plus tard, avec une certaine mauvaise foi.

« Quel charmant jeune homme, n'est-ce pas, chérie ? » dit Elise, comme en réponse.

Les deux jeunes filles étaient assises sous un berceau de chèvrefeuille aménagé au bout du jardin. Un jardin de poche, où les allées étroites, bordées de buis nains dessinaient de sages arabesques autour des corbeilles de giroflées, de mignonnettes et de réséda. Le plus bel ornement en était une fontaine en rocaille, fierté et souci de la notairesse. En l'honneur du visiteur, on avait fait donner à plein le jet d'eau, et la fraîche petite chanson des gouttelettes grésillait dans le bassin.

« Elise, tu arrêteras le robinet de la fontaine, cria de la fenêtre Mme Daubenois.

— Oui, Maman.

— Jette aussi un coup d'œil sur le tuyau d'écoulement.

— Oui, Maman. » Elle alla tourner la prise d'eau et revint s'asseoir sur le banc. « Quel dommage que ce soit fini... » On ne savait trop si c'était au jet d'eau ou à la réception qu'elle pensait.

Ludivine jouait avec une poignée de petits cailloux qu'elle faisait tinter dans le creux de ses mains :

« Comme il a fait beau, aujourd'hui. Un vrai temps d'été, déjà.

— Oui, si cela continue, le rosier de la tonnelle va fleurir.

— Sentez-vous la haie d'aubépines ? Le parfum vient jusqu'à nous... Où est-ce, Frontfresque ? Loin d'ici ? Je ne connais pas.

— Oh ! non, pas très loin. A deux lieues et demie, à peu près, sur la route de Peyrolières. Un très joli endroit. Nous y sommes passées plusieurs fois en voiture, avec Maman. Il y a une belle place avec de grands platanes, devant l'église, mais Mogador n'est pas dans le village même.

— Mogador, quel curieux nom, rêvait Ludivine.

— Oui... Père m'a raconté : cela remonte à 1844. L'année de l'expédition du prince de Joinville. Le grand-père de M. Vernet a signé l'acte d'achat, le jour même où l'on apprenait le bombardement de Mogador. Papa dit que c'est presque un château. Vous savez bien, il en parlait l'autre jour, à table. Il paraît qu'il y a un parc magnifique.

— Une grande propriété, en somme ?

— Je crois bien ! Papa estime que c'est la plus grosse exploitation des environs. M. Vernet passe de très gros marchés de bétail, en ce moment. C'est pour cela qu'il est venu à Tarascon aujourd'hui...

« ... Vous ne trouvez pas, reprit-elle, timidement, que la conversation de M. Frédéric est très intéressante ?

— Il vous plaît ? »

Elise arracha un brin de chèvrefeuille et s'en caressa le visage.

« Oui, vraiment... Pas à vous ? »

Ludivine renversa la tête et considéra le ciel où des morceaux de nuages d'un blanc floconneux traçaient des signes au-dessus du jardin éveillé de sa torpeur par l'approche du soir.

« Eh bien, je crois que non, décidément. Je déteste cet air de se moquer du monde. »

Un vent léger se levait. Elise suivit des yeux, un moment, la danse frissonnante qui faisait miroiter les feuilles du peuplier par-dessus la haie.

« Sur mon pupitre, au couvent, murmura-t-elle, une « ancienne » avait creusé, au canif, une drôle d'inscription. Comme ceci :

1863 Didou Marandon
1879 Mademoiselle Lydie Marandon
1880 Madame Ferdinand C... »

Elle dessinait à mesure, du bout de son doigt, sur le banc. « Souvent, durant les cours, j'ai pensé à cette fille qui s'était assise là, dix ans avant moi, avec sa vie déjà toute décidée, qui connaissait la date où elle changerait de nom, et celui qu'elle prendrait. Je me disais : « Maintenant, elle est Mme C... » Je me demande si elle est heureuse... Vous savez, je cherchais à imaginer ce Ferdinand. Je crois que je lui ai donné un peu le visage de mes rêves. »

Ludivine secoua la tête avec un léger dédain.

« Je n'ai point de rêves de ce genre. Il me plaît de regarder devant moi une grande page toute nette, de penser que n'importe quoi, tout, peut m'arriver demain... Voyez-vous, Elise, je ne sais pas encore ce que je voudrai, mais je sens que je le voudrai terriblement. »

Il y eut un petit silence.

« Moi, dit Elise, à voix retenue — un reste de soleil, allumant des reflets sur la pointe des arbres, laissait la pénombre envahir le berceau —, il me semble que ce que je voudrais, c'est aimer... Aimer un homme, vivre près de lui, et se demander seulement chaque matin : « Mon Dieu, m'aimera-t-il encore un peu ce soir ?... »

— Et comment est-il, l'homme de ces rêves ?

— Oh ! je ne sais pas, sourit Elise toute rose. Je le vois assez l'air énergique ; grand, bien entendu ; plein de chic, plutôt blond, avec quelque chose d'attirant... »

Pauvrette, pensa Ludivine. Il ne l'a seulement pas regardée.

« Mesdemoiselles, mesdemoiselles, où êtes-vous ? Mais comment, que faites-vous là ?... Elise, tu as encore ta toilette neuve ? Mais voyons !... Mais qu'est-ce que tu attends pour aller la quitter ? »

Absorbées dans leur conversation, elles n'avaient pas entendu venir Mme Daubenois.

« J'y vais tout de suite, Maman.

— Je vous suis », dit avec empressement Ludivine, pour qui le tête-à-tête avec la notairesse n'offrait qu'un médiocre attrait. « Et l'escarmouche du déjeuner... Elle va vouloir régler ça. Dieu sait que je ne suis pas en humeur de bataille... »

« Mais oui, Ludivine, vous ferez bien ! Vous n'êtes pas raisonnables, mesdemoiselles. Risquer de gâter vos robes sur ce banc plein de mousse !... Quand vous avez là-bas, des chaises convenables... Vraiment, mes enfants, je ne vous comprends pas... Combien de fois t'ai-je répété, Elise, qu'il faut de l'ordre et du soin avant toute chose ? »

Elise garda le silence. C'était si délicieux d'être pour un instant, comme dans les gravures, une élégante jeune fille désœuvrée au fond d'un vieux jardin. Une jolie image de soi... Mais comment Maman eût-elle compris semblables folies ? A coup sûr, elle était apparue dans le monde, baleinée de pied en cap, corps et âme...

« Mets ta robe de percale. Il a fait chaud, aujourd'hui : il faudra arroser après le dîner. Louisa a trop à faire avec la vaisselle et toute l'argenterie à ranger. »

Elise se leva, mélancolique.

« Cendrillon à minuit sonné », pensa Ludivine. Sans bien savoir pourquoi, ce soir-là, elle avait comme pitié d'Elise, et l'enviait bizarrement, en même temps. Elise la timide, Elise la vaincue d'avance... « Oui, Maman. » A tout, elle dirait ce « oui » résigné, sans même engager la lutte, la patiente qui n'attendait rien, que d'aimer. Et ceux qui donnent et donnent sans cesse, qui penserait à leur rendre ?

Ludivine, elle, voulait recevoir. Mais elle sentait confusément, par avance, que jamais don ne serait à la mesure de son désir.

II

CE printemps aux tiédeurs d'été continue. Et voici la fin des vacances de Pâques. Ludivine est seule. Tout un long après-midi vide s'étend devant elle. Il fait bon, sous le berceau, tandis que le reste du jardin sans ombre dort sous le soleil blanc. Le livre qu'elle a pris dans la bibliothèque de son tuteur est posé sur le banc. Lire ? La destinée des autres ne la passionne pas. Mieux vaut suivre des yeux, dans le ciel pur, le frémissement léger qui agite les branches des grands pins du parc mitoyen. Ce même ciel, lundi, il faudra le contempler derrière les vitres du couvent.

Mais qu'importe ? C'est un instant de vie où

l'on a seize ans, où l'on est Ludivine Peyrissac, jolie, riche, volontaire, au seuil d'un monde qui, demain, devra compter avec vous.

« Mademoiselle, mademoiselle !... »

Allons bon. Qu'est-ce que Louisa peut bien vouloir encore ? Cette pauvre fille, avec son air perpétuellement effaré...

« Eh bien, qu'y a-t-il ?

— Mademoiselle, c'est une visite... »

Là, comme par hasard ! Une de ces ennuyeuses femmes, pilier du « jour » de la notairesse, qui trônent, vous toisent, et vous cassent la tête : « Laissez-moi vous dire, ma belle... Ma chère enfant, ne croyez-vous pas que vous feriez mieux de... » Oh ! Dieu !

« Voyons, répondez que Mme Daubenois n'est pas là, et laissez-moi tranquille.

— Mais, mademoiselle, il insiste. C'est le monsieur de l'autre jour, M. Vernet. Je lui ai dit qu'il n'y avait que mademoiselle, et il m'a répondu d'aller voir si mademoiselle voulait bien le recevoir.

— Mais naturellement, dit Ludivine, avec une vivacité qui la surprend elle-même.

— C'est que...

— Quoi, mais quoi donc ? » s'impatiente-t-elle.

La triste Louisa tortille son tablier.

« C'est le salon qui est fermé, mademoiselle.

A cause que j'ai eu la grande lessive, alors, vu que madame n'était pas là de la journée, j'ai pas enlevé la poussière... »

Un court instant de réflexion :

« Bah ! amenez-le au jardin. Après tout, on est mieux ici. »

Ce salon tendu de « verdures », dont les meubles prétendent ambitieusement reproduire un Louis XIII décadent, la jeune fille l'a en horreur.

Tandis que Louisa s'empresse, soulagée, Ludivine passe le doigt dans ses boucles, tapote sa robe, et essaie de prendre un air lointain.

Frédéric Vernet, de son grand pas souple, traverse le jardin qui, à sa mesure, semble se rétrécir.

« Mademoiselle, excusez-moi de vous importuner. Je suis désolé de ne point trouver Mme Daubenois, mais heureux de vous rencontrer. Je vous présente mes hommages.

— Monsieur, commence Ludivine, cérémonieuse, après une simple inclination de tête, Mme Daubenois est partie ce matin à Avignon, chez sa couturière, accompagnée de sa fille...

— Vous lisiez ? Je vous dérange ?

— En aucune façon, je ne faisais rien. »

Frédéric jette un coup d'œil sur le titre du volume et rit de bon cœur :

« Oh ! oh ! Armand de Pontmartin : *Les Mémoires d'un notaire*. Je vois... Mais dites-moi, ce n'est pas une lecture de pensionnaire, cela. »

« Pensionnaire. » Un serpent mord le cœur de Ludivine : ses yeux noircissent.

« Puis-je connaître, monsieur, le motif de votre visite ? J'en ferai part à Mme Daubenois. »

Imperturbable, Frédéric l'examine.

« Vous n'aimez pas à être traitée de pensionnaire, n'est-ce pas ? Je crains de vous avoir offensée.

— Moi ? Pourquoi cela ? s'enquiert Ludivine, dédaigneuse. Vous offense-t-on lorsqu'on vous traite de campagnard ?

— Dieu, non ! » Il s'amuse franchement. « Campagnard, je le suis jusqu'à l'âme. J'aime la terre, les labours, les chevaux... Montez-vous à cheval ? non ? C'est le plus beau sport qui soit. Je vous apprendrai. Vous saurez très vite. Ma sœur Adrienne se tient comme un sac. Mais vous, cela ira tout seul. Vous êtes née cavalière, ça se voit. »

Ludivine écoute, bouche bée. Au passage, elle accroche l'image d'une amazone noire, campée sur un cheval blanc, galopant à travers la campagne, botte à botte avec un séduisant compagnon. Elle dépose la hache d'armes et

sourit à Frédéric qui s'assied sur le banc
auprès d'elle.

« Je le voudrais bien. Mais comment le
pourrais-je ?

— Facilement. Je puis venir vous donner
des leçons. Si cela vous plaît, je me fais fort
d'obtenir de maître Daubenois qu'il accorde
son autorisation. »

Elle rêve, le regard brillant. Un avenir enchanté s'entrouvre. Hélas ! il faut y renoncer :

« Dans trois jours, je retourne au couvent,
vous savez, dit-elle avec un soupir.

— Au couvent, au couvent, chevrette, et
qu'allez-vous y faire, dans ce couvent, avec
vos yeux de bohémienne et votre petite insolence ? »

Ludivine, perplexe, se demande si « bohémienne » est ou non un compliment dans la
bouche qui le prononce. Cet entretien ne ressemble à rien de ce qu'elle a connu dans le
salon de la notairesse, ni auprès des jeunes
gens de son âge rencontrés en visite chez des
amies de pension.

« ... Vous y enseigne-t-on à devenir une
dame ? A supporter avec une rébarbative hauteur les mauvais plaisants qui se permettent
une taquinerie à votre endroit ?... Si j'étais
vous, je sauterais le mur au bout de vingt-
quatre heures. »

Ce regard gris, hardiment fixé sur elle, est toujours empreint de malice, mais elle se sent à présent dans le jeu.

« Quel beau conseil ! rit-elle. Si mon tuteur vous entendait !... Mais où irais-je ? »

Pensif, il interroge :

« Orpheline ? »

La voix est si doucement attendrie que Ludivine, qui jusqu'à ce jour ne s'était jamais trouvée particulièrement incommodée de la situation, se sent soudain envahie d'apitoiement sur elle-même.

« J'avais trois ans quand Papa et Maman sont morts dans une catastrophe de chemin de fer. Je suis toute seule...

— Et vous venez chez les Daubenois aux vacances ? Je connais le notaire depuis toujours, il doit faire un tuteur plein d'indulgence. Mme Daubenois a l'air d'une excellente personne, et Mlle Elise est charmante, me semble-t-il. Vous êtes amies, n'est-ce pas ? »

Ludivine acquiesce, un peu vexée. Charmante, charmante..., oui, bien sûr. Mais au diable, Elise ! Ne lui dira-t-il rien d'elle-même ?

L'air songeur, Frédéric continue :

« ... J'aime cette grâce, cette douceur que l'on devine en elle... »

Ludivine fait un loyal effort.

« Oui, elle a toutes sortes de qualités.

— Et elle est très jolie, aussi.

— Très », articula-t-elle, laconiquement.

Elise, Elise... « Il a promis de m'apprendre à monter à cheval, mais c'est elle qu'il trouve jolie, et douce. Jolie... pas plus que moi ! Et douce... Bien entendu, je ne suis pas douce. Pas pour un sou. Si je voulais... Trop tard... Et puis, à quoi bon ?... Après tout, qu'est-ce que ça peut faire ? Elise Vernet, Madame Frédéric Vernet... » Une incompréhensible amertume noie le cœur de Ludivine, tandis que, bravement, elle ajoute, brûlant ses vaisseaux :

« Oui, au couvent, tout le monde envie ses cheveux blonds. Vous avez remarqué comme ils sont beaux ? Et puis aussi c'est la meilleure des compagnes, toujours amie de tout le monde. Elle adore les enfants, la vie d'intérieur. Ce sera une maîtresse de maison parfaite. »

Il l'interrompit gaiement :

« Je soupçonne que vous n'appréciez pas comme elles le méritent ces qualités remarquables ? »

Quand Elise Daubenois sera devenue Elise Vernet, Ludivine se souviendra de ce visage penché vers elle, moqueur, souriant, gentil. Il restera toute la vie pour s'en souvenir, et peut-être pour avoir mal. Mais que ça ne se voie pas, Seigneur, que ça ne se voie pas !

« Vous vous trompez, je les apprécie. Mais je ne les possède pas.

— Vraiment ? interroge-t-il, railleur. Faut-il vous croire ? »

Voilà, c'est fini.

« Non, moi, je n'aimerai jamais personne. Je veux vivre libre, et non pas m'enterrer dans un village pour regarder le temps passer, de ma fenêtre. Plus tard, je voyagerai. Ou peut-être, je me ferai actrice.

— Bravo, et nous monterons à cheval ensemble, n'est-ce pas, mademoiselle Ludivine ?

— Je ne crois pas que j'en aurai le loisir, dit Ludivine, la contenance superbe, les joues enflammées de la fièvre des combats.

— J'espère bien que si », sourit avec tranquillité Frédéric qui se levait pour prendre congé.

Elle se leva aussi, délivrée et chagrine à la fois, inexplicablement.

« ... Puis-je vous prier de transmettre à Mme Daubenois mes regrets, avec mes respects ? »

Ils marchaient l'un derrière l'autre, dans les ridicules petites allées.

« Je n'y manquerai point, monsieur, dit Ludivine, raidie.

— Puis-je également vous remercier de l'exquise bonne grâce de votre accueil ? »

Elle se retourna, et le foudroya d'un regard de basilic.

« Décidément, ils sont noirs... » constata Frédéric avec flegme.

Noirs, ses yeux !... noires, les violettes qu'elle aimait à regarder luire au fond des miroirs !... Elle chercha une réponse fulgurante, n'en trouva pas, et se tut, ulcérée.

Ils traversèrent le vestibule en silence, Ludivine ouvrit la grande porte sur la cour d'entrée.

« Adieu, monsieur, dit-elle, plongeant sans y penser dans sa petite révérence de couventine.

— Au revoir, mademoiselle. » Un sourire joyeux, creusant son visage, y découpait des fossettes imprévues, lui donnait tout à coup un air presque enfantin.

Ludivine ne répondit pas. Quelque chose, dans sa gorge, l'étouffait un peu. Elle referma la porte lorsqu'il eut fait quelques pas, et courut s'enfermer dans sa chambre.

III

A Mogador, la salle à manger était une pièce
d'imposantes dimensions, assombrie par des
boiseries de noyer, des rideaux de peluche et
des tentures murales vert empire semées de
couronnes et de palmettes dorées. A travers les
fenêtres à petits carreaux, on apercevait le
parc.

La douceur de la saison n'avait pas encore
pénétré jusqu'à la vaste salle. Un feu de bûches
flambait, ce jour-là, dans la cheminée. Sous le
lustre de bronze doré, dont la multitude de
bougies de cire ne s'allumait qu'aux soirs de
réception, les quatre convives paraissaient un
peu perdus autour de la table massive faite

pour les grandes réunions, les festins à la solide ordonnance.

Julia Vernet qui présidait, toute menue dans un haut fauteuil, appela sa femme de chambre :

« Philo, presse le dessert, je sortirai, aujourd'hui. »

Ce fut comme un coup de vent sur les eaux calmes d'une baie. Ses trois enfants réagirent, chacun à sa manière.

« Mais vous n'y pensez pas, Mère ? dit Adrienne, plaintive. Et votre asthme ? et votre cœur ?

— Bravo, Maman ! » claironna son fils cadet, Hubert, dont les dix-huit ans bayaient au soleil, au vent, à l'aventure. Il ôta avec grâce un imaginaire feutre empanaché. Par le mordieu, madame, dites un mot, je vous enlève en croupe ! Nous faisons le tour du domaine, voulez-vous ? »

Frédéric, abandonnant sa place, vint se pencher sur elle :

« Vous sentez-vous vraiment assez bien ? »

Elle leva la tête vers les yeux gris, pareils aux siens :

« Tu m'offriras ton bras, garçon. Il fait si beau. Je crois que je le puis, réellement. Tu sais, je tiens à voir un peu, par moi-même, ce que tu fais de Mogador.

— Maman, quelle imprudence ! Et si votre

crise vous reprend, cette nuit ? gémissait
Adrienne.

— Tu me soigneras, ma fille, dit vertement
la vieille dame impatientée.

— Bah ! sourit Frédéric, si Mère en a envie...
Le soleil est chaud. D'ailleurs, elle peut se
couvrir... »

Il regardait sa mère avec une indulgence
admirative. Cette femme aux traits fins, aux
yeux gris volontaires, était encore belle. Ni le
temps, ni la maladie n'avaient pu gâter le nez
exquis de petitesse, aux narines mobiles, la
bouche et le menton un peu durs, admirablement dessinés.

Frédéric imagina le jour où son père l'avait
amenée à Mogador, en robe blanche, voilée de
dentelles, couronnée de myrtes. Bien souvent,
Adrienne et lui, durant leur enfance, avaient
contemplé cette petite couronne séchée. Julia
la conservait dans sa chambre, épinglée sur
son capiton rose, à l'abri d'un globe de verre.

Cette jeune femme, elle avait régné sur
Mogador comme une souveraine, adorée de
son mari. Elle avait présidé les repas, entourée
des enfants nés d'elle. Et, peu à peu, des vides
s'étaient creusés autour de la longue table :
d'abord son premier-né. Cyprien, que Frédéric
n'avait pas connu, mort à six ans d'une ménin-
gite. Puis son mari, Rodolphe Vernet, revenu

de la guerre, un poumon traversé d'un coup de baïonnette, s'était éteint en 75. Et Amélia, la beauté de la famille, enlevée par la variole, quelques mois après, à vingt ans, une semaine avant le jour fixé pour ses noces... Henri, enfin, que l'on avait rapporté trois ans auparavant, au soir d'une chasse, avec une décharge de plomb dans le ventre et, cinq nuits durant, Julia l'avait veillé elle-même, repoussant jusqu'à l'assistance de ses autres enfants. Cinq nuits sans espoir, toute intervention impossible, de l'avis des médecins... Henri, le modèle, le grand compagnon qui s'en était allé après des heures de souffrance et cet apaisement subit de la dernière journée, comme un mieux auquel il fallait s'empêcher de croire, qui avait précédé le sommeil.

Ils n'étaient plus que quatre, maintenant. Et sur les épaules de Frédéric pesait la responsabilité du domaine.

« A quoi rêves-tu ? demanda Julia qui considérait avec attention le visage incliné vers le sien.

— A vos vingt ans, Mère », dit-il doucement.

Elle eut un petit rire :

« C'était hier... »

Philomène passait les fruits et les confitures. Il se rassit, prit une orange :

« Philo, tu devrais nous apporter le café ici.

Vous permettez, Maman ? pour aller plus vite...

— Soit, dit Julia. Tu iras chercher ma capote et mon grand châle de laine, Philo. Et sers rapidement. Nous sortirons tout de suite.

— Voulez-vous que je vous accompagne ? fit Adrienne d'une voix qui marquait sa désapprobation éplorée.

— Et moi, Maman, et moi ?

— Non, non. Ni toi non plus Hubert. Je n'ai pas besoin de vous, mes enfants. »

Philomène rentrait avec le plateau de café, arborant un visage de catastrophe.

Adrienne passa les tasses. Julia, nerveuse, regardait ses enfants prendre du sucre, remuer leur cuillère... Frédéric s'en amusa :

« Mère, vous êtes comme une jeune fille à son premier rendez-vous. Allons, je vais m'ébouillanter la gorge en votre honneur. C'est bien ce que vous désirez, n'est-ce pas ?

— Tu le sais bien que je n'ai jamais pu attendre une fois les choses décidées. »

Il se leva.

« Alors, me voici à vos ordres. »

Philomène revenait, les vêtements sur son bras.

Adrienne aida sa mère à se coiffer de la capote, Frédéric prit le châle et le lui posa sur les épaules, tandis qu'elle boutonnait ses gants. Elle serra les pans sur sa poitrine, prit son ombrelle des mains de la servante. Frédéric lui offrit son bras. Tous suivirent en cortège ; ils quittèrent la salle à manger, traversèrent le hall où Julia marqua un arrêt devant la glace, et s'avancèrent jusqu'au perron.

Devant eux s'étendait la grande pelouse entourée de noisetiers en demi-cercle. On ne l'avait pas encore fauchée ; les herbes hautes semées de marguerites blanches ondulaient dans la brise tiède. Derrière, les pins, les cyprès, les chênes et les tilleuls du parc mêlaient les verts de leurs cimes où le printemps avait éclaté.

Julia sourit à ce spectacle.

« Il fait bien beau, dit-elle, aspirant avec délices l'air ensoleillé.

— Bonne promenade ! crièrent Hubert et Adrienne, les regardant descendre les marches.

— Et couvrez-vous. Et portez-vous bien. Et ne faites pas d'imprudences... dit Julia, sarcastique. Regarde-la, Frédéric. » Elle pointa son ombrelle vers Adrienne avant de l'ouvrir. « Dirait-on pas que je m'embarque pour les Amériques ? Peu s'en faut qu'elle n'agite son mouchoir. Mais qu'ai-je fait au Ciel, qu'il m'ait envoyé pareille fille ? La punition de mes péchés... Dieu tout-puissant ! Ton père, ce vif-argent, s'il la voyait !... Moi, à son âge... Elle est là, bêlante, endormie. On la souffletterait

pour un peu, dans l'espoir de la voir s'animer,
cette molle...

— Ma pauvre sœur... dit Frédéric, qui riait
de bon cœur. Mère, vous êtes cruelle. Vous
ressemblez à une reine barbare, prête à dévorer votre progéniture. »

Julia Vernet rit à son tour.

« Mais aussi, cette pauvre Adrienne... Que
veux-tu ? Elle a un don particulier pour éprouver ma patience. Où me conduis-tu ?

— Où vous voudrez.

— Allons voir les orangers. Ont-ils bien
passé l'hiver ?

— On les a sortis la quinzaine dernière.
Juste pense qu'il n'y a plus à craindre les gelées,
à présent.

— J'étais jeune mariée quand ton père les a
fait venir. C'était une grande nouveauté, par
ici. Il était fier de son allée... »

Alternant avec les palmiers plantés en pleine
terre, les orangers dans leurs vases d'Anduze
s'échelonnaient de chaque côté de la large allée
sablée, jusqu'à la grille d'entrée, le long des
buis haut-taillés derrière lesquels commençaient les massifs pleins d'ombre.

« Je voudrais pousser jusqu'au salon de
verdure, dit Julia.

— N'aurez-vous pas froid sous les arbres ? »
Elle lui lança un léger clin d'œil.

« Ne vais-je pas fondre au soleil ?

— Allons, Maman, il faut toujours faire ce que vous voulez.

— Ton père s'en trouvait bien. Seras-tu moins sage ? »

Il la regarda d'un air de réflexion profonde.

« Eh bien ? s'enquit Julia. A quoi penses-tu ?

— Je me demande... » Il hésita, lui jetant un regard malicieux.

« Quoi ?

— ... Si un tyran domestique, tel que vous avez dû l'être, est bien exactement le genre d'épouse qui me conviendrait.

— Sans aucun doute, mon garçon. Les hommes s'ennuient avec les femmes trop douces. Mais regarde plutôt Adrienne : elle a vingt-quatre ans, et qui l'a jamais demandée ? »

Ils entraient sous le couvert. Un murmure fait de pépiements d'oiseaux et de feuilles agitées les accueillit. Julia s'arrêta pour refermer son ombrelle. Un instant, silencieux, ils écoutèrent. Puis :

« Ainsi, Mère, vous ne détesteriez pas me voir amener ici une petite pouliche sauvage ?

Instantanément, Julia fut à la hauteur de la situation :

« Comment s'appelle-t-elle ? »

Frédéric éclata de rire.

« Mère, Mère, je vous adore !

— Où l'as-tu rencontrée ?

— Chez le notaire.

— La petite Daubenois ? On la dit gentille. »
Ses yeux brillaient d'excitation...

« Non pas, Mère. C'est leur pupille. Elle
s'appelle Ludivine. Ludivine Peyrissac. Elle a
seize ans.

— Peyrissac !... s'exclama Julia Vernet. Peyrissac ! mais je connais ce nom... Nous étions
grands amis autrefois avec les Peyrissac de
la Gloriette. Le mas était situé entre Boulbon
et Barbentane. Dieu ! quand j'y pense... C'est
là que ton père et moi nous rencontrions, l'été,
avant notre mariage. Des gens exquis. Une
cordialité, un entrain... L'hiver, ils recevaient
beaucoup dans leur hôtel d'Avignon. Des bals
superbes, Félicité Peyrissac était une des belles
de la ville... On s'amusait chez eux... » Elle
soupira. « Il n'a fallu rien de moins que la
politique pour gâter tout ça. Ton père était
bonapartiste, bleu bon teint, en fils de « demi-
solde » qu'il était, bien entendu. Arsène Peyrissac, lui, tenait pour les Blancs, et ne perdait
pas une occasion de le proclamer. C'est miracle
que leur amitié y ait résisté si longtemps. Un
beau jour, au nom de Badinguet, ton père a
pris feu : altercation, brouille... Une scène
pénible. »

Elle secoua la tête avec un petit rire : « ... Que

n'ont-ils eu plus de patience ? La République les eût réconciliés... » et reprit : « ... Leur fils avait fait un brillant mariage, à dix-neuf ans. Une histoire romanesque... Ils l'ont perdu dans un accident, un déraillement, je crois. Eux-mêmes sont morts, quelques années après... »

— Eh bien, vous y êtes, Mère. Elle est orpheline.

— Pauvre petite », dit Julia, pensive.

Ils étaient parvenus dans une clairière dont une ancienne noria occupait le centre.

« Asseyons-nous un instant, je suis un peu lasse. »

Elle regardait le bleu pur du ciel à travers les chênes.

« La petite-fille de Félicité Peyrissac... toute seule au monde...

— Ne vous apitoyez pas trop, Mère, la jeune personne sait se défendre.

— C'est ce qu'il te faut, sourit la vieille dame, lui tapotant les doigts à petits coups secs, avec le manche de son ombrelle noire. Nous t'avons horriblement gâté, je le crains, ton frère et moi. Quant à Adrienne, tu es son héros. C'en devient ridicule. Il est grand temps que tu trouves à t'occuper d'un autre dressage que celui d'Hubert.

— Mais moi, Mère, ferai-je un bon mari, à votre idée ?

— Tu feras le mari et le père que tu pourras. Ce sera l'affaire de ta femme. Mais vous me donnerez les héritiers de Mogador. Va, amène-moi une fille qui ait du caractère. Cela me changera de ta sœur... »

Elle rêva un moment.

Frédéric, silencieux, actionnait doucement le treuil de la noria. En grinçant, les godets rouillés se mirent en marche.

Jadis, elle était souvent venue s'asseoir sur la margelle basse et Rodolphe Vernet, près d'elle, par jeu, avait fait les mêmes gestes que répétait aujourd'hui son fils.

Passent les saisons. Passe la vie. Rodolphe était allé dormir son long sommeil sans elle et, des enfants qu'il lui avait donnés, trois déjà reposaient auprès de lui. Et les orangers paraissaient à peine avoir poussé, les chênes étaient aussi beaux, les futaies de Mogador aussi épaisses... Mais cette jolie fille, Julia Angellier, entrée en maîtresse dans le domaine, un jour de printemps, trente-cinq ans auparavant, les miroirs eux-mêmes ne se souvenaient plus de ses larges robes à crinoline, ni de son visage de magnolia.

« Mère, je crains pour vous la fraîcheur de ces pierres. »

Elle le contempla longuement.

« Comme il est beau... si Rodolphe pouvait le

voir... Ce sourire qui lui ressemble... Les
mêmes drôles de fossettes... Mon grand garçon
de vingt-six ans... Ce long corps que j'ai mis
au monde... Henri, lui, était le vivant portrait
de son père. Trente et un ans, Rodolphe avait
son âge quand je l'ai connu. Henri... » Elle
secoua la tête. Henri, le cœur de son cœur...
« Mais Frédéric aussi... le maître de Mogador,
à présent... »

Elle se leva, secoua sa jupe, resserra son
châle sur sa robe de deuil, et sourit à son fils :

« Elle est de bonne race, Frédéric, tu iras
la chercher. »

Il prit sa main et la baisa.

« ... Allons voir les chevaux, à présent »,
dit-elle.

IV

MAITRE DAUBENOIS, coiffé de son tube, a pris les rênes pour conduire. A côté de lui, sur le devant de la voiture, la notairesse arrange sa robe avec soin, vérifie la stabilité de son chapeau orné de grandes ailes, et ouvre son ombrelle de poult de soie chaudron assortie à sa toilette. Derrière, côte à côte, les deux jeunes filles offrent le plus charmant spectacle : Elise porte, sur sa robe rose, une longue polonaise de veloutine chamois à brandebourgs havane. Une toque ronde, à la Russe, met en valeur ses cheveux blonds. Le petit visage enfantin et fier de Ludivine resplendit sous la

capote ponceau garnie de bleuets et de dentelles bises :

« *Je suis venu vous demander si vous voulez
être ma femme...* » Il était dans le petit parloir... Je n'ai vu que lui en entrant. Ce bizarre
gonflement dans ma poitrine... et maintenant,
à nouveau... L'air grave qu'il avait... Et moi,
avec cet affreux uniforme... Mon tuteur qui me
regardait sans rien dire... J'aurais voulu qu'il
me laissât seule avec lui... Frédéric... Quand
m'embrassera-t-il ? Oh ! je voudrais !... Aujour-
d'hui, peut-être... Frédéric... Comme tout a été
vite ! Il y a un mois, non, vingt-neuf jours, je
ne le connaissais pas. « Madame Vernet. »
Nous mangerons, nous dormirons ensemble.
Des matins et des matins à la file, je m'éveil-
lerai à côté de lui... En ouvrant les yeux, je le
verrai. « *Je suis venu vous demander...* » Marthe Dervillers, et Hermance, et Marguerite,
quand elles ont su... Fiancée... Et Mère Marie-
de-Jésus ! « *Ma Mère, je quitte le couvent
demain, je suis fiancée.* » Va-t-il aimer ma
toilette ? Ma capote me va bien. « *...Être ma
femme...* » Oh ! qu'il me prenne dans ses bras,
serrée contre lui !... Nous irons dans le parc,
sûrement. Je serai distante, froide... « *Ludivine, mon amour... ma vie est à vous...* » A
genoux près de moi... « *Monsieur, relevez-vous,
je vous en prie.* » Il m'a fait pleurer. Il s'est

moqué de moi exprès, pour voir ce que je
dirais. Oh ! Frédéric, Frédéric, maintenant, je
veux que vous m'aimiez toute la vie, toujours !...

Sur la place où la sortie de la grand-messe
rassemble les élégances et les notabilités du
pays, on les regarde beaucoup au passage.
Depuis quelques jours, Mme Daubenois a dit
négligemment à ses amies :

« Nous allons chez les Vernet, à Mogador,
dimanche, pour les fiançailles de Ludivine. Oh !
une fête de famille tout intime... Julia Vernet
est toujours souffrante, vous savez... »

L'on savait ou l'on ne savait pas. Mais cette
familiarité avec les gens de Mogador a donné
à la notairesse un lustre considérable dans le
cénacle des dames qu'elle fréquente. Elle avait
besoin de ce baume sur la blessure ouverte
par le brusque, incompréhensible choix de
Frédéric Vernet. « Etre allé s'éprendre de cette
petite péronnelle... qui ne s'est pas même montrée gracieuse... Cette enfant, avec son caractère difficile... »

La charrette anglaise roule, cahotée sur les
pavés pointus de la grand-rue.

Clémence Daubenois songe avec rancœur
qu'Elise est jolie — au moins aussi jolie — et
agréable ; bien éduquée, entendue aux choses
du ménage ; qu'elle joue du piano et chante

avec goût. Mais que sa dot est mince. Ludivine, elle, avec sa fortune, n'eût point été en peine d'un épouseur... Pourtant, c'est elle qui sera maîtresse de cette propriété que toutes les mères de la région convoitent pour leurs filles... Les choses ne sont pas comme elles devraient être... La bonne dame soupire.

Parvenu aux dernières maisons de la ville, maître Daubenois fait claquer son fouet joyeusement, et lance sa bête au grand trot.

La campagne est d'un vert de jeunesse, pas encore touché par les brûlures du soleil. Les haies de cognassiers se sont ensevelies sous une tendre floraison soyeuse dont le parfum se mêle à celui de l'aubépine. Entre les murs de cyprès serrés qui se succèdent, les pêchers sulfatés sont roses et bleus : « Rose du roi et bleu turquoise », remarque Elise, la tête pleine des festivités prochaines. « La robe, le cortège... Et ce cavalier inconnu qui, peut-être... »

De petits nuages légers passent et se dissolvent dans l'air bleu. Les platanes aux feuilles neuves sont pleins de chansons cachées. Au-dessus des champs, là-bas, derrière les pins, voici le clocher de Barbegal.

Mais soleil, printemps, et campagne, prodiguent en vain leurs miracles pour les deux jeunes filles toutes pépiantes de projets,

d'imaginations et de rires. Devant elles, oscille
l'ombrelle de la notairesse.

« Nous approchons de Fontfresque. Mogador
n'est pas loin », cria maître Daubenois.

*
* *

« Entrez, entrez, mon enfant. »

De son fauteuil, Julia Vernet examine avec
curiosité Ludivine, toute droite dans l'embrasure de la porte. D'un coup d'œil, elle a noté
les yeux étonnants sous l'ombre de la capote,
la peau ambrée, la physionomie volontaire,
la silhouette gracieuse dans une robe de taffetas bleu lac garnie de dentelles bises que
relèvent de gros nœuds de velours ponceau.

« Jolie, constate-t-elle, jolie et bien habillée.
Frédéric a bon goût... »

« Mère, voici Ludivine Peyrissac que je vous
amène.

— Eh ! je le vois bien ! s'exclama Julia.
Venez, enfant, approchez-vous... Toi, Adrienne,
laisse-nous. »

Ludivine, les yeux baissés, timide pour la
première fois de son existence, fait sa petite
génuflexion et s'avance vers cette mince personne noire assise au fond de la chambre, le
dos tourné à la fenêtre. Elle donnerait gros

pour qu'Adrienne demeurât..., Adrienne qui lui
sourit d'un air encourageant.

Julia Vernet a réclamé cette présentation
particulière, invoquant les ménagements commandés par son état. « Elle a toujours su jouer
de sa santé pour se faire passer ses « exigences », ose penser sa fille, choquée par une telle
entorse aux usages.

A regret, Adrienne abandonne l'innocente
aux mains de sa redoutable mère. Elle referme
la porte. On entend son pas décroître dans
le couloir. Tranquillement, la vieille dame prolonge l'inspection de sa future bru. Ludivine
immobile, comme pétrifiée, se prête en silence
à cet examen, et bout intérieurement de gêne
et d'impatience contenue.

« Vous êtes la petite-fille de Félicité Peyrissac ? J'ai connu votre grand-mère. Quelle charmante créature c'était ! »

Que répondre ? Ce n'est pas du tout comme
cela que Ludivine avait imaginé les choses.
Elle roule son mouchoir entre ses doigts, le
lâche, se penche, « ouf ! » Louisa l'a terriblement serrée, ce busc lui entre dans les côtes
— se redresse, essoufflée.

« Ma chère, dit Julia, il ne faut jamais laisser
tomber son mouchoir, ni quoi que ce soit,
d'ailleurs, quand il n'y a pas d'homme à proxi-
mité pour le ramasser. »

Se moque-t-elle d'elle ? Que dire ? Que faire ?
Ludivine suffoque. Qui l'a jamais traitée avec
cette raillerie désinvolte ?

Julia voit avec amusement pâlir puis s'enflammer les joues mates.

« Eh bien, est-ce un bébé que mon fils
épouse ? Ne vous a-t-on enseigné qu'à vous
taire ?

— On m'a, en effet, appris à me taire en
présence des personnes âgées », dit Ludivine
exaspérée.

Les prunelles de Julia brillent dans l'ombre.

« Et probablement aussi, à ce que je vois,
à doser l'impertinence polie ?

— Oh ! Madame ! »... articule avec peine Ludivine qui se sent expirer. Mère Marie-de-Jésus,
vous le disiez bien : « *Une vraie dame doit
toujours conserver, avec un maintien modeste,
un parfait contrôle de soi.* » Ah ! le couvent,
le couvent et ses murs, ses réprimandes, et
sa paix, plutôt que boire à cette coupe d'humiliation !...

« Là, là, fillette, venez ici. Nous nous enten-
drons. J'aime qu'on ait du caractère et qu'on
le montre. Mon fils vous le dira. D'abord,
ôtez votre chapeau et asseyez-vous près de
moi. Tenez, sur ce pouf. Faites attention à
votre jolie robe. Il faut que Frédéric puisse
l'admirer à loisir, tout à l'heure. »

Dans les yeux gris, Ludivine retrouve cette même expression toujours ironique qu'elle connaît bien. Pourtant, le visage fatigué lui sourit avec amitié.

« Vous êtes bien jolie. » Julia caresse doucement la petite tête coiffée de noir luisant.

Ludivine sent se desserrer en elle cette chose inconnue qui lui faisait mal.

« On dit que je ressemble à maman. Au couvent, les religieuses qui l'ont élevée m'appelaient quelquefois Adélaïde, comme elle.

— Allons donc, les yeux à part, vous êtes bien une Peyrissac. Je revois votre grand-mère, un soir de bal chez les d'Andigné, dans un satin blanc brodé d'épis d'or. Dieu, cette robe, comme elle lui allait !... Et votre mas de *La Gloriette*, l'avez-vous toujours ?

— Mon tuteur l'a donné en location.

— Le verger était bien beau. Il y avait des abricotiers, je me souviens. Oh ! ces abricots de *La Gloriette* !... Et les figuiers, les figuiers qui faisaient une ombre si fraîche !... »

Etés brûlants et purs, où l'on cueillait les fruits à deux, où Rodolphe venait en redingote bleue..., étés comme il n'y en aura jamais plus ici-bas pour Julia Vernet, qu'êtes-vous devenus ?

Sagement assise, Ludivine écoute et observe. La vaste pièce est d'une richesse un peu antique. Les meubles noirs incrustés de nacre, lourds et tristes, les tapis de laine à ramages, les fauteuils et les poufs capitonnés, le lit d'une hauteur majestueuse que l'on devine dans l'alcôve, derrière les courtines de peluche rouge brodée, les grandes glaces dorées, le guéridon massif sur le marbre duquel est posée une grosse lampe à pétrole, datent du mariage de Julia. Au mur, tous les portraits ressemblent à Frédéric.

« Ecoutez-moi, Ludivine, aimez-vous mon fils ? »

Voilà que l'entrevue redevient pleine d'embûches.

« Comment puis-je vous répondre, Madame ? » Sûrement elle doit être écarlate, elle le sent...

« Je ne vois pas ce qui vous en empêcherait.

— Eh bien... dit Ludivine, forcée dans ses dernières défenses, oui, je l'aime. Naturellement. Pourquoi l'épouserais-je, sans cela ? »

Julia sourit d'un sourire de jeune fille :

« Quelle chance est la vôtre, enfant ! Si vous le saviez... Il y a longtemps, j'ai été aussi une fiancée, durant cinq ans. Cinq longues années. Mes parents ne voulaient pas, vous comprenez ? Attendre, attendre, savez-vous ce que c'est ? Ah ! Dieu !... Mais n'importe, ce n'est pas cela que je voulais vous dire. Ceci, sim-

plement : aimez Frédéric. Donnez-lui des enfants. Et ne craignez point que je vous demande jamais rien d'autre. Sinon de demeurer
vous-même... Avez-vous un peu envie d'être
ma fille ?

— Je crois bien que oui, madame », balbutie
Ludivine qui, décidément, perd pied. Est-ce
ainsi une belle-mère ? Elle ne l'eût jamais
imaginé.

Le regard de Julia posé sur elle la scrute,
suit la marche de ses réflexions.

« Ludivine, vous est-il dur de vivre seule ?
Répondez-moi sincèrement.

— Non, madame, avoue Ludivine, renonçant, dans un accès de franchise, à cette
auréole de pitié qui l'a souvent si bien servie.

— C'est ce que je pensais. Vous allez apprendre la vie en famille. Dieu sait le bien et le
mal que vous y trouverez. Mon fils vous a
voulue telle que vous êtes. Pour moi, je crois
que je vous aimerai... Allons, il faut descendre,
maintenant, petite, on nous attend. Donnez-
moi votre bras, voulez-vous ? »

« La vie en famille », a dit Julia... Ludivine
commence à comprendre. Cette foule de parents, comment s'y reconnaître ? Comment
mettre des noms sur tous ces visages, oncles,

tantes, cousins alignés autour de la table ?
Frédéric, penché vers cette dame, sa voisine
de droite, l'écoute parler. Et elle parle, parle...
Mon Dieu, qu'a-t-elle tant à lui dire pour
l'accaparer avec un tel manque de tact ? De
dépit, Ludivine se tourne vers l'aîné des cousins Vernet, Raoul, qui semble la trouver à
son goût. Il lui a débité de forts jolis compliments, tout à l'heure...

« Comme vous êtes nombreux ! Moi qui n'ai
pas de parents, je me trouve perdue au milieu
de vous...

— Perdue ? Quand l'unique désir de tous,
ici, est de vous entourer ! proteste galamment
Raoul.

— Oh ! ce n'est pas ce que je veux dire...

— Non, bien sûr, je comprends. Nous sommes évidemment une famille un peu tenta-
culaire. Mais vous en prendrez l'habitude.
Voulez-vous que je vous aide à vous y retrouver ?

— Oh ! je vous en prie, dit-elle avec élan.

— Eh bien, voyons, si vous le permettez,
commençons par les miens. Tenez, voici ma
mère, oui justement, qui endoctrine avec tant
d'inconscience, l'heureux garçon à qui l'on vous
destine... Il faut l'excuser, voyez-vous, elle est
dans tous ses états dès qu'il est question de
mariage. Pour le mien, c'était bien pis...

— Pour le vôtre ? Est-ce donc que vous êtes marié ?

— J'ai ce privilège, mademoiselle, dit-il, misérieux, mi-plaisant. Penchez-vous un peu et vous apercevrez Laure, ma tendre compagne, là-bas, près d'Hubert. »

Ludivine considère sans douceur cette rousse au teint de rose rose. C'est donc elle, la femme de ce charmant Raoul ? Elle qui, tout à l'heure...

C'était là-haut, avant le déjeuner. Ludivine arrangeait ses cheveux dans une chambre dont la porte était restée entrebâillée.

« ... *Jolie, cette petite. Dommage qu'elle soit si noiraude.* »

Noiraude !

« *Oh ! Laure !... mais elle est dorée, voyons. Dorée et scintillante. Une statuette d'idole... La princesse Dinarzade...* »

Les mains tremblantes fourrageant dans sa coiffure, Ludivine était demeurée un moment incapable de se dominer. L'admiration exprimée par cette voix d'homme atténuait mal l'amertume du trait empoisonné. Noiraude !

Quitter la chambre, passer devant ce couple arrêté sur le palier, ah !... Par bonheur, ils étaient descendus avant elle...

« Mes compliments... Elle me paraît charmante », se force-t-elle à ajouter. Cette Laure qui, déjà, l'avait toisée à la dérobée, lors des présentations... Pas d'équivoque : ce sera la guerre. Nul n'a jamais défié Ludivine en vain. Sous les paupières baissées, ses yeux étincellent tandis qu'elle dépêche son turbot avec une férocité discrète, comme pour se faire la main.

Frédéric profite d'un répit que lui laisse la tante Lucie :

« Mais vous ne buvez pas, ma chère. Comment, Raoul, à quoi penses-tu ? Tenez, un doigt de chablis... »

Elle lui sourit, à la fois angélique et distante :

« Votre cousin me met au courant de votre parenté.

— Oh ! dit Frédéric, l'air innocent, si Raoul prend votre éducation en main, je m'incline et lui laisse le champ libre. C'est le dandy de la famille, figurez-vous. Poussez-le plutôt sur Paris. Il vous contera, comme le ferait le plus authentique boulevardier, et mieux encore, le dernier potin sur la dernière actrice à la mode... »

Ludivine pouffe, en vraie pensionnaire, scandalisée et ravie.

« Mais voyez donc l'œil courroucé de la bonne Mme Daubenois », continue Frédéric sur le même ton.

Clémence trouve, en effet, que leur pupille manque de retenue.

« ... Allons, dit Frédéric impassible, un peu de dignité, ma chère. N'oubliez pas que vous constituez l'attraction de la journée et que chacun a, plus ou moins, les yeux braqués sur vous. »

Du coup, Ludivine retrouve son sérieux.

« Ne vous laissez pas manœuvrer de la sorte, conseille Raoul, Frédéric est abominablement taquin. Le jour où l'on devra le pendre, il ne pourra pas se tenir de faire une petite plaisanterie au bourreau.

— N'en croyez rien... » commence Frédéric. Mais tante Lucie réclame l'attention de son neveu : « Il faut absolument qu'il lui donne son opinion sur... »

« Allons, dit Raoul, continuons la revue, si vous y consentez.

— Mais volontiers, c'est très amusant... » Elle laisse errer ses yeux autour de la pièce. Un valet et deux filles de chambre que dirige une sorte de majordome féminin au visage revêche et moustachu, passent les plats, versent à boire, changent les fines assiettes — du Sèvres ancien — dans un va-et-vient incessant vers l'immense desserte d'acajou à colonnes enrichies d'appliques de cuivre. Autour de la table, montent le cliquetis de l'argenterie, le tintement des cristaux, les rires, la rumeur des conversations. On sent ces gens à l'aise, bien installés dans un confort qui leur est naturel. Ludivine évoque, très lointain, l'intérieur sans véritable luxe des Daubenois, et s'épanouit dans son élément.

« Donc, j'achève de vous présenter le clan Vernet, enchaîne Raoul. Voici mon père, là-bas, à côté de tante Julia. Mon frère cadet, Georges, en face, oui, près d'Adrienne. Il ressemble un peu à Frédéric, ne trouvez-vous pas ? Il y a presque deux ans de différence entre eux mais Frédéric paraît aussi âgé, à mon avis. Je suppose que Georges rêve déjà de faire votre portrait. Il peint, figurez-vous. Je crois même qu'il a un certain talent, bien que mon père méprise ses « barbouillages ». Mais Père n'a aucun sentiment artistique. Quand vous viendrez à Tourvieille, vous frémirez en voyant les natures mortes devant lesquelles nous avons dû nous résigner, dès l'enfance, à prendre nos repas. Et je ne vous dis rien du « Coucher de soleil sur le golfe de Porto », qui décore le grand salon... Maintenant, regardez, du même côté que nous, près de cette aimable personne Mlle Daubenois, n'est-ce pas ? mon plus jeune frère, Léon, le romantique. On prétend qu'il écrit des vers, mais n'en parlez pas. Personne ne les a jamais lus, et je crains qu'ils ne soient fort mauvais. »

Ce Raoul est vraiment agréable. Ludivine

s'amuse de tout son cœur et oublie de manger :

« Et la jeune fille blonde, là-bas, à l'autre bout de la table ? »

Raoul, lui, tient tête magnifiquement aux mets qui se succèdent, tout en continuant la conversation.

« Mais je suis impardonnable, je laisse votre verre vide. Allons, goûtez ce chambertin, il vaut l'honneur que vous lui ferez. Chez tante Julia, on ne sait jamais ce qui est le plus choisi, de la cave ou de la cuisine. Voyons, qu'avons-nous ensuite ? « Poularde de Faverolles ; Spoom Victoria ; fonds d'artichauts Barante ; foie gras au porto en médaillon... » exquis, cela. Vous n'êtes pas gourmande ? »

Si, si, Ludivine est gourmande, mais n'ose avouer qu'elle l'est surtout en sucreries.

« Je vous en prie, renseignez-moi... la jolie jeune fille qui rit toujours ?...

— La jolie jeune fille, c'est ma sœur Caroline, mademoiselle, ou plutôt le diable en jupons. Voilà dix-huit ans bientôt qu'elle nous mène à sa guise. Père dit toujours qu'elle fera marcher son ménage tambour battant, à l'exemple de tante Julia. Dieu seul sait de qui elle tient ce don funeste aux hommes. Mère est bien la créature la plus romanesque mais la plus amène qui soit... Il se penche vers Ludivine et chuchote : d'une façon générale, nous

sommes la branche assagie. Mais je crois que
l'oncle Rodolphe était plein de feu et de fantaisie. Quel couple ils ont dû faire avec tante
Julia ! J'imagine qu'elle a été autrefois ensorcelante, et terrible comme elle l'est encore.
Père dit souvent que c'est sa belle-sœur le
vrai chef de famille. Gardez-le pour vous :
il l'appelle « le petit colonel ».

Ludivine éclate d'un rire irrésistible qui fait
se retourner vers elle Frédéric et tante Lucie.

« Mon Dieu, Raoul, mais que racontes-tu à
cette chère enfant ? s'informe la tante qui sent
cette gaieté la gagner.

— Riez le plus souvent possible. Vous le
savez, n'est-ce pas, que le rire vous va bien ? »
murmure Frédéric.

Comme il a dit cela. Avec son sourire, ce
sourire moqueur et délicieux qui lui creuse
la joue. Et cette voix tendre, qu'elle ne lui
connaissait pas. Ingénument, elle le contemple et ce qu'il lit sur le petit visage offert
allume un instant dans ses yeux une lueur
qui fait se baisser d'instinct les paupières
sombres de Ludivine.

« ... Buvez un peu », dit-il, sans grand à-
propos.

Ludivine qui achève de se défaire de son
blanc de poularde trouve qu'on la fait beaucoup trop boire.

« Non, non, vraiment, je vous assure. Je n'ai pas l'habitude.

— Prenez-la donc tout de suite, lui glisse Raoul. Puisque vous allez devenir une Vernet... De tout temps, nous nous sommes tenus honnêtement, le verre en main.

— Faites-moi plaisir, insiste Frédéric. Je veux vous voir tremper vos lèvres dans ce haut-brion. Il n'a guère que onze ans de bouteille, mais c'est une grande année. Il vous faut apprendre à aimer ce qui est bon, tout comme ce qui est beau... Eh bien, où en êtes-vous avec Raoul ? Commencez-vous à vous y reconnaître un peu ?

— Il me semble, dit Ludivine, qui a bu docilement.

— Nous venons de liquider la horde Vernet, explique Raoul. Si tu permets, nous passerons à la tribu Angellier. »

Tante Lucie se penche devant l'épaule de Frédéric :

« Chère belle, comme je le disais, ces fiançailles me rappellent les miennes. J'avais seize ans aussi, tout juste comme vous. C'était en juin 58. Je me vois encore : j'étais en rose, avec des guirlandes de myosotis, un chef-d'œuvre ! Et Antoine, dans son habit gris perle ! Mon Dieu, comme j'étais émue ! » L'oncle Antoine, massif, un peu rouge, l'air bénévole, écoute les propos de Clémence Daubenois qui semble tout à fait à son aise entre les deux oncles.

Le frère de Julia, Constant Angellier, tient tête à la notairesse et à la remuante Caroline qui l'encadrent avec diversité.

« C'est le plus charmant homme que je connaisse, lui confie Raoul. Tante Julia s'en doute-t-elle ? Il est plus jeune que nous tous. Tout l'intéresse. C'est le confident des jeunes filles. Métier ingrat et difficile, vous en conviendrez. Il s'en acquitte au mieux, voyez plutôt ma sœur, comme elle est à son aise auprès de lui. Ce n'est pourtant pas un cavalier de son âge !... »

Ludivine se souvient : « Vive Dieu, mon enfant, que j'aurai de plaisir à vous nommer ma nièce !... »

Pauvre oncle Constant, qui aime tant les jolies figures, il joue de malheur avec sa fille aînée, Emilie : « Celle qui est assise à mon côté, souffle Raoul. Elle est laide, sans espoir. Ses traits rappellent ceux de Julia, mais alourdis, déformés. Rien n'éclaire ce visage où le regard même est terne. Depuis le début du repas, délaissée par Raoul, elle converse avec Adrienne qui lui fait face.

« Que c'est triste d'être laide, pense Ludivine. Merci, mon Dieu, que je ne le sois pas ! »

Elle trempe sa petite cuillère dans la mousse glacée qu'on vient de lui apporter et, plongée dans ses actions de grâces, la lèche avec une inconsciente application.

« Ma chère, lui glisse Frédéric, Mme Daubenois va s'étrangler, regardez !... Prenez-en pitié ! »

Soudain rappelée aux réalités, elle s'aperçoit de son manège, et rougit jusqu'aux oreilles.

« Là, là, ne vous inquiétez pas : les autres n'ont rien remarqué, la console Frédéric, charitable. Je dois d'ailleurs avouer que, pour ma part, je trouve adorable ce petit bout de langue rose et pointu. »

Est-ce pour rire ? Il la regarde en clignant de l'œil si gentiment que Ludivine se sent fondre de douceur.

En face d'eux, Julia lui sourit, tout en donnant la réplique au notaire.

« Tante Julia semble déjà vous avoir adoptée, constate Raoul, qui, ses devoirs de politesse remplis envers Emilie, se hâte de reprendre l'entretien. Comment s'est passée l'entrevue ? Bien, je suppose ? Nous étions tous un peu inquiets pour vous. La chère Adrienne en déchiquetait son mouchoir... Mais, bien entendu, vous n'avez eu qu'à paraître pour conquérir... Tenez, jusqu'à la petite Blanche qui vous dédie une admiration béate. Oui, la brunette, au bout de la table, à côté d'Adrienne.

— Elle m'a l'air très gentille, dit Ludivine, qui accepte le tribut avec une bonne grâce royale.

— Délicieuse, c'est le séraphin de la famille Angellier. Emilie et Edmond en sont fous, son père la gâte honteusement ; la tante Sophie, oui, en face de vous, près de M⁰ Daubenois...

— La vieille dame ratatinée ?

— Oh ! oh ! toute belle, Mlle Sophie n'a pas encore vu se lever l'aurore de son cinquantième printemps. Ne vous y trompez pas. La tante Sophie, vous disais-je, fait montre envers Blanche d'une faiblesse particulière. Et malgré tout, cette enfant trouve le moyen de rester charmante. Elle et Léon s'adorent. Il doit lui rimer des masses de poèmes et d'églogues. Je suppose qu'on les mariera un de ces jours, mais elle n'a que quinze ans, Léon va sur ses vingt, ils sont encore un peu jeunets.

— En effet, acquiesce Ludivine, qui se sent incomparablement plus vieille.

— Voyons, vous voici à peu près au fait de tous les convives. Ah ! j'oubliais Edmond, son frère. Vous voyez, entre ma mère et Laure. Sympathique, n'est-ce pas ? C'est un doux savant ou presque : mathématicien, ingénieur, quelque peu inventeur... Son vice secret, c'est la balistique. Vous ne le diriez pas à le voir, n'est-il pas vrai ? Son aspect est parfaitement inoffensif. Caroline, qui est bon juge, le trouve même séduisant. Mais je crois qu'il ne s'en doute guère. »

Dans les rares répits que lui laisse la conversation de tante Lucie, Frédéric écoute l'intarissable Raoul et s'amuse de l'intérêt marqué par Ludivine qui hoche la tête, approuve, et rit de tout son cœur. Comme on apporte les desserts, il fait signe à Philomène, et lui chuchote quelques mots. Peu après, l'une des filles de chambre, vient déposer devant Ludivine une énorme part de bavaroise au chocolat.

« J'ai pensé que vous l'aimiez et prié Philo de veiller à ce que l'on vous servît copieusement. »

Des yeux brillants de chatte le remercient en silence.

Tout le monde parle. Les bouchons de champagne sautent dans le brouhaha. L'oncle Antoine se lève et porte un toast aux fiancés. Ludivine écoute, la tête bourdonnante.

« Donnez votre petite patte », murmure Frédéric à son oreille. Elle obéit.

A son doigt, il glisse la bague de fiançailles, un beau brillant monté en tourbillon.

« Oh !... souffle Ludivine, au milieu des applaudissements qui accompagnent la chute du petit discours d'Antoine Vernet.

— Cela vous plaît ?... »

Les coupes se lèvent. Dans le silence relatif qui s'établit, Clémence Daubenois, solennelle, s'adresse à Frédéric :

« Cher monsieur, vous pouvez embrasser votre fiancée. »

Ludivine baisse les yeux, avance la joue imperceptiblement. Son cœur bat un peu plus vite...

Frédéric considère une seconde l'ombre ailée des cils sur les pommettes roses, et répond poliment à la notairesse :

« Je vous remercie, madame, nous avons tout le temps. »

Dans le grand salon où l'on s'empresse à présent autour d'elle, Ludivine parade. Mais son cœur est un champ de bataille où soufflent en tempête le chagrin, la colère, l'orgueil blessé. « Il venait d'être si gentil... Qu'y a-t-il eu ? Qu'a-t-elle fait qui l'ait soudain éloigné d'elle ?...

« Ah ! Ne plus le voir, ne plus entendre parler de lui, ne plus l'aimer... Il a un grand nez, une grande bouche. Sa lèvre inférieure est trop forte. Ses dents ne sont même pas très bien rangées, il y en a une qui avance... Pourquoi, mais pourquoi ce visage est-il devenu, si vite, plus grand que le monde devant ses yeux ? »

Cependant, elle s'évente et soutient bravement la conversation au milieu d'un petit groupe.

« Puis-je voir votre bague ? demande Caroline. Vraiment belle !... Que c'est agréable d'être fiancée ! »

Oh ! Dieu ! Si elle savait...

Ludivine jette un regard de rancune sur les feux d'arc-en-ciel que lance le bijou, et rêve d'un tremblement de terre qui engloutirait à ses pieds Mogador tout entier, et son amour bafoué.

Elise et Blanche admirent à leur tour. Georges Vernet s'approche.

« Un magnifique brillant, certes, mademoiselle. Mais quels joyaux plus rares que vos yeux ! Depuis que vous êtes là, je me demande comment on pourrait parvenir à les représenter sur une toile : ce velouté sombre, avec ces brusques scintillements noirs...

— Mon Dieu, monsieur, rit Ludivine — l'on vous disait peintre, en effet, mais il faut ajouter poète, je le vois bien...

— N'importe, ma chère, coupe Caroline, poète ou non, Georges a raison. Je n'en ai jamais rencontré de pareils. N'est-ce pas, Laure ?

— En effet, Frédéric a bien de la chance. Et

il est allé vous dénicher au couvent, m'a-t-on dit ?

— Presque... concède Ludivine, avec une douceur d'archange.

— Oh ! non, rectifie Elise, candide. Ludivine a rencontré M. Vernet chez nous. »

Bonne, chère, Elise, rempart de loyauté devant cette attaque insidieuse.

« Allons, allons, laissez-la-moi un peu, prie Adrienne qui les rejoint avec Emilie. Elle s'empare du bras de Ludivine, et l'emmène s'asseoir à l'écart sur le sopha. Vous allez être notre petite sœur. Si vous saviez comme j'en suis heureuse. J'espère que vous vous plairez avec nous. Hubert et moi, avions hâte de vous connaître. Il vous trouve ravissante... Depuis que Mère nous a annoncé la nouvelle, nous ne cessions de parler de vous, de vous imaginer, « la fiancée de Frédéric... »

Frédéric... Où est-il ? Malgré elle, Ludivine se surprend à le chercher des yeux, à la dérobée. Ah ! le voici, là-bas, près de la cheminée. Il cause à voix basse avec sa mère. Julia, assise dans un grand fauteuil, les traits tirés, paraît lasse. Elle appelle d'un geste Ludivine qui feint de ne pas le remarquer, car, derrière elle, accoudé au dossier, Frédéric la regarde.

« Maman vous demande », lui signale Adrienne.

A regret, Ludivine se lève et s'approche. Son cœur bat misérablement.

« Frédéric me prie de fixer avec votre tuteur la date de votre mariage. Verriez-vous un inconvénient à ce que ce fût pour bientôt ? Le temps de faire vos préparatifs... Dans deux mois, par exemple ?

— Comme vous voudrez, madame... répond-elle, tout à fait désemparée.

— Frédéric, va me chercher ton oncle Antoine, veux-tu ? »

Il se lève et décoche à Ludivine une petite grimace moqueuse et tendre. « Le monstre, comment peut-il... ?

— Qu'avez-vous, petite ? » Julia caresse la main aux doigts crispés sur un mouchoir roulé en boule : « Un peu nerveuse ? »

La gorge serrée, Ludivine hoche la tête.

« Antoine, dit Julia Vernet à son beau-frère qui les rejoint, je voudrais que vous rassembliez le conseil de famille et les Daubenois. Nous avons des décisions à prendre. Au fait, nous resterons ici. Je me sens trop fatiguée pour passer dans le bureau. Envoyez donc les enfants faire un tour dans le parc. Ludivine ne le connaît pas, il faut qu'on le lui montre. » Elle dévisage sa future bru : « Allez prendre l'air, cela vous fera du bien, vous êtes toute pâlotte. Allez vite... »

Cinq minutes après, il n'y a plus autour de Julia que les oncles et tantes, le notaire et son épouse.

Dans une envolée d'éventails, de rire et d'ombrelles, les jeunes gens ont quitté le salon.

« Ils ne demandaient que cela, bien entendu », sourit l'oncle Constant.

« Où allons-nous ? — Au bord de l'eau ? — Du côté des serres ? — Sous le grand chêne ? — Dans l'allée des pins ?

— Il faut montrer à Ludivine le tombeau du Croisé.

— Fi donc, proteste Emilie. Quel but de promenade pour un jour pareil ! Plutôt la fameuse allée d'orangers. C'est la curiosité de Mogador, vous savez, Ludivine...

— Eh bien, allons la voir. » Résolument, elle vient se placer entre Emilie et Adrienne, bien décidée à fuir le voisinage de Frédéric.

Mais ce dernier s'approche accompagné de Raoul.

« Puis-je vous offrir mon bras ? »

Comment refuser ?

« Les prérogatives du fiancé ! persifle Raoul. Allons, mes belles, voulez-vous chacune accepter un des miens ? Je m'engage à courtiser l'une et l'autre tour à tour... »

Edmond s'empresse auprès d'Elise. Leurs timidités réciproques se sont reconnues et rapprochées.

« Venez donc, Georges, dit à son beau-frère la belle Laure qui trouve qu'on la délaisse. »

Blanche est déjà suspendue au bras de Léon. Hubert et Caroline les rejoignent. Tous quatre ferment la marche.

Il fait un temps exquis, le soleil décline doucement. Le massif de seringa est un bouquet de parfums neigeux. Frédéric s'attarde à cueillir une branche pour Ludivine qui l'en remercie avec une politesse glaciale. Il parle, plaisante, répond joyeusement à Raoul qui le hèle, et ne semble pas s'apercevoir qu'il promène à son côté une petite personne roide et figée.

« Je le déteste, oh ! je le déteste !... » se répète Ludivine.

Un cri rauque traverse le parc et la fait tressaillir.

« N'ayez pas peur, ce sont les paons...

— Les paons ? Oh ! je voudrais voir ! dit-elle, sa curiosité prenant le dessus.

— Venez, ils doivent être de l'autre côté. En général, ils se tiennent derrière la maison, sur les arbres de Judée. Il y en a un couple de blancs assez rares. Mais je trouve les autres encore plus beaux. Par ici, vous allez voir.

Tenez, en voilà un là-bas sur la pelouse, près du miroir d'eau. Approchons-nous... » Il l'entraîne dans une allée étroite, pleine d'ombre.

« Mais les autres ?...

— Qu'est-ce que cela vous fait, les autres ? Allons, venez. Auriez-vous peur de rester seule avec moi ? »

Peur ? Il y a peut-être de cela, parmi les sentiments contradictoires entre lesquels se débat Ludivine.

Sans répondre, elle quitte son bras et, dédaigneuse, ouvrant son éventail, passe devant lui, la tête rejetée en arrière comme pour le défier, inconsciemment provocante, assez semblable à l'oiseau royal qui, là-bas, déploie avec lenteur sa traîne pleine d'yeux.

Frédéric la rejoint et lui saisit le poignet.

« Eh bien, qu'y a-t-il ? Fâchée ? »

Le ton indulgent et railleur met le comble à l'exaspération de Ludivine. Pourtant, d'un effort, elle se maîtrise et joue le suprême étonnement. On s'y tromperait, n'était l'éclat dur de ses yeux qui la trahit.

« Fâchée, monsieur ? Mais de quoi donc ? Je ne comprends pas. »

Frédéric engage le fer hardiment :

« Peut-être de ce que je ne vous ai pas

embrassée tout à l'heure, dit-il avec une infernale tranquillité.

— Mon Dieu, croyez-vous vraiment que je puisse en avoir envie ?

— Naturellement. Toutes les jeunes filles ont envie qu'on les embrasse. »

Ludivine retrouve des forces pour combattre :

« Que pouvez-vous bien savoir des jeunes filles ?

— Admettez que je l'aie appris dans les livres.

— Au moins en ce qui me concerne, je puis vous assurer que vous vous trompez, dit-elle, furieuse.

— Pensez-vous me le faire croire ? »

Ils se regardent de tout près. Ludivine sent brûler son visage devant ce visage si proche, qui l'observe, avec quelle étrange expression !... Elle voudrait se débattre, se sauver, échapper à cette main qui la retient...

« Lâchez mon bras, laissez-moi ! » Sans répondre, il l'attire contre lui. « Comment osez-vous ?... Lâchez-moi !... Je vous défends !... Vous froissez ma robe !... »

Penché sur elle, il resserre l'étreinte et, brusquement, prend sa bouche.

Le vent passe autour d'eux avec un sifflement doux qui éveille à peine le parc immobile.

Ludivine, chancelante, la tête vague, rouvre les yeux. Ce baiser. Oh ! Dieu !...

Frédéric la contemple et rit dans la lumière couleur de miel.

« Dites encore que cela ne vous plaît pas, d'être embrassée ?... »

Peu à peu, elle reprend ses esprits. Le monde se recompose. La tête appuyée contre l'épaule de Frédéric, elle se laisse bercer.

« Etes-vous bien, ma petite jolie ? murmure-t-il à son oreille.

— Oh ! Frédéric, est-ce que vous m'aimez ?

— Folle, folle, allez-vous exiger que je me mette à genoux pour vous le dire ? »

Insaisissable Frédéric, ironique, tendre, cruel. Comme l'avenir près de vous apparaît merveilleux et difficile. Vienne le temps du mariage, Ludivine Peyrissac jette tout son courage, et son âpre désir de bonheur dans la balance : « Quand je serai sa femme... Ah ! je veux qu'un jour... Il m'aimera comme je l'aime, et plus encore... » A son corsage, la petite branche de seringa, écrasée, a pris un air piteux mais elle embaume encore. Pensive, elle la détache et la respire.

« Allons, dit Frédéric, doucement. Cela suffit pour aujourd'hui. Vous me damneriez, mon cœur. Venez rejoindre les autres. »

V

« *Au diable toutes ces singeries ! Vous ne trouvez pas ça insupportable, vous, l'idée de cette foule, un jour pareil ?... Si nous pouvions être mariés sans que rien ni personne ?...* »

Il l'avait dit, Ludivine ne s'en souvenait que trop. Et aussi de son rire, devant la rougeur d'indignation qu'elle s'était senti monter au visage.

« *Frédéric, mais vous êtes fou !...* Et la belle robe de brocart ivoire, la couronne, le voile incrusté de point d'Angleterre ?...

— *Bon, bon, chérie, je vois que vous allez pousser des cris d'orfraie. N'en parlons plus, je me résigne. Nous donnerons la grande représentation.* »

Comment se fût-elle méfiée ?...

Enfermée dans la chambre qu'elle a partagée cette nuit avec Elise, elle ressasse son désespoir et sa rage, sur son lit, et verse quelques larmes dans son oreiller... Ce scandale ! Tout le village était là. Et les invités... Qu'ont-ils dû penser ?...

Elle revoit la mairie décorée de guirlandes ; l'église toute résonnante de l'orgue, fleurie de blancheurs, illuminée du reflet blond des cierges... Derrière elle, ces respirations entassées, comme une rumeur de coquillage... Et le visage de Frédéric, grave, attentif, lorsqu'il lui a passé au doigt l'anneau d'or... Mari et femme... « Les hommes ne sépareront pas ce que Dieu a uni... » Mais cette impatience, qu'il a commencé de manifester ensuite, durant l'interminable chœur des Enfants de Marie, son air excédé pendant l'allocution du curé, et à la sacristie... Seigneur ! le désastre était en marche... et Ludivine ne le savait pas...

Toute fière à son bras, la gorge gonflée d'émotion, elle s'est avancée jusqu'au porche, dans le glissement soyeux de la longue traîne lourde à porter, parmi les têtes serrées, les acclamations. Et ces chars à bancs, installés au bord de la place, surchargés de monde, cette vertigineuse mosaïque de visages, ces cris... Tout le cortège arrêté, à sa suite, et son beau coupé capitonné, enrubanné, qui approchait... « Vive la mariée ! » hurlait plus fort que les autres un rousseau juché sur ce grand diable de cheval pie qu'elle connaît bien. « Vive la mariée ! Vive le maître ! » Vois, *Phœbus*, vois la noce de ton maître ! »

« Oh ! s'est exclamé Frédéric, regardez donc, *Phœbus* qui est là !... »

C'est alors...

« A moi, Gustave, descends ! » l'a-t-elle entendu crier.

Et avant de se reconnaître, elle était empoignée, entraînée, hissée, emportée au galop, sur la route, dans le fracas martelé des sabots.

Elle s'entend encore crier : « Frédéric !... Etes-vous fou ?... Retournez, retournez tout de suite. Ma robe, oh ! ma robe ! » La belle traîne, brodée d'argent, qu'il a remontée, sans façons, roulée en tas devant la selle... « Et mon voile ! Vous avez déchiré mon voile !... Arrêtez ! Je vous dis d'arrêter ! Oh !... Oh !... »

Les mots lui manquaient pour exprimer la fureur qui l'étouffait. Elle se souvient d'avoir cogné de toutes ses forces sur la poitrine large, solide comme un meuble. Et ce rire silencieux de Frédéric qui la maintenait de son bras, tandis qu'elle se débattait, hors d'elle. « Va, *Phœbus*, plus vite ! »

Tous les gens sur la place ! Qu'ont-ils dit,

mon Dieu, qu'ont-ils dit ?... Cette horrible
Laure... Et la notairesse... Affreux !... Et
les bonnes amies de pension... Demain, tout
le couvent va le savoir. La risée du
pays !...

Ce visage inconnu de rapt et de triomphe,
penché sur elle, soudain, à toute volée, elle
l'a giflé, folle d'exaspération. « Diablesse,
voulez-vous donc nous faire tomber ? » Et il
a ri. Seigneur ! Il a ri... Elle ne sait même
plus comment ils sont arrivés, comment elle
s'est trouvée à terre, ébouriffée, haletante,
muette, le visage en feu, son voile enroulé
autour d'elle, et sa couronne qui lui tombait
sur le nez...

Il la regardait :

« Que vous êtes drôle, mon petit cœur, si
vous pouviez vous voir !... »

Il a osé !... Toute la vie se passera à le lui
faire expier !... Pendant qu'il attachait *Phœbus*
par la bride, au coin du perron, elle lui a
échappé et, relevant ses jupes à pleines mains,
d'un trait, elle a couru se verrouiller dans sa
chambre.

« C'est fini. Je ne l'aimerai plus jamais...
Goujat ! Il m'a épousée pour me ridiculiser.
Mais nous verrons bien. Je me vengerai. Un
jour, je lui ferai demander grâce... Oh !... Je
l'aurais tellement aimé... »

« *Mon cœur...* » Quand il disait : « Mon cœur... » Sa voix... Et son épaule... « Oh !... » Une vague de désespoir la submerge.

Ces jours de fiançailles... Lorsqu'il arrivait, chaque soir, à cheval... Après avoir salué la notairesse, il rejoignait les jeunes filles au jardin... Il apportait des fleurs, des cadeaux... « *Devinez ce que j'ai pour vous, aujourd'hui ?* » Il questionnait tendrement : « *Qu'avez-vous fait ? Racontez-moi...* » Et, après le dîner, les longues soirées sous la tonnelle, assis l'un près de l'autre, avec Elise, doux et discret chaperon imposé par la rigide madame Daubenois... L'ombre tombait plus vite sur le chèvrefeuille fleuri. Ils demeuraient là, tous trois, devisant de mille riens : les préparatifs, les invitations, les visites... et respiraient les parfums mouillés qui montaient autour d'eux, tandis que, non loin, Louisa arrosait les corbeilles. Frédéric, à la dérobée, la serrait contre lui, caressant sa main. Elise, délivrée, elle aussi, de sa réserve, par l'obscurité descendue, riait des taquineries du jeune homme, et se hasardait parfois à les lui renvoyer.

Silencieuse, Ludivine les écoutait discuter avec gentillesse. Puis plus tard, Frédéric priait : « Chantez-nous une chanson, une de vos vieilles chansons que j'aime... » Avec simplicité, Elise fredonnait :

> *Mon cœur est las*
> *De tant de peines...*

ou bien encore :

> *Je voudrais que la rose*
> *Fût encore au rosier*
> *Et que mon ami Pierre*
> *Fût encore à m'aimer...*

et parfois la complainte du roi Loys, ou celle, si triste, de Jean Renaud...

Ludivine fermait les yeux et, bien en sûreté, la tête appuyée au creux de l'épaule chère, se laissait bercer de la mélancolie des belles amours contrariées et mortes.

Soirs tranquilles de juin, nuits déjà lourdes de juillet, pleines de vers luisants et d'étoiles, premier et dernier été de jeune fille qui lui fut accordé... Etait-ce à cela qu'il fallait en venir ?... Où est la joie ? Où est l'amour de Frédéric, et ce cœur bondissant, et cette attente du plus grand jour ? Amère, Ludivine se relève et va jusqu'à la coiffeuse, contempler dans la glace son visage de mariée. Une chanson d'Elise, encore, remonte à sa mémoire :

Enfin, vous voilà donc,
Ma belle mariée,
Enfin, vous voilà donc,
A votre époux liée,
Avec un long fil d'or
Qui ne rompt qu'à la mort...

Dérision ! Et ces gens qui vont être là... Les regards curieux, moqueurs, malveillants, qu'il faudra affronter... Rassemblant son courage, elle commence de bassiner avec de l'eau fraîche sa figure et ses yeux.

Le sable de l'allée d'honneur grince sous des roues. Une voiture s'arrête devant le perron. Une autre, d'autres suivent.

La maison s'emplit de rumeurs. Aux aguets, Ludivine distingue des éclats de rires. Les marches de l'escalier craquent. Des pas montent et descendent. On parle sur le palier. De sa chambre, située au fond du couloir, elle ne peut entendre les paroles. Il est sûrement question d'elle ! Penser que l'on s'amuse à ses dépens !... Plus rien, le corridor doit être désert...

On frappe doucement.

« Qui est là ? interroge-t-elle, glacée.

— Ludivine, ouvrez ! » « La voix de Frédéric. » Tout le monde arrive...

Silence.

Il insiste : « Ecoutez, il faut que je vous parle. Laissez-moi entrer. »

Ludivine se tait toujours.

« Chérie, soyez raisonnable... »

Raisonnable ! Elle serre les dents. « A son tour... » Le cœur lui bat plus fort à le sentir derrière la porte, impuissant, réduit à implorer en vain son audience... De guerre lasse, il abandonne. Elle s'était préparée à une longue résistance, cette attaque qui tourne court la laisse déçue...

Quelques minutes s'écoulent. On frappe de nouveau :

« C'est moi, Elise. »

De mauvaise grâce, elle tire le verrou. Elise entre, et, derrière elle, Frédéric. Trahison ! Ludivine demeure plantée à le considérer avec une sorte de stupeur paralysée, tandis qu'il referme la porte.

« Merci, Elise, ma chère ! » lance-t-il à la jeune fille qui se sauve vers le cabinet de toilette. Et, s'approchant :

« Voyons, m'en voulez-vous tellement ? »

Ludivine bondit en arrière et, par malheur, trébuche sur sa traîne.

« Laissez-moi, je vous interdis de me toucher.

— Mais vous ne pouvez pas me l'interdire, dit-il, lui offrant le secours d'une main à laquelle elle s'accroche sans y penser. Vous êtes ma femme, maintenant. C'est une question que nous venons de régler une bonne fois, devant tout ce monde... » Il attire à lui la rebelle qui, gênée dans sa défense par ses encombrants atours, renonce à se débattre, et se fige dans une raideur méprisante. « Allons, qu'ai-je fait de si terrible ? J'ai chiffonné un peu votre toilette ? Est-ce cela ? Pire ? J'ai déchiré votre voile ? Mais je pense bien que vous ne le remettrez plus...

— Vous m'avez rendue ridicule devant le village entier, lance-t-elle, la voix sifflante d'une colère qui renaît. Je vous ferai payer cela.

— Chut ! Chut ! Vous êtes moins jolie quand vous êtes méchante. Ridicule ? Quelle idée ? Pourquoi diable ridicule ? Ces gens me fatiguaient, nous sommes partis tous les deux. Qu'y a-t-il de plus simple ?

— En effet, ricane Ludivine, il est habituel, je suppose, dans les mariages, de voir, au sortir de l'église, le marié mettre sa femme sous son bras comme un paquet, et les invités abandonnés demeurer sur la place à faire des gorges chaudes... »

Frédéric abomine les discussions stériles. Surtout lorsqu'il perçoit qu'il s'est mis dans son tort. Faute de meilleur argument, il la presse plus fort entre ses bras et couvre de baisers ce visage de marbre aux lèvres serrées.

« Mon cœur, je promets de ne plus le faire.

— Quant à cela, remarque Ludivine, sardonique, on ne se marie pas tous les jours, grâce au Ciel !

— Grâce au Ciel ! vous pouvez le dire ! » Il a sur le cœur le cérémonial, les chants discordants, les félicitations, les embrassades, et tout ce rôle qu'il a dû tenir, depuis le matin, devant une foule de spectateurs avides que n'a point rebutés la chaleur pesante de cette journée de juillet. Mais son approbation innocente déchaîne la tempête.

« Dieu me pardonne, monsieur, il ne tenait qu'à vous de me laisser dans mon couvent. J'ai pu vivre jusqu'ici sans soupirer pour Frédéric Vernet. Et pour l'agrément que j'éprouve d'avoir... »

Un baiser arrête net ce flux de récriminations ; la stratégie de Frédéric s'affirme, cette fois, imbattable.

« Ne nous disputons pas, chérie. Vous ne m'avez pas compris. Mais je vous offre toutes les réparations que vous voudrez.

— Oh ! Frédéric... se plaint Ludivine qui, désarmée soudain, fond en larmes. Pourquoi avez-vous fait ça ? Vous avez gâté notre jour de noces... Et puis aussi vous avez ri de moi...

— De vous ? Oh ! chérie, ne pleurez pas. Je suis un monstre, une brute, une abominable brute. » Il bat sa coulpe avec conviction, bouleversé devant ces larmes enfantines. Mais déjà Ludivine, qui s'en aperçoit, trouve une douceur inattendue à exploiter quelque peu la position de victime qu'il lui accorde enfin. Il s'installe dans le fauteuil, l'assied sur ses genoux, ramassée contre sa poitrine, embrasse ses mains, respire ses cheveux, mordille sa nuque, son oreille...

Ludivine, toute ronronnante intérieurement, cherche en vain à retenir sa rancune qui s'évapore comme un nuage blanc dans un ciel d'été. Elle relève la tête et regarde de tout près le visage incliné. Une petite meurtrissure rouge marque la joue gauche ; d'un geste machinal, elle y passe son doigt.

« Contemplez votre œuvre, madame. Voilà la marque du sceau conjugal. Vous avez la main leste, entre nous, ma chère. Leste et vigoureuse. J'ai failli être désarçonné. Cela n'eût pas arrangé nos affaires, dites donc. Nous voyez-vous tous deux, gisant dans la poussière de la route, obligés d'attendre que le coupé nuptial nous ramassât au passage ? Vous faites vraiment bon usage des anneaux que l'on vous offre, ma douce... »

Ludivine éclate de rire.

« Taisez-vous, taisez-vous donc, vous savez bien que vous me rendez fou, à rire de cette façon ! Taisez-vous, ou je vais commettre d'autres dégâts. »

Et peut-être en commettrait-il, pris dans les bras noués autour de son cou, qui prolongent leur baiser, si la porte ne s'ouvrait brusquement sur l'irruption de Caroline :

« Au nom du Ciel, Ludivine, que faites-vous ? Tante Julia m'envoie... » Elle s'arrête, interdite.

Frédéric dépose doucement sur ses pieds Ludivine embarrassée, se lève, rectifie sa cravate et, très maître de lui :

« Laisse-moi te dire, ma chère, que tu aurais dû frapper, avant d'entrer chez ma femme. »

Caroline n'est pas fille à s'en laisser imposer :

« J'ai frappé et refrappé à réveiller un mort avant son temps. Je m'explique que vous n'ayez pas entendu, ironise-t-elle, en les dévisageant.

— Caro, chère peste, te souviens-tu d'une époque bénie où l'on pouvait te tirer les cheveux ?

— Tu ferais mieux de laisser ton épouse arranger les siens », riposte l'indomptable amazone.

Frédéric prend sa cousine par le bras, galant, mais ferme, la reconduit dans le couloir, et pousse le verrou.

« Ludivine, écoutez-moi, songez qu'il est une heure, que ma tante s'impatiente, et que les gens de la noce meurent de faim, adjure Caroline, d'une voix pathétique, à travers la porte, avant de s'en aller.

— Je crois qu'il faut descendre, murmure Ludivine.

— J'ai la même impression.

— Elise ! Venez m'aider, je vous en prie... »
Mais Elise, lasse de se morfondre dans le cabinet de toilette, s'est envolée par la porte donnant sur le corridor.

« Dois-je vous servir de femme de chambre ? suggère Frédéric.

— Non, non, refuse-t-elle avec un élan qui le fait sourire. J'irai plus vite toute seule. Attendez-moi.

— Suis-je pardonné ?

— Non, déclare Ludivine, têtue... Restez où vous êtes. Je ne veux pas que vous me décoiffiez à nouveau.

— Dites-moi, alors, quand me pardonnerez-vous ?

— Quand je me serai vengée. » Elle pique la dernière épingle d'un air belliqueux.

« Très bien, dit-il tendrement, je me mets à votre discrétion. Nous voici avec toute la vie, pour voir de quoi vous êtes capable. »

VI

A Mogador, les vendanges sont commencées. L'automne qui s'approche n'a pas encore touché le parc, les fourrés sont toujours pleins d'ombre, mais la qualité de l'air a changé, le ciel est plus bleu dans la lumière pâlissante, le soleil décline plus vite, les nuits fraîchissent. Pourtant, il fait délicieux, l'après-midi, sous les arbres. Ludivine et Adrienne sont assises dans le rond-point des lauriers-tin, auprès de Julia installée dans une chaise longue, un livre ouvert sur ses genoux.

Adrienne brode avec cet air de sagesse appliquée qu'elle apporte à faire toutes choses. Que faudrait-il pour la sortir de ce calme, se demande parfois Ludivine qui apprécie la tendresse pleine d'admiration que lui a vouée sa belle-sœur, mais souhaiterait voir, de temps en temps, un coup de mistral soulever ce lac sans rides. Pauvre Adrienne : ces doux yeux bruns sans éclat, ce teint brouillé, la bouche, comme celle de Frédéric, un peu grande, les beaux cheveux châtains pleins de lueurs de cuivre et d'or, tirés, coiffés sans coquetterie... Ludivine cherche... une photographie délavée, voilà ce à quoi elle lui fait penser. Certes, elle ne ressemble en rien à sa mère... Celle-là... Le regard de Ludivine rencontre celui de la vieille dame posé sur elle, vif, brillant d'intérêt. Les propos volontiers railleurs et fort peu expansifs de sa belle-mère, ces coups de patte que Julia distribue avec libéralité à toute la maisonnée, n'impressionnent plus guère la jeune femme. D'une attitude résolue, d'une prompte repartie, elle sait maintenant se mettre hors de cause.

Frédéric, qui observe en spectateur cette tactique, lui a dit un jour :

« Mère et toi, vous étiez faites pour vous entendre. Deux complices, voilà ce que vous êtes : Robert Macaire et Bertrand. Les hommes de la maison n'ont qu'à bien se tenir... Je ne parle pas d'Adrienne, la malheureuse. A vous deux, vous la mangerez à la croque au sel, un de ces jours... Toute sa vie, Mère a désiré une

fille capable de lui tenir tête. Cela eût donné
un piment à la monotonie de son existence.
Et ma sœur qui n'a jamais osé ouvrir la bouche
pour la contrarier, alors que, des années
durant, elle n'a guetté que cela !... »

Nerveuse, Ludivine effeuille une branche de
laurier-tin, joue avec les ombrelles de perles
noires irisées de reflets bleus, qu'elle égrène.

« Le joli collier que cela ferait, regarde donc,
Adrienne...

— Oui. En février, ils seront de nouveau
fleuris. Je trouve que l'allée est si belle, quand
les feuilles disparaissent sous ces touffes
blanches...

— Celle-ci n'est rien, dit Julia. Je me souviens, à *La Sarrazine*, il y en avait une qui
menait à la tonnelle, étroite et longue, mais
si épaisse et taillée de telle sorte que l'on y
marchait sous une voûte. Je me revois, toute
petite, dans cette allée où l'on me laissait jouer
seule. Dieu, qu'elle sentait bon, au printemps !
Au bout, en haut des marches de la terrasse,
il y avait, de chaque côté, d'énormes horten-
sias roses en caisses... » Elle secoua la tête.
« Je ne comprends pas pourquoi votre oncle
Constant a changé tout cela... »

Ludivine la regardait, légèrement choquée,
trop proche encore de son enfance pour péné-
trer les regrets de Julia.

La vieille dame considéra sa bru avec une ombre de sourire où entrait un peu de pitié. Un temps viendrait aussi pour cette petite, où le souvenir d'un béguin de dentelles, d'un jouet cassé, d'un jardin perdu, lui ferait mal de mélancolie : mais elle ne le savait pas encore.

La cloche de Fontfresque tinta dans l'air tranquille.

« Déjà quatre heures ! soupira Ludivine. Et Frédéric qui ne vient pas... Il avait promis de faire vite, pourtant. Il sait bien que je l'attends...

— Allons, allons, fillette, Frédéric préférerait, à coup sûr, être là. Crois-tu, par hasard, que ce soit pour son plaisir qu'il est parti après déjeuner, la dernière bouchée avalée, sous le grand soleil, dans la carriole du baïle ? »

A nouveau, Ludivine soupira. Où était le voyage de noces ? Les journées follement remplies d'amusements de toutes sortes : le cirque Molier, l'Alcazar, les Ambassadeurs, Paulus et Thérésa, la pantomine, Longchamp, l'Opéra, les restaurants, les joailliers du Palais-Royal, le boulevard des Italiens... Ce Paris bruyant, fiévreux, énorme et divers, que Frédéric lui avait révélé. Et sa chaude présence perpétuelle à son côté.

Elle était rentrée triomphante à Mogador, au début d'août, ses malles bourrées de robes, de parures. Partout, au cours des visites qu'elle et Frédéric avaient commencé de rendre, son thème de prédilection était : « Paris... » « Quand nous étions à Paris... »

Frédéric s'était montré le plus exquis compagnon. Il l'avait emmenée partout, lui offrant ce qu'elle désirait, prévenant toutes ses envies, subtilement curieux de ses réactions, et attendri de ses joies. Frédéric..., à travers qui la vie avait pris sa couleur, sa forme... et ses désirs, leur goût et leur parfum... Frédéric, qui lui avait enseigné l'immense mystère doux et terrible. Et des milliards d'êtres l'avaient su avant eux ; mais pour elle, il était tout neuf, et ils étaient le premier couple. Frédéric !...

Maintenant, il n'était plus autant à elle. Le domaine l'avait repris : « *Il faut que je parte, attends-moi, je serai vite de retour.* » Attendre, toujours attendre. Un jour, un autre jour... Chaque heure solitaire est du bonheur perdu, chaque parole adressée à d'autres vous dépossède un peu. Et lui, que fait-il ? Qu'est-ce qui le tient éloigné ? Quelle absurde tâche qu'il ne puisse laisser à un autre ? Il l'aime, cependant, il est heureux près d'elle... Il y a cette avidité, cette espèce de frénésie silencieuse avec laquelle il la serre dans ses bras, presque brutalement, dès qu'ils sont seuls : et Ludivine, étouffée, sentant sur elle son souffle rapide, se plaint et rit de plaisir à la fois. Mais alors, pourquoi la quitte-t-il ? Comment peut-il, pendant des journées, se passer d'elle, tandis qu'elle l'attend, coiffée, parée pour lui, close sur tous les rires qu'elle lui donnera tout à l'heure, toutes les paroles secrètes qu'il devinera. S'il en est temps encore, s'il ne lui revient pas trop tard, si tout cet amour amassé ne s'envole pas en rancune, de n'avoir pu se dépenser...

« Il ne peut plus tarder, maintenant, dit bonnement Adrienne, que l'impatience de sa belle-sœur désole toujours. Si nous rentrions, Mère, pour le goûter ? »

Goûter ! Il s'agit bien de goûter. Cette manifestation déplacée d'un paisible appétit accroît l'impatience de Ludivine. Ce qu'il lui faut, à elle, ce qu'elle veut de toutes ses forces, c'est le retour de Frédéric, le tête-à-tête promis, cette promenade, l'un près de l'autre, au pas allongé des chevaux, coupée de feintes poursuites où il la rejoint, de haltes où il l'embrasse... Depuis peu, elle commence à se tenir en selle avec assez de maîtrise pour lui faire honneur. Il se montre fier de son élève. Et le plaisir qu'elle tire de leurs courses est agréablement mélangé de coquetterie et d'orgueil. Mais cette attente, aujourd'hui, qui se prolonge et la frustre...

« Bah ! il fait si bon, encore... Va plutôt dire à Philo qu'elle nous serve ici.

— J'y vais, Maman. » Adrienne plie sa broderie avec soin et se lève.

Julia considère de biais sa belle-fille qui se compose à grand-peine un maintien détaché.

« Il y aura un beau crépuscule, ce soir, sur la roubine[1], dit-elle. Nous dînerons tard, il faut profiter des derniers beaux jours. Poussez donc jusqu'à l'étang. Tu demanderas au pêcheur pourquoi il n'a rien apporté, ces jours-ci. Berthe se plaint, à la cuisine. »

Ludivine s'apaise un peu... Il est vrai que ce retour dans la nuit tombante, au bord de l'eau... Elle sourit à Julia :

« Aimez-vous monter à cheval, Mère, autrefois ? »

Si elle aimait !... Sur le visage de Julia passe comme un frémissement.

« Les chevaux étaient la moitié de notre vie. A *La Sarrazine*, mon père en faisait l'élevage. C'est en venant acheter un étalon chez nous que Rodolphe Vernet m'a rencontrée. Il était

---

1. La roubine : on appelle ainsi les ruisseaux, ou les canaux d'irrigation qui coupent la campagne provençale.

le meilleur cavalier du pays. Au cavalier, on juge l'homme, sais-tu bien, petite ? Quand je l'ai vu repartir sur son cheval, j'ai su que nul autre ne me ferait changer mon nom pour le sien. Père avait d'autres visées, mais il y a perdu sa peine... » La vieille dame rêva un moment. Tout le visage volontaire proclamait la certitude que Julia Angellier avait choisi sa juste part et qu'elle était en règle avec sa destinée.

Adrienne revenait, suivie de Philo portant, sur un plateau, des gâteaux secs, des fruits, et du lait froid.

« Hubert est là, il nous rejoint, annonça-t-elle.

— Il n'a pas rencontré Frédéric ? demanda vivement Ludivine.

— Non. Mais rien d'étonnant : il était à côté, à Saint-Ange. On est venu dire que Louis et Alfred Raynal étaient de retour. Vous pensez si Hubert y a couru.

— Ce sont ses amis, expliqua Julia à Ludivine. Louis a vingt ans et Alfred dix-neuf. Deux charmants garçons. Ils étaient en voyage depuis plusieurs mois. On a dû parler de toi, ma chère. Je suppose que ces messieurs ne vont pas tarder à nous faire visite.

— Ah !... dit Ludivine, languissante... Les amis d'Hubert n'offraient aucun intérêt capa-

ble de la détourner de son attente. Non, merci,
Adrienne, je n'ai pas faim...

— Moi, j'ai soif, vite un verre, s'il te plaît... »
Hubert arrivait.

« ...Bonjour Mère, bonjour Ludivine. Bon
après-midi ? Louis et Alfred sont de retour,
vous savez, Maman. Je les quitte à l'instant...
Quelle figure triste, petite sœur. Qu'y a-t-il ?
Frédéric vous a abandonnée, je parie ?

— Laisse-la tranquille, s'interposa Adrienne.
Tu vois bien qu'elle est contrariée. Ils devaient
faire une promenade ensemble.

— Oh ! Ludivine, je me demande comment
il a le cœur... Voulez-vous que je vous accompagne ? Dites oui, vous me ferez un tel
plaisir... »

Ludivine consulta du regard sa belle-mère.

« Pourquoi non ? dit Julia. Ne reste donc
pas là à remâcher ta déception.

— Mais... s'il rentre ?

— Oh ! Ludivine, Ludivine !... Je vous en
prie ! »

Ludivine n'a guère envie de cette sortie avec
son jeune beau-frère. Cependant, il y a là un
élément de représailles à ne pas négliger...
Tandis qu'elle réfléchit, indécise, le gravier de
l'allée crie sous un pas qu'elle reconnaît.
« Enfin... Enfin !... » Frédéric s'avance, suivi de
David, son vieux chien de berger. Le soleil

éclaire par-derrière ses cheveux presque blonds. Ludivine s'efforce de paraître indifférente et lointaine, comme si elle ne l'avait pas vu mais son cœur vole à sa rencontre. Ah ! ce premier regard qui la cherche !

« Encore ici ? Je pensais vous trouver à la maison. Vous n'avez pas froid, Mère ? »

Il se tourne vers Ludivine :

« ... Pour Dieu, un fauteuil, mon cœur. Je suis éreinté. Là, couché, mon vieux *David*... Debout au soleil, depuis que je suis parti... Et l'exercice qu'il m'a fallu faire... Tonin est tombé dans la cuve, figurez-vous, Mère.

— Tonin ! Ah ! mon Dieu ! s'exclamèrent simultanément la vieille dame et Adrienne.

— Comment diable... commença Hubert.

— Il était seul... Quelques minutes avant notre arrivée, paraît-il. C'est encore une chance. Il eût pu y rester jusqu'à l'asphyxie. Nous avons entendu appeler : « Au secours ! », sans comprendre, d'abord, d'où cela venait. Une vraie voix d'outre-tombe. J'ai escaladé l'échelle, et aperçu mon Tonin à plat ventre sur le moût de raisin, lamentable. Il est tombé là-dedans comme sur un matelas. Mais quelle histoire pour le remonter !... Nous avons eu du mal, Ranguis et moi.

— Rien de cassé ? » demanda Julia.

Muette, Ludivine taquinait distraitement, du bout du pied, *David*, étalé par terre au ras de sa jupe.

« Non, je ne crois pas. Sa cheville est très enflée. Une grosse foulure, probablement. On est allé chercher le docteur Lapierre.

— Pauvre Tonin, compatit Adrienne. Il doit souffrir ?

— Pas trop. Pour l'instant, il est un peu assommé : les vapeurs du vin... la chute... Nous l'avons ramené chez lui, méconnaissable, barbouillé, puant l'ivrogne à se boucher le nez. La Valérie s'est mise à crier comme une folle que son homme buvait trop, que c'était la punition du Bon Dieu, qu'elle l'avait toujours prédit, que ça devait arriver... Ces dévotes !... Il va falloir que j'y retourne. Le travail peut attendre. Un fruit, Ludivine, je t'en prie... Tiens, ce raisin... Oui, je veux bien un peu de lait, aussi. Délicieux, de boire frais ! » Il lui sourit, détendu.

« Il en a pour longtemps, à se remettre ? s'inquiéta Julia.

— Oh ! quelques jours. L'ennui est que ça tombe en ce moment où il y a tant à faire. Barral me donnera bien un coup de main, mais ce n'est pas pareil.

— Si tu voulais... Je peux très bien t'aider », dit Hubert.

Frédéric pesa un instant la proposition de son frère.

« ... Merci, mais vois-tu, ça n'arrangerait rien, Tonin connaît son affaire. Avec lui, j'étais tranquille. Tiens, j'ai oublié mon tabac à la ferme. Il doit y en avoir dans le bureau.

— Veux-tu que je fasse un saut ?... offrit encore Hubert.

— Non... c'est Ludivine qui va y aller, dit-il doucement, caressant du regard le visage morne de la jeune femme. N'est-ce pas ? Uniquement pour prouver que tu n'en veux pas à ton mari de manquer à sa parole... »

Avec une lenteur de mauvais augure, Ludivine se leva et se dirigea vers la maison.

« Pauvre petite, dit Adrienne, la voilà toute déconfite. Hubert lui proposait de te remplacer, quand tu es arrivé.

— C'est une excellente idée. Gentil de ta part, ça... »

Hubert rougit et protesta : c'était tout naturel, cela ne valait pas un remerciement, et...

« Oui, cet accident n'aurait pu tomber plus mal à propos. Je devais traiter pour une partie de la récolte d'œillettes, demain. Ranguis avait vu quelqu'un. Mais si je le laisse s'en occuper sans moi... »

Soucieux, Frédéric tirait sur sa pipe éteinte. Autour de lui, on laissait le chef du domaine à sa méditation. Son front s'éclaircit à la vue de Ludivine.

« Merci », dit-il avec tendresse. Il mit un baiser sur les doigts qui lui tendaient son tabac, et attira contre lui la taille mince : « Ecoute-moi, je ne puis t'accompagner, ce soir. Mais Hubert ira avec toi. Cours mettre ton amazone, pendant qu'il va faire seller *Miranda*... et *Gazelle*, prends *Gazelle* pour toi, Hubert, elle n'est pas sortie depuis longtemps. Allons, mon cœur, vous aurez encore une grande heure, au moins, devant vous ; et je ne suis pas fâché de montrer à Hubert la cavalière que tu es devenue. Va vite... »

Ludivine se déride. Nul mieux que son mari ne sait mettre du baume sur une blessure. Cinq minutes plus tard, elle reparaît en tenue de cheval. Frédéric examine la fine silhouette dessinée par une amazone de drap vert olive.

« Venez-vous, Ludivine ? demanda Hubert qui les rejoignait à son tour.

— Tout de suite. » Elle se pencha et posa sa joue contre les lèvres de Frédéric.

« Tu sais, j'aimerais mieux être à sa place, murmura-t-il à son oreille, en l'embrassant. »

Elle aussi, l'eût mieux aimé... Et il n'eût tenu qu'à lui de... Mais mieux valait garder cette opinion pour elle et le quitter sur son regret inexprimé.

Devant les écuries, Florent, le valet, attendait, tenant les chevaux par la bride. Hubert aida Ludivine, et se mit en selle. Ils contournèrent la grande pelouse où Juste arrosait une corbeille de cannas flamboyants, et se dirigèrent vers l'allée des pins. D'instinct, Ludivine prenait le chemin suivi à l'ordinaire avec Frédéric.

« Où voulez-vous aller ? Au bord de la roubine ? »

Pourquoi pas ? « Le crépuscule sera beau », avait dit Julia. Frédéric s'était privé de le contempler avec elle, il n'y avait qu'à se passer de lui.

« Allons... » dit-elle, décidée, se retournant vers Hubert, avec son sourire le plus captivant.

Il se porta auprès d'elle :

« Je voudrais que vous ne regrettiez pas trop de faire cette sortie avec moi.

— Le regretter ? Mon Dieu, Hubert, pourquoi donc ?

— Oh ! je ne sais pas... dit-il embarrassé. Je ne suis pas Frédéric, bien sûr.

— Laissez Frédéric et faites-moi les honneurs de Mogador. C'est tellement grand... A peine si je commence à le connaître. »

Il faisait plus sombre sous les arbres. La pluie des jours derniers avait raviné le sol ; les chevaux avançaient au pas, choisissant d'eux-mêmes leur route, parmi les cailloux et les racines à fleur de terre.

« J'aime cet endroit, reprit Ludivine. Avez-vous remarqué ? Les pins ne sont jamais silencieux. Même les jours d'été, lorsqu'il n'y a pas un souffle de vent, quand tout est brûlant et endormi de chaleur, si vous prêtez l'oreille, au bout d'un instant, vous distinguez ce petit bruit de bois froissé qu'ils font dans l'air.

— Oui, en effet. Je viens souvent par ici, lorsqu'il fait très chaud. Je m'allonge à terre, sur le tapis d'aiguilles. J'écoute le crissement des cigales, tout autour, et je regarde marcher le ciel. On peut demeurer des heures entières ainsi, vous n'imaginez pas. Ce bien-être... Quand j'étais enfant, Henri me le défendait, à cause des ruches qu'il avait fait installer là-bas, vous voyez, à droite, dans le verger.

— Des ruches, où cela ?

— Au fond, près des vieux poiriers... Mais elles n'y sont plus, les abeilles ont piqué tante Lucie, un jour qu'elle était venue en visite. Alors, on les a fait transporter à la ferme. La pauvre, si vous l'aviez vue... Elle était monstrueuse. L'enflure des joues lui bouchait les yeux. Et elle criait !... Adrienne ne savait plus que faire pour la calmer. Pauvre tante Lucie, heureusement qu'elle ne pouvait même pas se voir dans une glace... »

Ludivine ne peut s'empêcher de rire, à l'évocation de la victime. Mais, prudente, elle s'informe :

« Sont-elles assez loin, maintenant ?

— Au bout du grand champ. Vous apercevez le toit de la ferme, derrière les cyprès. Ne craignez rien, nous n'irons pas de ce côté, d'ailleurs. Coupons à travers les oliviers.

— Soit », dit-elle, enlevant sa jument dans la terre labourée.

Hubert éperonne *Gazelle*. Les vieux arbres tordus regardent passer la galopade entre leurs feuillages grêles dont le soir fonce l'argent. Ils longent une haie de cannes sèches entrelacées aux cyprès veloutés et sombres. Au bout, un miroitement annonce l'eau.

« Attention ! » crie Hubert.

Prise de court, Ludivine scie la bouche de sa bête qui s'arrête net sur le bord.

« Vous m'avez fait peur, vraiment, ma chère. Pauvre *Miranda*, comme vous la menez ! N'importe, nous pouvons être fiers de vous. Quel sang-froid ! Je pense que Frédéric vous emmènera sur la sansouïre[1] quand nous irons à Tourvieille. Vous ferez une vraie cavalière, d'ici peu. »

« D'ici peu... » Ludivine se figurait bien en être une, déjà... Le ton admiratif, pourtant, corrige la maladresse des compliments d'Hubert. Elle lui sourit aimablement :

« Je le souhaite. Cela me plaît tant...

— Voulez-vous passer l'eau ? propose-t-il, désignant le léger pont jeté sur le canal.

— Suivons plutôt le chemin jusqu'à l'étang, j'ai une commission de Mère pour le pêcheur. »

Ils longèrent la roubine, infiniment calme entre les tamaris à demi-couchés par le vent au-dessus du courant où trempaient leurs fines chevelures.

« Tourvieille, comment est-ce ?

— Oh ! magnifique, dit Hubert, avec élan. Vous ne connaissez pas la Camargue ? Vous l'aimerez, j'en suis sûr. Le mas est tout près du Vaccarès, entre les plaines et le ciel, un ciel plus grand que partout ailleurs, dirait-on. Je ne puis pas vous expliquer. Et la terre a l'odeur de la mer. On peut chevaucher à perte de vue. Et puis, vous verrez le Vaccarès, il est de toutes les couleurs. On respire le sel, les

---

1. La « sansouïre » est la steppe camarguaise.

marais... Et tout le gibier qu'on y rencontre...
Les canards, les charlottines, les « jambes
rouges », les sarcelles, les bécassines, et les
lapins qui vous déboulent dans les jambes...
et les vols de flamands roses posés, le soir, au
bord de l'étang... Il n'y a pas un endroit que
je préférerais à celui où nous habitons, je
pense, si ce n'est, peut-être, la Camargue.

— Vous aimez ce pays, n'est-ce pas ? Et Frédéric l'aime ?...

— Nous sommes des gens de la terre, voyez-
vous. Ici est notre place. Cela a été décidé
une fois pour toutes, il y a longtemps. Il est
bien que les choses et les gens soient à leur
place. Je l'ai souvent entendu dire à Henri,
et je crois qu'il avait raison.

— Ainsi, vous n'êtes pas curieux du
monde ?... » Elle qui voudrait tout tenir à la
fois dans ses mains refermées... Comme ce
garçon est étrange.

« Non, sincèrement, il me semble que non,
dit-il, après avoir réfléchi. Je veux bien connaître la grande ville, Marseille, Paris, si cela
doit être l'affaire de huit jours ou quinze.
Mais si je devais, un long temps, m'éloigner
d'ici, même pour visiter ce qu'il y a de plus
beau sur la terre, je sais que je me sentirais
horriblement malheureux, et perdu.

— Et vous serez horriblement malheureux

et perdu quand les portes du ciel s'ouvriront devant vous, se moque Ludivine.

— Je pense que c'est à Mogador qu'il ressemble », dit-il avec simplicité.

Ils arrivaient à l'étang, immobile et moiré. Un reste de soleil jouait encore discrètement sur le toit de roseaux de la cabane. Assis sur une grosse pierre, dans l'embrasure de la porte ouverte, le pêcheur, vérifiant son filet, les regardait venir.

« O-oh ! Janet !... »

Hubert aida la jeune femme à mettre pied à terre.

Tous deux s'avancèrent, tenant leurs bêtes par la bride, Ludivine s'acquitta de son message. L'homme haussait les épaules.

« Pour ce que j'aurais à porter. Rien que des « geols », des « gobis » ou des poissons-chats. Si elle en veut, la Berthe... Le brochet ne donne pas, en ce moment. Et pour ce qui est des anguilles, elles sentent que trop la vase. La pluie a remué les fonds. On ne prend rien. »

Les jeunes gens hochaient la tête, ne sachant que dire. Trop « jeune maître » encore, Hubert ne possédait pas le secret qui faisait de son frère, depuis la mort de leur aîné, un roi, sur toute l'étendue du domaine et au-delà ; à la familiarité cordiale de Frédéric répondaient la confiance, l'amour de chacun.

« Tu passeras, quand tu voudras, Janet. Nous expliquerons à ma mère, elle comprendra. »

Ils repartirent. Le soir glacé de rose descendait lentement sur l'étang. L'eau prenait des tons de perles. Des myriades d'arabis volaient en essaims silencieux, environnant les chevaux qui se secouaient, impatientés. De temps en temps, on entendait le saut léger d'un poisson à la surface. Puis, tout se taisait à nouveau autour du bruit balancé des sabots. Sur le bord, une rainette lança son cri. Un oiseau délié, à l'aile bleue luisante, volait en flèche, frôlait l'eau...

« Regardez, dit Hubert, un martin-pêcheur.

— Qu'il est joli ! J'aime ce plumage...

— Couleur de vos cheveux, Ludivine, dit-il, assez bas.

— Vous trouvez ? » Ravie, elle lui souriait.

Il ne répondit pas. Il se disait qu'il eût aimé être un poète pour parler d'elle... « Ses yeux de fleurs, et ses cheveux d'oiseau... » Que penserait Frédéric ? Cela le ferait rire, sans doute.

« Eh bien, vous ne dites plus rien. Est-ce l'heure, ou le retour, qui vous rend morose ? »

Insensiblement, le crépuscule s'adoucissait, perdait les harmonies chatoyantes de sa traîne, tout au long de la canalette. Dans le ciel encore clair, la première étoile s'alluma, jetant son reflet sur l'eau assombrie. Au loin, l'appel inlassable des grenouilles commençait. Prise à son tour dans les filets de cette paix immense, Ludivine se tut.

Ils atteignirent le petit pont. « Ici, il m'a tenue contre lui, l'autre soir... Oh ! pourquoi n'est-il pas là, tout près ?... »

La pensée de Frédéric lui revenait comme un désir trop longtemps combattu : on le croit un moment enfui, et soudain il est là de nouveau, vivace, grandi, exigeant : « Frédéric... »

Il devait être rentré. Il l'attendait, peut-être, ou bien il devisait en plaisantant avec sa mère et sa sœur, et le temps ne lui paraissait pas long : « Non, non... » Au fond de son cœur, elle l'appela : « Frédéric, entends-moi, je veux que tu languisses, que tu regrettes... Je reviens, encore quelques minutes et je vais te revoir... »

Sous l'éperon, *Miranda* prit le galop.

« Ludivine ! cria Hubert, derrière elle. Ludivine, pas si vite ! »

Tous deux dévalèrent l'allée. Il faisait nuit, sous les pins. Au sortir de leur voûte, ils virent le ciel noir tout piqueté de lumière. La lune se levait derrière le grand chêne. A travers les noisetiers, loin de l'autre côté de la pelouse, la masse obscure de la maison se dessinait

confusément sur le fond des arbres. Lorsqu'ils
eurent dépassé les cannas, Ludivine vit les
larges fenêtres du salon éclairé, ouvertes sur
le parc. Il était là, dans la clarté de la lampe.
Sa pipe, ses longues jambes bottées, son
sourire, son insupportable et séduisant sourire
qu'elle allait retrouver...

« Je rentre tout de suite, Hubert, pardonnez-moi de ne pas vous accompagner jusqu'au
bout, il fait un peu frais.

— Mon Dieu, vous avez eu froid, je suis
désolé...

— Non, non, pas du tout, ne vous inquiétez
pas. »

Abandonnant la bride à Hubert, elle rassembla d'une main sa longue jupe, monta
précipitamment les degrés du perron, ouvrit
la porte du salon... Il était seul, bien installé
dans la grande bergère, plongé dans la lecture
d'un livre, loin, si loin d'elle...

« Frédéric », appela-t-elle doucement.

Il leva les yeux.

« Ma beauté, te voilà !... »

Ludivine courut se nicher entre les bras qui
l'invitaient.

« Bonne promenade ?

— Délicieuse, Hubert a été si gentil...

— Plus que votre vieux mari, sans doute,
madame ? Avouez que vous le préférez ?

— Peut-être bien », rit-elle, coquette.

Il lui prit la tête entre ses mains et la contempla, l'air moqueur.

« Il faudra me raconter ça. » La joue duvetée avait une fraîcheur de fruit sous ses lèvres.

« Frédéric, Frédéric, que la roubine était belle ! Et l'étang... Oh ! pourquoi n'étais-tu pas là ?...

— Nous y retournerons ensemble », promit-il.

VII

L'ONCLE Antoine avait envoyé sa berline à la gare d'Arles. Ils s'entassèrent dedans avec une partie des bagages. Au départ, Julia avait beaucoup ri du déplacement de malles, de valises et de sacs, imposé par Ludivine :

« Tu veux donc les éblouir, là-bas, petite ? Il y a pour le moins de quoi changer de toilette, matin et soir, dans tes coffres. »

Et Frédéric, malicieux :

« Elle va finir de tourner la tête de Raoul, je suppose. »

Vexée, Ludivine avait cependant tenu bon. Il s'agissait de faire, à Tourvieille, une entrée digne d'elle. Adrienne lui était venue en aide, à sa manière discrète :

« Tu n'as rien qui puisse aller dans mon bagage ? Cela me rendrait service. Mes robes dansent dans leurs casiers, tant il me reste de place. »

Hubert, lui, ne parlait plus que battues, passées au canard, plombs, cartouches, affût, depuis que le voyage était décidé, et accumulait pour ces quelques jours une quantité de projets qu'un mois entier n'eût pas suffi à réaliser.

Quittant les Lices devant le théâtre, la voiture gagna la rampe de Trinquetailles, et s'engagea sur le pont. Par la portière, Ludivine, curieuse, regardait le Rhône, violent, rapide, et sombre, que les pluies de septembre avaient grossi. Ils laissèrent derrière eux la ville aux beaux clochers, allongée sur la berge dans un poudroiement de vapeur d'eau et de soleil. Les ruines du Palais Constantin doraient leurs murs de brique au rose inimitable, dans la lumière de ce matin d'octobre, où l'on croyait retrouver un peu de l'été enfui. Au fond, dominant les toits de tuiles rondes, les Arènes emprisonnaient un pan de ciel découpé dans leurs arceaux.

Déjà, les chevaux prenaient un bon train, sur la route poussiéreuse, bordée de platanes.

Déçue, Ludivine se rejeta dans le fond de la voiture.

« Ce n'est pas très beau, par ici, dit Frédéric qui suivait les impressions sur son visage : Il faut attendre jusqu'aux Plaines pour découvrir la vraie Camargue. Tu verras... »

Adrienne lui souriait :

« Je suis sûre que tu vas t'y plaire, c'est un pays fait pour toi. »

Frédéric lança vers sa sœur un rapide coup d'œil. Cette Adrienne, qui semblait ne rien voir, ne rien deviner, jamais, effacée, silencieuse, comme elle savait juger des choses et des êtres : Ludivine, oui, un ombrageux petit cheval, né pour galoper sec sur des terres arides, fier, instinctif, racé, avide d'espace et de ciel... En lui, elle avait, dès l'abord, ému le cavalier. Et c'était bien là, peut-être, la raison profonde pour laquelle il l'aimait...

Maintenant, ils roulaient sur une piste étroite dans un nuage de poussière. Devant eux, le paysage commençait à se former. A perte de vue s'étendait la grande plaine saline, avec sa maigre végétation grise où, de loin en loin, surgissait l'île verte d'un mas.

Ludivine se taisait, regardant le chemin bordé de roseaux. Le trot des chevaux s'assourdissait sur le sol sablonneux. Des files de tamaris coupaient la ligne du ciel au bord de l'horizon. Parfois, un sentier s'en allait, plus clair, à travers les fourrés bas (une « draille », lui expliquait Hubert) et semblait devoir se perdre plus loin, par on ne savait quel caprice...

« On approche, annonça le jeune homme. Voyez, Ludivine, voici le rendez-vous de chasse. Encore deux kilomètres, et nous y sommes. L'hiver, sur cette route, l'eau affleure parfois. Le Vaccarès n'est pas loin, vous savez...

— Voici Tourvieille, là-bas, dit Adrienne, de sa voix calme. Sur notre gauche, vois-tu ? Le chemin va tourner brusquement... » On ne distinguait encore qu'un massif d'arbres dominé par des pins parasols. « La maison de maître est derrière... »

Quelques minutes plus tard, ayant dépassé une rangée de bâtiments aux murs blancs, la berline s'arrêtait sur une vaste esplanade, devant une terrasse bordée de mûriers. A sa descente de voiture, éblouie par le grand soleil, Ludivine fut prise dans un cercle de visages, parmi les paroles de bienvenue et les embrassades. Puis, tout de suite, entraînée par Caroline, elle traversa la terrasse, passa dans l'ombre fraîche du vestibule et, de là, dans une grande pièce assez obscure, où elle se retrouva, installée sur un sopha, cible d'un tir de questions affectueuses : « Avait-elle fait un bon voyage ? Ne lui avait-il pas semblé trop long ? Etait-elle fatiguée ? Connaissait-elle déjà Arles ? Comment trouvait-elle la Camargue ? Avait-elle soif ?... Faim ?... »

Frédéric vint à son secours.

« Elle a surtout besoin que tout le monde ne lui parle pas à la fois. »

L'oncle Antoine s'approcha :

« Nous sommes heureux de vous voir chez nous, ma nièce. Frédéric a bien tardé à vous amener.

— Les vendanges, oncle Antoine... J'ai eu pas mal de tracas, avec l'accident qui m'a privé de Tonin. Nous ne pouvions pas nous absenter avant que tout fût terminé.

— Bonne récolte, chez vous ?

— Relativement, oui. A Mogador, les vignes ont moins souffert de la maladie. Je sais plusieurs de mes voisins chez qui elles sont ruinées depuis 86.

— Ce sera dur pour remonter le courant. Ici, nous ferons quelques litres de mauvaise piquette. Heureusement que la cave est parée... Ta mère ?

— Elle va assez bien, ces temps-ci, dit Adrienne. Il y a plusieurs semaines qu'elle n'a pas eu de crise, et son asthme la laisse en repos. »

Tante Lucie s'empressait, maternelle :

« Chère enfant, vous paraissez un peu lasse.

Désirez-vous vous reposer ? Caroline va vous mener à votre chambre.

— Oh ! volontiers, merci, ma tante.

— Venez, ma chère. Caroline l'entraîna. Ah ! auparavant, que l'on vous montre votre petit cousin ! »

Elle ouvrit une porte et appela : « Lalie, où est Numa ? » Une chose ronde, rose, bouclée d'or rougeoyant, accourut se jeter dans ses jambes : « Regardez, regardez-le ! » dit-elle triomphalement, l'élevant à bout de bras.

« Donnez-le-moi, je vous en prie, Caroline. Il a l'air d'un petit chat !

— Que pensez-vous de mon fils ? demanda Raoul. Trouvez-vous qu'il me ressemble ?

— Non pas. A sa mère, cela ne fait aucun doute.

— Bah ! Laure prétend que cela vaut mieux ainsi, et qu'il sera toujours assez Vernet, en grandissant parmi la tribu. »

La jeune femme s'approcha.

« N'ai-je pas raison, Ludivine ?... Allons, parlez. Depuis trois mois que vous êtes entrée dans le cercle redoutable, avez-vous pu vous y faire ?

— Assez bien, sourit Ludivine, mais je dois dire qu'en effet, je les ai trouvés quelquefois plutôt terribles. »

Frédéric, qui causait avec Georges et l'oncle Antoine, lui adressa une grimace de connivence. Elle prit le petit garçon dans ses bras : « Dieu, qu'il est lourd ! » et le lui apporta, effarouché, criant, se débattant.

« Qu'il a grandi ! Tu es superbe, mon garçon. Mes compliments, Laure.

— Vous donnerez la recette à votre cousine, ma fille, dit Antoine Vernet avec un bon rire.

— Antoine ! protesta tante Lucie, scandalisée. Comment peux-tu... ? »

Ludivine rougit et se mordit les lèvres devant le visage de Frédéric où l'on voyait se creuser des fossettes.

Caroline la tira d'embarras :

« Allons, venez faire un peu de toilette. On va bientôt servir le déjeuner... Tu montes avec nous, Adrienne ?... »

Toutes trois se dirigèrent vers l'escalier. Sur le palier du premier étage, de chaque côté d'un interminable couloir, des portes s'alignaient.

« Maman vous a donné la grande chambre sur le parc. Moi, je pensais que vous préféreriez la vue sur le Vaccarès, mais elle s'est montrée intraitable, à cause des moustiques. Elle est persuadée qu'ils sont moins combatifs du côté des terres.

— Oui ? c'est dommage. J'ai hâte de le voir. Hubert m'en a tant parlé.

— Pour cela, je m'en doute. Hubert est plus Camarguais qu'aucun de nous. Les avez-vous vus, en bas, avec Léon ? les deux compères !... La sauvagine [1] n'a qu'à bien se tenir. Vous allez entendre parler la poudre. J'espère que les détonations ne vous gênent pas. Est-ce que vous irez avec eux ? »

Ludivine ne sait pas du tout ce qu'elle fera. Suivre la chasse ne la tente pas outre mesure. Elle aime les bêtes qui courent, volent, mènent leur jeu... Et ne se soucie pas de voir tomber près d'elle un oiseau ou un lapin. Mais que pensera ce clan de chasseurs ? Si Frédéric allait s'imaginer qu'elle a peur... Plutôt serrer les lèvres sur sa pitié et son dégoût que les avouer devant tous...

« Avons-nous le temps de nous changer ? s'informa Adrienne qui connaissait le faible de tante Lucie pour la correction mondaine, faible dont toute une vie commune avec l'oncle Antoine n'avait pu parvenir à la débarrasser.

— Non non, Jésus ! restez comme vous êtes. Il est entendu que le repas d'arrivée est sans cérémonie. Nous aurons tout loisir, ce soir,

---

1. Sauvagine : faune camarguaise d'étang et de marais.

de nous mettre en frais, les uns pour les autres. Ludivine, nous vous laissons. Vous entendrez la cloche. »

Frédéric les rejoignait.

« C'est ici que tante Lucie nous a logés ?

— Y trouves-tu quelque chose à redire ?... Pour Dieu, Frédéric, aujourd'hui, descendez à l'heure ! Je tremble de te voir là. Imagine ce que dira Lalie si on lui laisse brûler ses pintades. »

Elle rit et referma la porte. Frédéric suivit sa femme dans le cabinet de toilette.

« Eh bien, Tourvieille ?

— Oh ! je crois que je m'y plairai. Mais Mogador est plus beau.

— Mogador... Ah ! bien sûr ! Rien au monde qui vaille Mogador, ma chère. Je suis heureux que tu t'en persuades. Mais le charme de Tourvieille... Tu le verras, d'ailleurs. Cela ne s'analyse pas. On est pris à son insu, presque. Inexplicablement... »

Les bras levés, arrondis, Ludivine se recoiffait. Elle lui lança, dans la glace, une œillade câline.

« Frédéric, m'emmèneras-tu au bord de l'étang, ce soir ?

— Naturellement... Au clair de lune, c'est de rigueur. Je te réciterai *Le Lac* de Lamartine, et nous nous couronnerons de saladelles.

— Frédéric ! » Elle frappa du pied.

Il s'approchait d'elle pour l'embrasser, mais elle se détourna, en colère, véritablement.

« Mauvais caractère !...

— Laisse-moi, je ne veux pas que tu me décoiffes.

— Allons, allons, fait-il pas bon, quelquefois, se laisser décoiffer ? » murmura-t-il, les lèvres sur sa nuque.

Obstinée, Ludivine conservait une froideur de statue.

Il menaça, mi-rieur, mi-fâché.

« Je m'en vais le faire pour de bon ! »

Virevoltant, Ludivine tient tête, griffes en bataille : il la nargue, elle le toise.

D'en bas, monta l'appel de la cloche.

« Là, là, dit Frédéric. Ne nous brouillons pas, mon cœur, il est trop tard, maintenant. Nous n'aurions plus le temps de nous réconcilier. »

Le temps, à Tourvieille, passe comme un éclair. Déjà quatre jours qu'ils sont là : dîners plantureux, parties de chasse, promenades au bord du Vaccarès dont chaque heure naissante renouvelle la magie ; randonnées à cheval à travers les marais et sur l'immense plaine ;

visites aux manades[1] voisines... Les Vernet,
eux, font l'élevage des chevaux. Mais, tout à
côté, sur l'autre bord d'une étroite roubine,
paissent en liberté les taureaux de Vacquey-
ranne. En l'honneur de Ludivine, on a orga-
nisé une ferrade[2] ; elle-même a marqué au fer
un anouble[3] dompté.

Le soir, on se réunit au mas : il arrive des
jeunes gens d'Albaron ; Albert de Barcarin
vient de Fiélouse, et amène ses sœurs. Tante
Lucie se met au piano, une sauterie s'organise.

Pourtant, Ludivine n'a point retrouvé la
plénitude miraculeuse de cette première soirée, seule avec Frédéric, au bord de l'eau
noire où les constellations du ciel accrochaient
des paillettes. Il y a trop de monde entre
eux.

Certes, Raoul est le plus attentionné des
cavaliers servants. Il lui révèle les noms de
ces plantes bizarres qui poussent sur la terre
saline, lui enseigne à reconnaître le cri des
oiseaux, coupe pour elle les dernières fleurs

---

1. Manade : troupeau de taureaux ou de chevaux, en
Camargue.

2. Ferrade : cérémonie gardiane au cours de laquelle on
marque les jeunes taureaux nés dans l'année.

3. Anouble : taurillon de l'année qui n'a pas été marqué.

du parc, remarque ses toilettes, l'en complimente en connaisseur, et lui apprend à danser la valse.

Georges a commencé un portrait d'elle, en robe héliotrope, un bouquet de « prunes de Monsieur » au corsage. L'oncle Antoine fait la grimace devant la toile. Mais Frédéric pense que ce sera très bien.

Hubert est à sa dévotion, comme un page devant sa dame. Léon porte son éventail et son ombrelle. Caroline se plaint en riant que ses amoureux, Etienne Saliez et Albert de Barcarin, la délaissent pour les beaux yeux de sa cousine. Et, bien entendu, il est agréable de régner sur cette petite cour. Ludivine goûterait pleinement le plaisir d'être adulée, si Frédéric demeurait attaché à ses pas.

Mais Frédéric laisse Charlotte et Clara de Barcarin voltiger autour de lui, rieuses et désinvoltes. Et il taquine la petite Arlette Rouveyre qui le contemple sans retenue, avec des yeux agrandis d'admiration... Comment ce Marc peut-il laisser sa sœur s'afficher de la sorte ? se demande Ludivine, outrée...

Surtout, il y a Laure. Laure qui ne peut suivre les chasses, ne monte plus à cheval, ne danse plus guère.

« Elle attend un nouveau bébé, figurez-vous,

ma mie. J'ai entendu Maman en parler avec Papa, l'autre jour... lui a chuchoté Caroline, à son retour de voyage de noces. »

Un bébé, quelle chance !... Elle va devenir laide, énorme, et personne ne voudra s'occuper d'elle, a pensé Ludivine, d'abord. Mais qui disait que cela se passait ainsi ? Laure, la taille encore dessinée, garde son teint de pétale de rose, prend de jolies roses dolentes, et trône dans des flots de dentelles, entourée d'une considération attentive.

En ce moment même, Frédéric est assis sur un tabouret auprès d'elle. Appuyée sur un coude, elle penche la tête vers lui et murmure quelque chose. Frédéric sourit, répond... Que peuvent-ils bien se dire ? Ah ! Dieu, ne pas savoir... Cette valse qui n'en finit plus... — Dans son énervement, elle perd la mesure.

« Qu'avez-vous, toute belle, s'inquiète Raoul. Fatiguée ? Voulez-vous que nous allions respirer au-dehors, un moment ? »

Abandonner le champ libre à... Jamais de la vie !

« Je vous en prie, continuons. La tête me tournait un peu, mais ce n'est rien. C'est si amusant...

— Laissez-moi vous soutenir mieux. » Il accentue son étreinte autour de la taille menue. « Je n'ai jamais eu de danseuse comme vous.

L'on vous écraserait sans y prendre garde. Vous êtes aussi légère qu'une libellule.

— Flatteur, le pensez-vous vraiment ? » minaude Ludivine qui n'est guère à la conversation.

Juste à cet instant, ils passent près du couple qui bavarde à mi-voix. Ce petit sourire de Laure... — Ah ! enfin !... C'est fini.

« As-tu remarqué, demanda Raoul à son cousin, comme ta femme danse la valse ?

— Ma foi, dit Frédéric, j'ai l'impression qu'elle s'en tire à merveille.

— Qu'elle s'en tire !... Mais, mon cher, c'est une elfe, un souffle, un esprit de l'air...

— Oui, en vérité », s'interpose Laure. Elle s'exprime sur un ton un peu chantant que Ludivine trouve traînard et affecté. « Il est plaisant de vous regarder, ma bonne petite. C'est à votre pensionnat que vous avez appris ? »

Doucereuse, perfide Laure.

« Vous êtes trop indulgente. Je suis sûre que vous dansez mille fois mieux ! Il y a déjà si longtemps que vous allez au bal.

— Non pas, non pas !... s'écrie Raoul. Laure est une valseuse remarquable, d'accord, mais je maintiens que vous l'égalez au moins. »

Ludivine baisse les cils, modestement.

« Vous souvenez-vous, Laure, du bal des

fiançailles d'Estelle Jonquéras ? » coupe Frédéric, qui sent monter il ne sait quel orage, et souhaite le détourner.

Laure sourit sans répondre.

Cet air d'entente muette met le comble à l'exaspération de Ludivine. Avec une suave sollicitude, elle s'informe :

« Qu'avez-vous, Laure ? Je vous trouve bien mauvaise mine, ce soir. Peut-être la chaleur qu'il fait ici... Vous sentez-vous mal ? »

Le visage de Laure est un lac immobile. Ludivine surveille les ondes de la pierre lancée. Le coup a-t-il porté ? Elle en jurerait.

Albert de Barcarin s'incline devant elle pour la mazurka qui commence. Elle se lève, et, prenant le bras offert, conseille gentiment :

« Vous devriez aller vous reposer, ma chère.

— Je crois que je vais suivre son avis, déclare Laure, nonchalante. Allons, beau cavalier, je vous rends votre liberté. Mais auparavant, laissez-moi vous fleurir. »

Elle prend dans un vase l'un des magnifiques œillets roses que Caroline, le matin, a rapportés d'Arles, et le pique à la boutonnière de Frédéric qui lui baise la main.

« Tu m'accompagnes, n'est-ce pas, Raoul ? »

Dans les veines de Ludivine bouillonne un poison amer. Le charmant Albert de Barcarin ne comprendra jamais pourquoi, pendant quelques secondes, elle a fixé sur son visage des yeux étincelants, d'un noir liquide, qui semblaient regarder plus loin, à travers lui.

« Vous n'aimez pas danser la mazurka, peut-être ?

— Comment ? La mazurka ? » Ludivine revient à la réalité : « Mais je l'adore !... »

Perplexe, mais subjugué, le jeune homme la reconduit vers le canapé, auprès d'Adrienne.

Celle-ci semble rajeunie. A l'aise dans ce cercle de familiers, loin des boutades cinglantes de sa mère, qui la paralysent, elle a l'entrain d'une toute jeune fille, et plaisante avec Georges, son favori.

Frédéric vient les retrouver :

« Mes belles, puis-je obtenir une place entre vous deux ?... Ludivine, dansons-nous la prochaine valse ?

— Si tu veux », dit-elle, l'air indifférent. — Cet œillet au revers de la jaquette, comme un défi...

Sans paraître remarquer son peu d'enthousiasme, il propose : « Je vais aller prier tante Lucie de nous jouer *Les flots du Danube.*

— Bonne idée, approuve Georges. C'est un morceau que j'aime... Adrienne, si tu veux m'accepter, tout piètre valseur que je suis ?...

— Tu sais bien que, moi aussi, je tiens mal la mesure.

— Bah ! qu'importe ? Nous pataugerons ensemble.

— Et vous gênerez tous les autres, lance Caroline qui rentre du jardin, au bras de Marc Rouveyre, suivie d'Hubert et d'Arlette.

— Nous nous ferons tout petits », promet Adrienne, sans se fâcher.

Ludivine la dévisage avec une sorte d'envie : cette créature qui n'est pas jolie, ni brillante, qui monte mal, danse mal, et ne plaît pas aux hommes... bonne seulement aux soins de la maison... Elle paraît sans désirs, sans regrets, et se meut dans une intangible atmosphère de bonne volonté. Elle ressemble à la Marthe des *Ecritures*, pense Ludivine. Mais la question se pose de savoir si la meilleure part était bien celle de Marie Madeleine, ce cœur dévoré.

Au piano, tante Lucie prélude, sur la prière de Frédéric.

Cette valse, avec son mouvement alangui et sa tristesse, évoque des nuits attardées de fêtes, des lampions qui pâlissent, des bonheurs que l'on voudrait retenir... et déjà, ils s'échappent de vos doigts...

Abandonnée aux bras de Frédéric, elle tourne en silence, les yeux mi-clos.

« Pas d'entrain ? » questionne-t-il.

Elle lève sur lui un regard si désolé qu'il s'étonne.

« Qu'y a-t-il, mon cœur ?... Lasse ? »

Incapable de répondre, elle secoue la tête.

« ... Tu n'es pas contente de danser avec moi ? Dis-moi qu'elle te plaît cette valse. Ecoute... »

Il lui fredonne le motif du refrain, et esquisse des lèvres le mouvement d'un baiser vers le visage levé. Ludivine se rassérène peu à peu, et lui sourit.

Enchanté, il l'enlève dans un ample mouvement tournoyant, un peu grise, soulevée entre ses bras.

« Oh ! Frédéric, Frédéric... »

Le piano s'arrête. Elle vacille, la tête prise dans un tourbillon vertigineux. La voix de Frédéric lui parvient, lointaine, ouatée.

« Appuie-toi. Je te tiens. Mets ta tête sur mon épaule... Viens, sortons un instant, l'air de la nuit te remettra. »

Il l'entraîne sur la terrasse.

Assise contre lui, dans l'ombre, Ludivine se retrouve.

« Cela va mieux ? s'inquiète Frédéric. Quelle brute je suis, de t'avoir fait tourner comme ça !... »

Non, non, qu'il ne croie pas... qu'il ne regrette pas...

« C'était si délicieux, Frédéric, promets-moi que nous danserons encore.

— Bravo !... Demain... ce soir... tout de suite !... quand tu voudras.

— Tu trouves que je danse bien ?

— Comme un flocon, comme une feuille dans le vent, petite sorcière. »

« *Sorcière ?* » Il a toujours des façons de parler surprenantes. — Ludivine réfléchit. Sa joue, sur le revers de la jaquette, effleure quelque chose de doux, de frais... Ah ! Dieu...

« Est-ce que tu me trouves jolie ?

Sournoisement, elle avance la main, arrache la fleur...

« Quelle question ! Bien sûr, nigaude.

— Mais... plus jolie que les autres ? »

Le don de Laure gît sous son pied. Elle l'écrase avec une froide application.

« Plus, beaucoup plus !... Et moi, plaisante-t-il, est-ce que tu me trouves beau ?

— Oh ! Frédéric, sois sérieux. Je déteste que tu me taquines.

— Alors, viens danser.

— Je veux bien », dit-elle joyeusement.

Dans le salon, les couples tournent encore. Ils se mêlent à eux. Mais la danse s'achève.

Frédéric conduit sa femme vers la cheminée,

où se groupent les sœurs de Barcarin et Caroline, avec leurs cavaliers.

« Il se fait tard, remarque Charlotte. Il va nous falloir songer à rentrer. Nous avons une bonne heure de route d'ici Fiélouse.

— Bah ! vous prendrez par le bord de l'étang. Au clair de lune, le retour est si agréable, dit Léon. Hubert et moi, pourrions vous accompagner jusqu'à Notre-Dame-d'Amour, qu'en penses-tu, Hubert ?

— Si nous y allions tous ? » propose Ludivine.

Clara, penchée, respire les fleurs.

« Tiens, j'ai perdu mon œillet... »

Frédéric cherche du regard autour de lui.

« Laisse donc, dit Ludivine, cela n'a pas d'importance. D'abord, je n'aime pas les œillets. Ce parfum vulgaire... »

VIII

Les hordes sauvages du mistral dévastent le parc. Dans la maison, on allume de grandes flambées. Ludivine a passé tout son après-midi, assise sur un pouf, contre la cheminée, à suivre des yeux le jeu des flammes, comme un petit animal frileux.

Elle est seule. Frédéric court la campagne et rentre chaque soir, mouillé, crotté, avec, sur sa figure, l'odeur de la terre froide, et du vent.

Hubert chasse avec ses amis de Saint-Ange. Ils sont partis pour quelques jours, Dieu sait où.

Sa belle-mère a eu, la semaine précédente,

une forte crise cardiaque ; depuis, son asthme la retient à la chambre.

Inlassable, Adrienne monte la voir, se fait rabrouer, revient s'asseoir, reprend son ouvrage, le pose au bout d'un instant, sort de nouveau... Les potions, la température, les gouttes, les repas légers auxquels elle veille elle-même, les infusions de coquelicot... Toute la journée, on la voit s'activer, avec cet air de sagesse...

« Mlle Adrienne, on dirait une *sœur des grands chapeaux* », déclarait, ce matin, Eugénie, conversant au pied de l'escalier, avec la vieille Philomène. Bien entendu, c'est prendre Philo par son faible que lui faire l'éloge d'un de ses nourrissons de jadis, et les domestiques le savent... Mais Ludivine trouve que sa femme de chambre a raison : une cornette aux grandes ailes blanches pour encadrer le paisible visage, et l'ample robe bleue des Filles de la Charité, voilà bien le costume qui siérait à sa belle-sœur.

Mais que faire, lorsqu'on n'a pas la vocation du dévouement, après avoir longuement rêvé devant sa glace, essayé des coiffures, raffiné sur sa toilette, goûté sans appétit, un peu lu, un peu bâillé, et regardé le soir descendre sur l'allée que le vent brutalise ?

L'an dernier, à cette époque, elle était au

pensionnat, avec Elise et Hermance, et Marguerite Bonnardel qui jouait de si bons tours à Mère Jeanne-des-Anges, sa bête noire... et cette peste de Marthe Dervillers, la jalouse...

On riait, on faisait des projets, on échangeait des confidences... « Mon cousin m'a écrit quatre fois, depuis la rentrée. J'ai ses lettres par un externe... » « Le frère d'Augusta Rollin viendra au parloir dimanche, elle me l'a dit... » « Vous vous rappelez, Clarisse de Grézan, qui a quitté le couvent l'an dernier ? Eh bien, il paraît qu'à la course à mort de Nîmes, Frascuelo lui a lancé sa cape. Mes parents étaient au second rang, derrière elle... » « Moi, mes petites, je voudrais un officier. Un marin, peut-être, ou bien un hussard. Ma sœur aînée est allée à Tarascon, pour leur fête. Elle a beaucoup de succès, vous savez, on lui fait la cour... » Et tourne, tourne, dans ces jeunes têtes, l'espoir de l'avenir qu'on imagine, le petit roman rose et doré qui conclut par les épousailles...

Tout cela est venu, déjà, pour Ludivine, venu et passé. La robe blanche et le voile de noces dorment là-haut, dans un tiroir de la commode.

Et la voici encore, avec son attente, alors que le sort s'est fixé pour elle. Faudra-t-il que toute la vie soit cela, attendre ? et qu'elle le découvre à dix-sept ans ?... « Oh ! qu'il rentre

et me prenne dans ses bras !... » Mais cela
même ne résout pas tout. Demain, il repartira,
et, de nouveau, jusqu'au soir, elle traînera
ce cœur lourd d'impatience, qui demande, demande sans cesse, et reste sur son désir...

Ah ! tout l'amour du monde ne serait pas
trop, peut-être, pour le combler. Et ce n'est
pas assez que cette chaude, indulgente douceur,
et cette passion, tour à tour, que Frédéric lui
témoigne... Ce besoin qu'il a de sa présence,
dès qu'il arrive... Mais pourquoi faut-il qu'il
la quitte si souvent ? si longtemps ?... Et ces
caresses qu'il lui prodigue, et leurs réconciliations et leurs querelles même, où ses taquineries semblent parfois masquer un attendrissement dont il se défend... Mais pourquoi se
défendre ? Ludivine, elle, ne sait pas se refréner, et n'y pense guère ; ils sont l'un à l'autre,
elle n'a rien réservé d'elle-même, mais elle le
veut entièrement donné.

« Tu es une dévorante, un vrai vampire, lui
a-t-il dit, l'autre soir, en riant. Une nuit, en
me réveillant, je te trouverai, les dents plan-
tées dans ma gorge, en train de boire mon
sang. Et tu auras gardé l'âme pour ton
dessert. »

Qu'est-ce que cela veut dire ? Elle voudrait
tous ses regards, toutes ses pensées... Comment
ne le comprend-il pas ?

La nuit est tout à fait tombée. Par instants, la flambée illumine la pièce et découpe des ombres bizarres sur les arabesques de la tapisserie grise. Adrienne entre, suivie de Victor qui porte les deux grosses lampes à pétrole.

« Ludivine ! Tu es là, toute seulette dans le noir... Ma pauvre jolie !... Qu'y a-t-il ? Que dirait Frédéric, s'il te trouvait comme ça ?

— Il n'y a rien. Je regardai le feu... Comment va Mère ?

— Pas plus mal. Elle est un peu moins essoufflée, même, il me semble. Tu devrais monter un moment, la distraire. Tes visites lui font plaisir...

— J'irai tout à l'heure. Regarde : ces flammèches, ces étincelles... On dirait un feu d'artifice nain.

— Oui... Moi aussi, je pourrais rester indéfiniment devant des bûches qui brûlent. On y voit tant de choses, n'est-ce pas ? »

C'est vrai. Adrienne a sa vie, elle aussi. Il y a ce qu'elle aime, ce qu'elle n'aime pas. Et Victor, lui-même, qui vient de sortir, ayant regarni le foyer et fermé les fenêtres... avec sa large figure à l'expression digne, son allure majestueuse... Comme c'est drôle... Elle n'y avait jamais pensé.

« Dis-moi, demande-t-elle, est-ce que tu crois que Victor est heureux ? »

Etonnée et songeuse, Adrienne la regarde.

« Quelle étrange question ! Qu'est-ce qui te fait penser que Victor... ? Et justement, vois-tu, il se passe une histoire assez ennuyeuse, à l'office. Je suis en souci. Victor s'est laissé aguicher par la fille de cuisine. Cette petite Adèle... je ne sais pas si tu l'as remarqué : elle n'est pas mal tournée, elle est jeune... Il paraît que ce gros benêt court après ses jupes. La pauvre Berthe se désole. Pense : « Au bout « de dix-huit ans de mariage, voir mon homme « se déranger... » Elle pleurait, ce matin... »

Ludivine ouvre de grands yeux : « Victor, Berthe, Adèle, un drame d'amour !... »

« Je ne sais vraiment que faire, continue Adrienne. Si Maman pouvait tancer Adèle, les choses s'arrangeraient peut-être : Victor a toujours été un garçon tranquille, comme dit Berthe... Mais je ne veux pas lui en parler en ce moment. Je ne la trouve pas assez bien. Ces histoires la fatigueraient. Il lui faut tellement de calme... Surtout, ne dis rien à Philo, elle répète toujours tout à Maman. Berthe m'a demandé le secret, d'ailleurs... Mais qu'est-ce qui t'a fait songer à Victor, tout d'un coup, ma chérie ?

— Oh ! je ne sais pas trop, dit Ludivine, hésitante. Je me demandais si tous les gens pensaient au bonheur.

— Plus ou moins, il me semble. Les pauvres, en général, n'y pensent guère, je crois. Ils travaillent, ils peinent, ils alignent un jour après l'autre, et si leur marmaille s'élève, ils trouvent que tout est bien. Un beau jour, ils arrivent au bout, comme ça. Et, en fin de compte, peut-être ont-ils été heureux. »

« Heureux !... Bonté divine !... » Pour la première fois de sa vie, Ludivine se sent le cœur noyé de pitié pour ses semblables. Et elle... elle !... Se pourrait-il qu'elle arrivât au bout, un jour, les mains vides ? Mais non : elle a Frédéric, son amour, sa jeunesse... Et la vie est longue...

« Mère a été heureuse, n'est-ce pas, avec ton père ?

— Je le pense. En tout cas, voilà plus de quinze ans que ses souvenirs lui tiennent compagnie. Observe-la, quand elle parle de sa vie d'autrefois : on dirait que tout recommence pour elle seule. Ceux à qui elle raconte n'existent guère à ses yeux.

— Et toi, Adrienne ?

— Moi ? »

La question brutale semble prendre Adrienne au dépourvu. Assise bien droite dans son fauteuil, les mains jointes sur sa jupe, elle l'a reçue comme un coup.

« Oui, toi ? Dis-moi, insiste Ludivine.

— Mais naturellement, je suis très heureuse. »

Sans doute est-ce vrai.

« Mon Dieu, faites que ce soit vrai ! » implore, à part elle, Ludivine, qui se sent le besoin de le croire.

Adrienne se lève pour régler la mèche de la lampe. Les rideaux sont tirés, les grandes portes à doubles battants bien fermées. Le crépitement de l'âtre les isole, toutes deux, entre ses tentures rouges, au milieu des portraits de famille, et des lourds sièges Louis XIV en bois doré.

Presque malgré elle, Ludivine soupire :

« Oh ! Je voudrais que Frédéric rentre bientôt.

— Pauvrette, dit Adrienne compatissante, la campagne est triste, en cette saison, quand on n'y a jamais vécu. Mais tu verras, nous sommes à la Noël dans trois semaines, et, cette année, Maman est décidée à recevoir, en ton honneur : depuis la mort d'Henri, il n'y avait plus eu de réveillon ici. Toute la famille va venir, et l'on s'amusera.

— Je voudrais inviter Elise Daubenois, aussi.

— Parfait, chérie. Nous écrirons chez elle, en même temps qu'à *La Sarrazine* et à Tourvieille. »

Tourvieille, *La Sarrazine*... Quel contraste de

souvenirs ont laissé à Ludivine ces deux séjours si proches l'un de l'autre... Les folles parties de Tourvieille, avec la bande des cousins, les instants délicieux dans la solitude des marais, le silence nocturne des bords du Vaccarès palpitants de vie cachée, les réunions bruyantes, l'antagonisme de Laure, la cour d'adorateurs... Comme tout est différent à *La Sarrazine*. Tante Sophie, bien sûr, est un peu revêche. Mais l'oncle Constant est si « vieille France », avec ses doux compliments surannés, son visage éclairé de bonté malicieuse... Et ses enfants si calmes, si cultivés... L'existence, là-bas, a un tel parfum de tranquillité, d'élégance subtile... Emilie prend soin elle-même, avec orgueil, des bibelots précieux que collectionne son père. La maison est pleine de vitrines renfermant des raretés. Il y a une immense bibliothèque dont les murs sont garnis, du haut en bas, de livres aux belles reliures. L'oncle Constant y passe la moitié de son temps.

C'est à *La Sarrazine* que Frédéric a pris cette habitude qu'elle aime, de lire, le soir, tous deux installés dans une grande bergère. Un bras passé autour de la taille de sa femme, il tient sa pipe de l'autre main, et Ludivine, qui a la charge du livre, guette un signe du menton pour tourner la page...

Elle ferme les yeux et croit revoir le guéridon marqueté, et la coupe de cristal où s'effeuillaient les dernières roses cueillies sur la tonnelle. Emilie, si dépourvue de séduction au milieu de tous les cousins, prenait alors, dans ce cadre à sa mesure, le charme d'un pastel à demi effacé. Et comme Blanche est exquise ! « Mon plus joli La Tour ! » dit son père. Ludivine pense que si Léon doit un jour l'emmener à Tourvieille, Laure lui fera la vie dure. Quant à Caroline...

« Est-ce que tu crois sérieusement que Caroline puisse aimer Edmond ? »

Adrienne ne s'occupe pas volontiers des secrets des autres.

« Comment peut-on savoir ? C'est possible. Pourquoi non ?...

— Mais Edmond paraît si peu fait pour lui convenir. Il n'apprécie que la musique, le travail, la lecture. Le vois-tu avec Caroline, cette turbulente ?

— Pauvre Caroline, il est de fait..., sourit Adrienne.

— Et, tu sais, Edmond ne me donne pas du tout l'impression de songer à elle. Elle ferait mieux d'épouser Marc Rouveyre qui est amoureux fou... »

Adrienne rêve un peu : comme elle y va, cette petite personne péremptoire qui prétend arranger les destinées deux par deux, avec symétrie...

« Je crains que cela ne soit pas aussi simple », dit-elle, hochant la tête.

Sur la cheminée, la pendule de bronze fait entendre un tintement grêle.

« Cinq heures et demie, déjà ! Il faut que j'aille voir Berthe pour les menus de demain.

— Bien, moi je monte chez Mère.

— C'est cela. » Elle caresse affectueusement les cheveux lissés qui brillent d'un éclat bleu. « Va lui tenir compagnie. Si Frédéric rentre, je te l'enverrai. »

*
**

« Eh bien, Mère, comment vous sentez-vous ? Adrienne me dit qu'elle vous trouve mieux.

— Adrienne est une sotte. Je voudrais la voir à ma place ! »

Indécise, Ludivine se balançait sur un pied, à l'entrée de la chambre.

« ... Entre, ma fille, et ferme la porte. Le moindre courant d'air augmente mes étouffements.

Ludivine s'assit au chevet de sa belle-mère et chercha laborieusement quelque chose à dire. Elle se sentait paralysée d'une horreur animale, devant la souffrance et la maladie. L'atmosphère fiévreuse, l'odeur des médica-

ments, lui causaient de la répulsion. Remonter
des oreillers, tendre une tasse d'infusion ou
une cuillerée de sirop, lui réclamaient un
effort sur elle-même.

Elle finit par demander :

« Y a-t-il longtemps que ce mal vous est
venu ? Est-ce qu'on ne peut vraiment pas
vous guérir ? »

Julia lui sourit, ironique.

« Et me guérir d'être vieille, de m'être usé le
cœur, jadis ? Bien sûr, ici-bas, tout finit par
la guérison. Mais Dieu nous la fait parfois
attendre. Il y eut un temps où j'étais belle,
ma petite. J'ai aimé les chevaux, le vent, la
campagne... Et aussi les parures, pourquoi
pas ? J'ai eu un mari, des enfants, j'ai dirigé
la maison, veillé sur tous. Un peu de moi est
parti avec chacun d'eux. Tout est dans
l'ordre... »

Elle s'arrêta un moment pour respirer, haletante, les pommettes en feu, les narines
pincées.

« Va me chercher l'album de photographies,
là-bas, sur la console. »

Ludivine lui apporta le lourd volume recou-
vert de peluche, à ferrures et coins dorés.
Julia l'ouvrit, le feuilleta un instant :

« Tiens, regarde, voici mon portrait à vingt
ans. »

Ludivine se pencha sur le daguerréotype délicatement colorié.

« Mon Dieu, Mère, que vous étiez jolie ! »

Ces bandeaux bruns, ces longs yeux clairs, cet ovale pur... Et ce teint, d'un blanc crémeux et chaud, exactement celui qu'elle eût rêvé d'avoir, son envie, son regret de chaque jour... Et l'immense robe à volants, la capeline à coques de velours...

« Comme on s'habillait bien, comme j'aurais aimé cette mode ! Vous avez vu l'impératrice, Mère ?

— Oui, une fois, à Marseille, en 1869. Elle s'embarquait pour l'Egypte. Nous sommes allés assister aux fêtes en son honneur. »

Pensive, Ludivine soupire.

« Ce devait être bien agréable de vivre à ce moment-là.

— Oui », dit laconiquement Julia.

Petite ombre d'une époque disparue, jeune fille coiffée en longs « repentirs », qu'avez-vous de commun avec cette femme qui s'essouffle, tousse et se débat, dans l'entassement blanc des oreillers, sous les yeux de Ludivine ? Et cette chambre, avec son odeur de passé, se peut-il qu'elle ait retenti, durant des saisons, du rire et des baisers de jeunes époux ?

Elle pense à la sienne, gaie, accueillante, tiède, avec sa tapisserie à personnages, son

mobilier Louis XV, ses bergères, son grand lit
aux rideaux de taffetas, ses mousselines, sa
table à coiffer drapée de dentelles, ses appliques de bronze et de cristal, de chaque côté
des hautes glaces à trumeaux. Ici, dans cette
pièce démodée et sombre, le feu même revêt
un aspect de tristesse...

« Eh bien, fillette, on rêve ? »

La voix au timbre railleur la fait sursauter.

« ... Que se passe-t-il en bas ? Raconte-moi.
Adrienne craint que tu ne l'ennuies. Comme
si une jeune femme pouvait s'ennuyer... »

Ludivine ouvre la bouche pour faire à la
malade le récit de la tragédie conjugale de
Berthe, et se rappelle à temps qu'Adrienne
l'a suppliée de garder le secret.

« Eh bien ? répète Julia, que ce manège
intrigue.

— Mère, est-ce vrai que tout le monde va
venir pour Noël ?

— Ah ! voilà donc ce qui te préoccupe. C'est
Adrienne, encore, qui t'a déjà raconté cela ?
Alors, es-tu contente ?

— Oui, dit Ludivine, assez mollement.

— Eh mais, quoi donc ? Je croyais que tu
t'entendais bien avec tes cousines. Qu'y a-t-il ?
Emilie, Blanche ? Non ?... C'est du côté Vernet,
alors ?... » Intéressée, elle surveille le visage de
sa belle-fille. « Voyons, dis-moi ça... »

Ludivine fronce les sourcils. Cet interrogatoire lui déplaît.

« Mais il n'y a rien du tout, Mère. Je ne sais pas pourquoi vous vous faites cette idée.

— Ludivine !... Ne te moque pas de moi ! explose la vieille dame. Me prends-tu pour une bête ? »

Ses yeux étincelants cherchent le regard fermé qui se dérobe.

« ... Allons, allons, c'est donc si sérieux ?

— Mais non, Mère. Qu'allez-vous croire ? » Ludivine est furieuse. Poussée à bout, elle se décide : « Je n'aime pas Laure, voilà, puisque vous voulez le savoir. »

Un sourire satisfait effleure les lèvres de Julia.

« Elle est jolie », dit-elle, avec une douceur calculée.

Ludivine relève la tête d'un air de défi.

« Je déteste ses manières d'être, à l'égard des hommes.

— Oh ! oh ! Petite ! »

Julia trouve que la conversation prend une tournure divertissante.

« ... Une rivale ? Car enfin, si j'en crois Frédéric, tu es très courtisée, dans le cercle de ces messieurs. »

Ah ! Frédéric a remarqué cela !

« C'est lui qui vous l'a dit, Mère ?

— Qui veux-tu que ce soit ? Par ailleurs, j'ai encore de bons yeux, et tout mon jugement. N'importe qui peut voir comme tu t'y entends à faire la coquette.

— Oh ! Mère. Est-ce possible ? Que dites-vous ? » suffoque Ludivine avec une désarmante bonne foi.

Julia rit de bon cœur.

« N'oublie pas que j'ai joué à ces jeux avant toi, ma belle. Je sais ce qu'il en est. Ainsi, Laure et toi...

— C'est une méchante créature, fausse, mielleuse. Elle est jalouse parce que je suis plus jeune qu'elle... »

Le flot de rancune déferle.

« ... Elle affecte toujours de me parler du pensionnat, de ma classe, devant tous, comme si j'en sortais d'hier... Comme si j'étais une « petite » qui ne compte pas, vous comprenez ? »

En effet, c'est inexpiable. Sa belle-mère s'amuse réellement.

« Et... tu la laisses dire ?

— Je suis bien obligée de me défendre », concède Ludivine.

Julia fait signe qu'elle comprend parfaitement.

« Oui, tu te défends, bien entendu... »

Que veut-elle dire ? S'imagine-t-elle... ?

« Je n'attaque jamais la première. »

Comme elle a bien dit ça, avec un petit mouvement de tête fier et dédaigneux.

« Ta grand-mère, s'exclama Julia, ravie. Je revois ta grand-mère. Comment peut-on prétendre que tu ne lui ressembles pas ? Cette chère Félicité... Quel dommage... N'importe, ma fille, tu as raison. Il faut toujours relever le gant. Il n'y a que Notre-Seigneur et les apôtres qui aient jamais pu, avec honneur, se permettre d'agir autrement... Et encore, ajoute-t-elle, en aparté, je ne suis pas sûre qu'ils aient eu là une si bonne méthode... »

Ludivine ne peut s'empêcher de rire, à son tour. Le surnom donné par l'oncle Antoine lui revient à la mémoire. Un instant, elle imagine sa belle-mère menant la chrétienté au combat, en files régimentaires. Elle pouffe.

« Allons, allons, ma fille ! »

Egayée, Julia la contemple, et peu à peu, se laisse gagner par ce rire fou, jusqu'à en perdre la respiration. Durant quelques minutes, qui paraissent des siècles à Ludivine brusquement calmée, elle étouffe, halète, les yeux révulsés, renversés sur ses oreillers.

« Mère, Mère, mon Dieu ! Qu'avez-vous ? C'est de ma faute. Voulez-vous que j'appelle quelqu'un ? »

De la tête, la malade fait signe que non. Cet affreux sifflement qui sort de sa gorge est pénible à entendre, à supporter. Enfin !... la voici qui se calme un peu.

« Ma potion, là... »

Ludivine s'approche.

« ... Donne-m'en une cuillerée. »

Elle débouche le flacon, verse avec précaution. Cette odeur fade, opiacée... Elle lutte contre un écœurement subit, puis, n'y tenant plus, se détourne, son mouchoir sur la bouche, et se laisse aller dans le fauteuil.

Etonnée, Julia l'observe.

« Je vous demande pardon, Mère. Je ne sais pas ce qui m'a pris. Cela va passer. »

Le regard aigu la dévisage.

« C'est la première fois que tu te sens mal ?

— Non, avoue Ludivine. A midi, déjà... Je crois que j'ai eu tort de goûter. Je n'avais pas faim. Je ne me trouve pas très bien, depuis quelques jours. C'est sans doute de rester enfermée... Mais c'est fini, regardez. Je suis tout à fait d'aplomb, maintenant.

— Viens ici, plus près, que je te voie. Là, dans la lumière de la lampe... » Julia examine les traits un peu tirés, les prunelles brillantes, le cerne autour des paupières.

On frappe.

« Frédéric, lance-t-elle à son fils qui entre,

dans quelque temps, tu conduiras Ludivine chez le docteur Lapierre.

— Ludivine ? Mais pourquoi ? » demande-t-il ébahi.

Ses yeux vont de l'une à l'autre. Devant l'expression triomphante de sa mère, il s'illumine soudain, et, saisissant Ludivine qu'il enferme entre ses bras :

« Ma chérie, ma toute petite... », dit-il, avec une espèce de rire étranglé.

IX

CETTE année 91 à peine commencée, qu'apportera-t-elle à Ludivine ?

La voici devenue le point de mire et le souci constant de tous. Jusqu'à l'office, où Philo a dû bavarder... On recherche ses préférences. Berthe lui envoie des pâtisseries alléchantes pour son goûter. Le vieux visage ridé de Philomène se détend à la pensée de voir naître un enfant dans ce Mogador où elle en berça tant autrefois. Adrienne la contemple avec une inquiétude telle que Ludivine a parfois l'impression d'être devenue un objet de vitrine en verre filé.

Seule, Julia, rétablie, qui a présidé les repas de Noël et du Jour de l'An, réagit contre cette

atmosphère ouatée que l'on crée autour de la
jeune femme :

« Allons donc, vous êtes ridicules !... Allez-
vous l'installer dans du coton, comme une
poule pondeuse au nid ? »

Ludivine a rougi, violemment choquée par
les propos de sa belle-mère, mais lui donne
raison.

Au nom du Ciel, qu'on la laisse tranquille,
libre d'aller et venir à sa guise, danser s'il
lui plaît. Qu'elle puisse encore se croire comme
les autres... Elle est elle-même, Ludivine Vernet, et non point un tabernacle !... Oh ! monter
à cheval, ne fût-ce qu'une heure ou deux !...
Elle se contenterait d'une lente promenade
au pas, dans les chemins nus où rit déjà une
lointaine promesse du printemps à venir.

Les jours où un vent léger, qu'on sent tout
neuf, bouscule par-dessus les haies les petits
nuages flous, dans le ciel d'un précieux bleu
pâle, quel désir de respirer, de courir tout son
soûl dans les massifs où les fusains d'un vert
intense et luisant sont piqués de baies rouges,
où le laurier-tin, une fois encore s'apprête à
refleurir !

Au lieu de cela : « Fais attention... Ne va pas
trop loin... Ne te fatigue pas... Veux-tu que je
t'accompagne ?... »

Oh ! Dieu... Quelle servitude, parfois, que

l'affection des autres ! Ludivine comprend sa belle-mère, et, par moments, prend en grippe la pauvre Adrienne à la sollicitude jamais en défaut.

Et cela va durer des mois !... Le printemps, l'été, tant de beaux jours gâchés... « Ce sera pour la première quinzaine d'août, sans doute », a dit le docteur.

Cette perspective d'enlaidir, de perdre sa jolie taille, elle, naguère si férocement joyeuse d'imaginer Laure en proie à ces désagréments... Par bonheur, dans la parenté, personne ne le sait encore. Durant les fêtes, elle a régné sans défaillance et sans contestations sur l'élément masculin de l'assemblée. Et il était bien commode d'avoir Elise à côté de soi, charmante fille d'honneur à sa dévotion...

Mais surtout, Frédéric est adorable, en ce moment. Cela, Ludivine le reconnaît. Il est tendre, empressé, et ne se risque à la taquiner que dans des limites aisément pardonnables, lui raconte des histoires pour la faire rire, lui rapporte des chocolats et de menus cadeaux, à chaque course qu'il fait en ville, s'intéresse à ses projets de toilettes, bref, se montre sensiblement comparable à l'époux modèle dont toute jeune fille a rêvé.

Pourquoi faut-il cette douceur, en être redevable un peu au petit inconnu qu'il espère ?...

« Ils sont tous là, en contemplation », s'impatiente Ludivine...

Et, de fait, même les yeux de Julia s'adoucissent, lorsqu'elle parle du petit-fils qui va venir.

Un bébé, Ludivine en a vu des bébés... Ce n'est pas si joli que ça, d'abord. C'est rouge, cela crie, pleure, se rend désagréable de mille façons.

« Comme vous devez être heureuse, chérie... » lui a dit Elise.

« Cette Elise... Cela lui ressemble bien... Heureuse ! Je lui en souhaite ! On voit bien que ce n'est pas à elle que ça donne mal au cœur... »

Bien entendu, ce sont là des choses dont il est malséant de se plaindre. Prudemment, elle garde secrètes ses rébellions et joue, tant bien que mal, le personnage que l'on attend d'elle.

Frédéric ne saura point avec quelle âcre amertume elle accueille parfois les marques de reconnaissance dont il l'entoure.

Elle ne voulait rien devoir de lui qu'à lui seul. Qu'il puisse être joyeux de cet enfant qui, déjà, à l'avance se glisse entre eux comme un voleur !... Ce que Frédéric va lui donner, c'est à elle qu'il l'enlève.

« Ma petite reine, comment te sens-tu ?

s'inquiète Frédéric, devant ses prunelles fixes. Viens ici, près de moi. » Il l'attire à lui, dans le grand fauteuil de leur chambre.

Visage, visage incliné, qu'y a-t-il en toi ? Est-ce le front haut ? Est-ce la bouche large, sensuelle, entrouverte sur les dents irrégulières ? La joue, que creusent les rides du rire, et son contour durement taillé ?... Est-ce le regard gris, si souvent indéchiffrable ? Ou la moustache blonde ?... Elle le détaille de tout près, se forçant à un examen impitoyable. « Au fond, il n'est pas si beau que cela. Non, même pas beau... Mais quoi... quoi donc ?...

— Tu me regardes comme si tu ne m'avais jamais vu », dit Frédéric, amusé.

Ah !... Ce sourire, peut-être, ce sourire incroyablement désarmé qui, soudain, toute ironie disparue, fait de lui, l'espace d'un instant, un enfant vulnérable. Peut-être est-ce là son plus terrible charme.

Elle savoure, contre son épaule, le goût doux-amer de cet amour jamais comblé, de cette peine qu'on ne peut dire...

Elise part demain.

« Elise, que ferai-je sans vous ? »

Ce cri inattendu de son amie surprend la jeune fille.

« Mais, chérie, que vous arrive-t-il ? Voyons, qu'avez-vous besoin de moi, ici ? »

Elles sont toutes deux dans la chambre d'Elise, où l'armoire vidée, les tiroirs de la commode entrouverts, la malle béante, le sac de voyage posé à terre, sont une mélancolique note de séparation et d'adieux.

« ... Que penserait Mme Vernet ?... N'ai-je pas abusé déjà, depuis plus de quinze jours que je suis ici ?... »

Quinze jours... Comme ils ont vite passé. Oui, c'est vrai, elle est arrivée en même temps que tous les cousins, la veille de Noël, dans la matinée. Mais la semaine des fêtes ne peut se compter...

« Je vous ai eue si peu de temps à moi...

— Mais qu'y a-t-il, Ludivine ? »

Elise s'effare. Son amie ne l'a pas habituée à tant d'affection, à l'époque où, seule au monde, elle eût pu, bien davantage, éprouver le besoin d'une présence à ses côtés.

Ludivine sait-elle bien, elle-même, pourquoi le départ d'Elise la laisse tellement désemparée, dans cette maison où choyée par tous, elle est l'enfant gâtée de son mari, l'idole d'Hubert et d'Adrienne, la favorite de sa belle-mère ?

Peut-être est-ce, seulement, qu'Elise est demeurée à ses yeux la compagne de cette enfance qui s'éloigne d'elle, comme le bord des îles s'éloigne du vaisseau... Et là-bas, sur la rive, la jeune fille attend encore, avec son bagage de rêves, que vienne la voile qui l'emmènera, à son tour .

« Restez, Elise. Au moins jusqu'à la semaine prochaine. Nous enverrons quelqu'un prévenir mon tuteur que je vous garde.

— Non, non, Ludivine, je vous assure, ce n'est pas possible... Je dois être rentrée dimanche.

— Mais pourquoi ? laissez-vous faire. Pensez-vous que votre mère me refuserait cela ? Je prends sur moi de l'obtenir.

— Je vous en prie, n'en faites rien !... dit Elise, avec vivacité. Je sais bien que Maman donnerait la permission, et... vraiment non, Ludivine, il faut... enfin, il vaut mieux... Ne croyez pas que je ne sois pas contente d'être avec vous... Mais... »

La pauvre Elise, rouge, gênée, balbutiante, offre un spectacle digne de toutes les pitiés.

« Ma chère, vous êtes trop drôle !... Si je comprends bien, votre présence à Tarascon est indispensable, quoique votre mère ne soit pas fondée à en juger ainsi. Eh bien... Si vous me permettez de le dire, vous êtes une affreuse cachotière, un monstre de dissimulation et d'hypocrisie, vous entendez, Elise ?...

— Mais, chérie...

— Taisez-vous ! N'avez-vous pas honte ? N'avoir rien dit pendant quinze jours ! Depuis une semaine que nous sommes seules !...

— Ecoutez-moi, Ludivine... Il y a si peu de chose à dire. Comment puis-je vous en parler ? »

Ludivine va fermer la porte avec soin, attire deux fauteuils au coin de la cheminée, s'installe confortablement dans le meilleur...

« Je veux savoir. Racontez-moi tout. Qui est-ce ? Est-il beau ? Où l'avez-vous connu ? Est-ce qu'il vous aime ?... Allons, venez vite... »

Sans la regarder, le visage tourné vers la chaleur du feu craquant, Elise commence doucement avec effort :

« Il s'appelle Vincent Royer...

— Vincent... Vincent Royer... C'est un joli nom, apprécie Ludivine, d'un air connaisseur. Elise Royer, cela sonnera bien.

— Ludivine, je vous en prie...

— Ensuite ?

— Il est venu plusieurs fois aux réunions des Marquet-Rageac.

— Ah ? Est-ce qu'il est médecin aussi ?

— Justement, c'est le fils d'un ami du docteur Marquet-Rageac. Son père exerce à Barbegal.

— Barbegal ? Mais c'est tout près d'ici ! Ma

chère, nous serons voisines. Quelle chance !
Mon Dieu, comme c'est amusant ! Vite, vite,
épousez-le pendant que je puis encore danser
à votre noce ! »

La folle, comment peut-elle prendre ainsi ce
qui, dans le cœur d'Elise, est gravité, ferveur,
et silence ?

« Ludivine...

— Oh ! Chérie, suis-je si méchante ? Allons,
vous savez bien que non. » Elle prend dans ses
mains la main de son amie.

Dehors, le soir tombe. Dans la pénombre
de la chambre, les deux jeunes visages rap-
prochés se sourient, éclairés par le rougeoie-
ment des braises. A mi-voix, la jeune fille conte
son histoire.

Femme de médecin !.. Bonté divine ! Quoi
de pire, que de donner son amour à quelqu'un
qui, toute sa vie, appartient d'abord aux
autres ?...

Mais Elise le sait, cette courageuse :

« Quand je m'ennuierai, si cela arrive, je
penserai que je suis pour lui le terme de sa
journée, son repos, sa petite joie, et il me
semble que cela me donnera toutes les
patiences. »

Troublée, Ludivine écoute. Ainsi, il existe de
telles amours, qui ne s'inquiètent que d'être
un don... Mais à quoi peut servir d'aimer, sinon

à vouloir être aimée, à vouloir être heureuse ?
Cette Elise... de quelle étrange façon pense-
t-elle trouver son bonheur ?

« Dites-moi comment il est, chérie... Vous
rappelez-vous votre idéal de l'an passé ? »

Elise rit de son doux rire léger, qui est
comme une petite musique.

« Je confesse que ce n'est peut-être pas tout
à fait cela. Il est grand, très grand. Encore
plus que Frédéric... »

Comment peut-on être plus grand que
Frédéric ? se demande Ludivine, vaguement
vexée.

« ... Très maigre, et habillé n'importe comment. Brun, avec des cheveux raides. Un grand
front, un long nez, une longue figure qui vous
sourit. On croirait toujours qu'il est à la
recherche de ce qui peut avoir mal, en vous,
pour vous consoler. »

Est-ce donc là, ce qui a conquis Elise ?
Comme les autres sont incompréhensibles. La
voilà qui s'en ira passer sa vie, seule le plus
souvent, dans la maison de Barbegal, pour un
air de bonté qu'elle a déchiffré, un jour, dans
le regard d'un inconnu.

Mais elle-même, Ludivine, que fait-elle à
Mogador ? Il fut un temps où le visage de
Frédéric Vernet n'était pas né en elle, et elle
vivait, ignorant encore qu'il viendrait, un jour,

et la rendrait aveugle et sourde au reste de l'univers.

Voilà Elise qui s'engage dans la voie difficile avec, pour toute arme, seulement l'abandon d'elle-même qu'elle est prête à faire, qui est déjà fait à l'avance.

Mais cette voix qui chuchote à Ludivine que là est le secret de la paix, et la plus haute certitude, comment l'écouterait-elle, quand tout, en elle, n'est que désir ? Un désir éperdu et triste, dont son amour est la source, et le centre, et la proie...

*
**

Et le printemps vient, et il passe. L'aubépine a fleuri, après les amandiers. Voici le mois où, l'an dernier, se célébraient les fiançailles. Voici les cigales revenues. Voici la nuit de la Saint-Jean, la plus tiède et la plus parfumée, où s'allument des feux sur toutes les collines. Et déjà, la clématite se fane, au torride soleil de juillet.

Ludivine, alourdie, étouffe dans son corset que, chaque matin, Eugénie lace moins serré.

« Jamais tu n'as été plus ravissante, déclare Frédéric. Regarde-toi donc dans la glace. »

De fait, son teint doré a la transparente

clarté et le velouté d'un abricot mûr. Et le
bleu violet de ses yeux scintille avec un éclat
mouillé, comme l'eau d'un lac d'ondines. Mais
la jeune femme est nerveuse. Même les gentillesses de Frédéric ne la dérident pas toujours ;
et celui-ci se lasse un peu de faire en vain
tant d'efforts méconnus.

Une phrase, un mot, la voici engagée dans
des colères, puis des bouderies, qui traînent
parfois plusieurs jours durant.

Frédéric s'échauffe :

« Que diable ! la patience a des limites... »
Surtout la sienne.

Les brouilles sont fréquentes, trop fréquentes pour qu'il retrouve le même plaisir aux
réconciliations qui leur succèdent.

« Ludivine a vraiment un caractère impossible », a-t-il confié à sa mère, dans un moment
de dépit.

Julia rit malicieusement.

« As-tu jamais porté un bébé ? Et par une
chaleur pareille, encore... Prends ton mal en
patience, mon garçon, il lui faut bien prendre
le sien... »

« Prendre le sien », c'est une façon de parler.
Ludivine a une manière bien à elle de lui faire
« partager sa croix ». « Et après tout, c'est le
rôle d'une femme, d'avoir des enfants... » Mais
les paroles de sa mère cheminent en lui, à la

rencontre d'un remords. « Pauvre petite, c'est pourtant vrai qu'il fait bien chaud. » Lorsqu'il rentre d'une grande course à cheval, le front ruisselant, sa chemise humide collée à la peau, et la trouve sur une chaise longue, la bouche entrouverte, la respiration oppressée, à demi-étendue, à l'ombre des chênes où nul souffle d'air n'est perceptible, il sent la pitié et la honte l'envahir à grandes vagues. Pourquoi lui refuse-t-elle ce sourire qui le jetterait vers elle, tout son amour délivré ?

« Dans deux jours, c'est l'anniversaire de ton mariage, y pensais-tu ? » a dit Julia, négligemment.

« Grand Dieu, non ! » Il ne faut pas lui demander de tenir des comptes de calendrier sentimental. Heureusement qu'on le lui rappelle.

« J'irai faire un tour en Avignon, cet après-midi, Maman. »

Il a fait atteler à deux heures, pour prendre le train à Tarascon. Le temps était lourd, orageux. Julia qui connaît bien son fils, sait combien ce voyage a dû lui peser. Mais il est rentré, le soir, l'air mystérieux et satisfait.

Ludivine n'a pu s'empêcher de trouver indécente cette attitude de parfait contentement de soi qu'il arborait avec candeur, en homme dont la conscience est une hermine.

Toute la journée, il l'avait abandonnée pour courir Dieu sait où... Elle s'était ennuyée à périr, enfermée dans sa chambre plus fraîche que les bosquets du parc. Aucune objurgation d'Adrienne n'avait pu l'en faire sortir, même pour le goûter.

Frédéric, à son retour, l'a trouvée allongée sur son lit, la tête tournée vers le mur, repoussant obstinément toute tentative d'approche. Il a accepté l'épreuve avec dignité. La petite boîte garnie de satin, qu'il sentait dans le fond de sa poche, était sa justification secrète et suffisante...

Ce fut au dîner que les choses se gâtèrent pour tout de bon.

Adrienne, instrument inconscient de la malignité des dieux, mit la conversation sur une pente glissante.

« J'ai reçu une lettre de Laure, cet après-midi. Il paraît que ma filleule est magnifique. »

Adrienne était très fière qu'on l'eût choisie pour marraine de la petite Agnès, née à Tour-vieille, quatre mois auparavant

« ...Laure dit qu'elle est très sage. Elle demande si nous n'irons pas bientôt la voir... »

Les deux jeunes femmes ne s'étaient plus rencontrée depuis le baptême, et Ludivine conservait le souvenir du premier coup d'œil triomphant que Laure avait posé sur elle.

« Comme si Laure ignorait que je ne puis me déplacer... Mais, bien entendu, elle le fait exprès.

— Exprès ? Pourquoi, exprès ?... Quelle bizarre tournure d'esprit, de voir toujours en tout une mauvaise intention ! »

Ludivine serra les mâchoires. A n'en pas douter, l'intention y était. Mais quel homme saurait voir ces choses-là ? Naturellement, Frédéric allait prendre sa défense. Cette Laure était toujours à le flatter, à se tortiller devant lui... La jeune expérience de Ludivine lui avait enseigné que l'exploitation sagace de leur vanité était le grand ressort pour mener les hommes, jeunes ou vieux, fussent-ils aussi fins que l'était son mari.

« Laure sait ce qu'il en est, n'est-ce pas ? dit-elle, sèchement. Donc, à moins qu'elle ne soit une sotte, ce que je n'avais pas encore envisagé, au fait... Mais après tout, si tu y tiens tant, pourquoi te priverais-tu d'y aller, avec Adrienne ? Je ne suppose pas que ce puisse être de ma présence particulière que cette bonne Laure a un tel besoin... »

Assise en face d'elle, Julia tambourinait d'un

doigt agacé, sur la nappe ; la vieille dame eût volontiers mis la main sur la bouche de sa belle-fille.

« Il n'est pas question de cela, lança Frédéric, irrité. Tu sais fort bien que je n'ai pas la moindre envie d'aller à Tourvieille sans toi. Mais je ne puis tolérer cette acrimonie absurde contre Laure qui a toujours été parfaite à ton égard.

— Parfaite, oui, vraiment... ricana Ludivine.

— Je dis bien : parfaite. Oui. Je ne vois pas ce que tu pourrais avoir à lui reprocher. Et, permets-moi de te le dire, ma chère, cette sortie injustifiée est aussi ridicule que méchante. »

En plein désarroi, Adrienne eût donné gros pour n'avoir pas été la cause initiale de cette passe d'armes. Quant à Hubert, le bouleversement s'inscrivait sur sa face, devant l'humiliation infligée à la jeune femme.

« En fait de sortie, celle dont tu es en train de nous régaler ne l'est pas moins, mon garçon, intervint Julia, à bout de patience. Je déteste les discussions à table. Et tu le sais.

— Pardonnez-moi, Mère... s'excusa Frédéric un peu confus.

— Ludivine, ma petite, reprends du soufflé ! » continua-t-elle d'un ton autoritaire.

C'était, en bonne forme, une déclaration d'alliance. Tous le sentirent.

Mais Ludivine, profondément blessée, n'était pas en humeur d'accepter un secours, sous quelque forme que ce fût.

« Je vous remercie, Mère, je n'ai plus faim. Si vous le permettez, je vais remonter chez moi. Je ne me sens pas très bien. Il a fait si chaud, aujourd'hui... »

Sans attendre la réponse, elle se leva, et fit le tour de la table pour aller embrasser sa belle-mère.

« Une bonne nuit de sommeil, ma fille. Demain, cela ira mieux.

— Veux-tu que je t'accompagne ? offrit Adrienne.

— Non, non », refusa précipitamment Ludivine.

Devant l'air navré de sa belle-sœur, elle ajouta :

« Merci, ma chérie, tu es gentille. Mais ne te dérange pas, je t'en prie. Je ne suis pas malade ; simplement un peu fatiguée. Eugénie m'aidera à me mettre au lit, comme d'habitude.

— Bonsoir, Ludivine. Reposez-vous bien », appuya Hubert, d'une voix pleine de défi, avec un regard indigné à l'adresse de son frère, silencieux et imperturbable.

Sa toilette du soir achevée, Ludivine congédia Eugénie, et alla s'accouder à la fenêtre, laissant enfin déborder son chagrin avec un certain soulagement. La nuit était opaque et brûlante, égratignée par instants de longs éclairs blancs. L'air sentait la poussière sèche. Toutes les bêtes des ténèbres s'étaient tues, comme en attente. Seule, la hulotte qui habitait le grand cèdre, au coin de la maison, près du miroir d'eau, jetait par intervalles irréguliers son appel plaintif. Cette soirée était oppressante. La tendresse et la paix semblaient avoir disparu du monde pour toujours.

Un an demain... Comme tout était différent de ce qu'elle avait imaginé, alors. L'amour, le mariage, ne lui avaient pas apporté ce bonheur qu'ils semblaient sous-entendre. Il fallait lutter, lutter sans cesse, s'accrocher aux bribes que l'on en recueillait au fil du temps, et croire qu'un jour, enfin — mais quand ? — on le découvrirait, entier et pur, au bout de la longue quête. Le matin où elle avait revêtu la robe blanche des noces, elle avait cru le toucher de ses mains ; il était autour d'elle, comme la dentelle nuageuse de son voile. Depuis... Qu'était-il devenu ? — Elle demeurait là, perdue dans cette obscurité pesante, avec ce fardeau dans son corps, et sa solitude, et son cœur affamé.

Frédéric, que faisait-il, en bas ? Sans doute conversait-il avec les autres. Ou peut-être, il lisait calmement, en fumant sa pipe. Ludivine pouvait être souffrante, isolée, cela lui était bien égal. Il n'avait pas eu un mot pour elle, lorsqu'elle avait quitté la salle à manger.

Une large goutte s'écrasa sur l'appui de la fenêtre. Puis une autre, d'autres, pressées. La pluie, enfin... Elle crépitait sur les arbres. Au loin, le tonnerre roula sourdement.

Ludivine, penchée, aspira cette odeur âcre, puissante, de terre mouillée, qui montait du parc. L'orage crevait avec violence. Longtemps, elle exposa son visage à la fraîcheur de l'averse redoublée. Un courant d'air éteignit la lampe. A tâtons, elle gagna son lit, se jeta sur les draps de toile au grain frais.

Allons, la vie n'était pas si insupportable, après tout... Demain, le soleil se lèverait sur la campagne lavée, reverdie ; il iriserait les flaques d'eau, dans les chemins creux, et ferait fumer les haies et la pointe des herbes. Frédéric se souviendrait sûrement que c'était leur anniversaire. Il lui demanderait pardon... Elle avait bien l'intention de le faire un peu attendre, avant de le lui accorder. Et, s'il avait... oui, s'il avait préparé une surprise pour elle, eh bien ! elle ne l'accepterait qu'après s'être fait prier, pour lui apprendre...

Elle s'endormit rassérénée. Lorsque, vers les onze heures, Frédéric monta la rejoindre, un peu inquiet de l'accueil qui pouvait lui être réservé, il la trouva couchée, ses nattes noires barrant l'oreiller, toute paisible, les lèvres entrouvertes sur un léger sourire. Se glissant auprès d'elle, sans la réveiller, il lui caressa la joue d'un baiser, après avoir déposé soigneusement dans le tiroir de la table de nuit, l'écrin rapporté d'Avignon.

Le jour était rose derrière les persiennes, quand Ludivine ouvrit les yeux. Frédéric lui chatouillait doucement l'oreille.

« Ah ! enfin ! Madame s'éveille... »

Le difficile était de ne pas lui rendre son sourire, de ne pas se blottir tout de suite contre le torse brun et dur, au creux de l'épaule offerte. Elle y parvint, cependant et, haussant les sourcils, le gratifia d'un regard empreint d'une hautaine — et méritoire — indifférence.

« Bien dormi ? s'informa-t-il, sans se laisser rebuter par la froideur de cette prise de contact.

— Assez bien, merci, se borna à répondre Ludivine, fidèle au plan arrêté la veille.

— Moi aussi, dit Frédéric, ignorant résolument les mauvaises dispositions de son épouse. Il fait bon, ce matin. Cette pluie a rafraîchi l'air. La journée sera délicieuse. As-tu des projets pour aujourd'hui ?

— Des projets ?... » Et quels projets, Seigneur, eût-elle pu avoir ?... disait, sans erreur possible, son intonation.

« Je me suis rendu libre pour tout le jour. Veux-tu que nous fassions, tous les deux, une promenade en voiture ? Si cela te plaît, je t'emmène dîner en ville, ce soir. »

Une flamme de joie étincela dans le cœur de Ludivine. Une longue promenade, où elle l'aurait bien à elle ! Il y avait si longtemps... Et le dîner en tête-à-tête... oh ! Dieu !

Pourtant, il ne fallait pas se rendre trop vite. Accentuant son air morose, elle laissa tomber :

« Je ne sais pas... Nous verrons, après le déjeuner... »

Ce mur sans fissures commençait à inquiéter Frédéric qui n'avait pas imaginé un instant que ses avances pussent être repoussées. Impatient de dévoiler son cadeau, il s'était représenté le plaisir de Ludivine, la tendre reconnaissance qu'elle allait lui manifester. Elle lui mettrait ses bras ronds et frais autour du cou, il la serrerait contre lui, ils flâneraient, déjeuneraient au lit en bavardant, évoqueraient ensemble les souvenirs de l'an passé...

« Mon cœur, murmura-t-il, tu sais quel jour nous sommes ?

— Bien entendu. »

Comment ? Elle le savait, et...

« Eh bien, alors, n'as-tu pas pensé que nous allions le fêter ? Je parie que tout le monde est déjà en branle-bas dans la maison... Il va sûrement y avoir un dessert somptueux, à midi », ajouta-t-il, en clignant de l'œil.

Qu'il était gentil, rieur, plein d'une telle bonne volonté, ce visage si proche ! Il y avait tant de douceur à le sentir livré à sa merci... Ludivine ne put s'empêcher de prolonger un peu sa dureté factice, pour le bonheur de le tenir encore un instant en son pouvoir. « Encore un peu, rien qu'un peu... » Et ce serait si bon ensuite de se jeter sur sa poitrine et de s'avouer à son tour vaincue...

« Je ne vois vraiment pas de raison à ça, déclara-t-elle, exagérant son attitude revêche. Dieu me pardonne ! Ce n'est pas précisément ce que j'appellerai un agréable anniversaire. Depuis un an, sans parler du jour même des noces auquel je préfère ne pas songer, tu m'as donné plus d'une fois l'occasion de regretter ma vie passée, et mes illusions de jeune fille. »

Incrédule, Frédéric la regardait :

« Ludivine, voyons, c'est pour rire ? »

Agacé, frustré d'avance de cette joie qu'il avait attendue de l'effet de son présent, et voulant la rattraper, il commit la maladresse irréparable :

« Ne fais pas la mauvaise tête, je t'en prie. Tu ne vas tout de même pas nous gâter la journée en t'obstinant à bouder ? Allons, finissons-en, embrasse-moi et regarde ce que j'ai pour toi. »

Que méritait pareille désinvolture, sinon un affront ? Cette place forte prête à se rendre, l'instant d'avant, rassembla en hâte ses défenses :

« T'embrasser ? Comme tu y vas. Encore me faudrait-il en avoir envie !...

— Et... tu n'en as réellement pas envie ? » demanda-t-il, un peu trop sûr de lui, en allumant une cigarette.

Toute la fierté de Ludivine regimba, devant cette impudente question qui cernait de si près une vérité devenue inavouable.

« Pas le moins du monde. Je ne suis plus une petite fille, mon cher ami ! Je sais ce que c'est qu'un baiser, et...

— Grand bien te fasse ! coupa-t-il, furieux. Toutes les femmes ne sont pas désabusées si tôt, heureusement ! »

Il sauta hors du lit et lança à la volée la petite boîte qui vint atterrir parmi les flacons de la coiffeuse.

« ... Sonne pour le café, veux-tu ? »

Il déjeuna rapidement, en silence, et passa dans la salle de bain.

Couchée, Ludivine, frémissante, écoutait le son de la cuvette basculée, des brocs remués, le clapotis de l'eau... tous les bruits familiers...

« Il va rentrer m'embrasser avant de partir. Je lui rendrai ses baisers. Tout s'arrangera... Frédéric, mon chéri, viens... appelait-elle tout bas, viens vite, je t'en prie ! »

Il revint, prêt à sortir, traversa la chambre, prit un mouchoir dans la commode, le vaporisa d'eau de lavande, s'arrêta un instant devant la glace, perfectionna l'ordonnance de sa cravate, polit ses ongles...

Anxieuse, muette, Ludivine suivait tous ses gestes. Elle le vit s'approcher de la table à coiffer, reprendre le petit paquet abandonné. Un instant, pensif, il le tint dans sa main.

« Maintenant, il va venir vers moi, et me le donner », se dit-elle.

Mais il le mit dans son gousset et, sans un regard vers le lit, ouvrit la porte et s'en alla.

Pétrifiée, elle écouta son pas décroître dans l'escalier.

L'heure suivante fut interminable. Ludivine eût souhaité se rendormir et ne plus rien savoir jamais de Mogador et de ses habitants. Mais trop de colère et de regrets fermentaient en elle, pour qu'elle pût espérer retrouver le sommeil. A la longue, le soleil, glissant à travers la chambre, pénétra jusqu'à l'alcôve et vint la contraindre à se lever.

Habillée, coiffée, elle descendit dans le parc, sans avoir, par chance, rencontré personne.

La matinée était très avancée. Toute trace de l'orage de la veille avait déjà disparu. Mais les massifs luisaient d'un vert plus frais, et l'on respirait mieux dans l'air allégé.

Ludivine s'en alla trouver Juste. Le vieil homme était son ami. Il lui racontait de longues histoires, dans son parler savoureusement mêlé de patois, coupait pour elle ses plus belles roses, lui réservait les plus glorieux échantillons du verger, et prenait son avis sur l'ornementation des parterres.

« Alors, madame, lui cria-t-il, un an passé, nous étions de noces... Et nous voici bientôt de baptême », ajouta-t-il, en la regardant de biais.

Ludivine soupira.

« Non, le baptême n'était pas pour tout de suite. Un grand mois, encore, à traîner la disgracieuse charge... Ah ! se pourrait-il qu'elle redevînt jamais mince, fine, légère, et triomphante ? Eût-elle été jolie comme auparavant, elle savait bien qu'alors, Frédéric ne fût pas parti comme il l'avait fait... »

Elle inspecta la corbeille que Juste avait posée à côté de lui :

« Mon Dieu ! Vous avez fait une hécatombe dans les rosiers ! »

Il devina plutôt qu'il ne comprit le sens de son exclamation.

« Madame m'a commandé un surtout en fleurs pour la table. Sûr qu'on veut vous faire fête. Dieu garde que je lésine quand c'est pour vous. Je vous ai cueilli mes plus belles « Gloires de Dijon » et mes « Maréchal Niel » et toutes les « Souvenirs de Malmaison » que M. Frédéric aime tant.

— Oh ! Juste, comme je vous remercie, c'est si gentil à vous », dit-elle, avec ce ravissant sourire qui ne laissait jamais indifférent aucun homme, quel qu'il fût.

Les traits burinés du vieux jardinier se plissèrent de plaisir.

« Allons, il faut que j'aille porter ma panière. Et si c'est une surprise qu'on veut vous faire, ne dites pas que vous l'avez vue.

— Entendu, promit-elle. Personne n'aura l'air plus étonné que moi. » Toute sa bonne humeur lui revenait.

Elle se dirigea vers les écuries, dans l'espoir d'y retrouver Frédéric. Mais il n'était pas là, et ce fut Hubert qu'elle rencontra.

« Bonjour, petite sœur. Vous êtes venue faire une visite à *Miranda* ? La pauvre s'ennuie de sa maîtresse. Elle ne sort pas souvent depuis que vous avez renoncé à la monter.

— Nous nous rattraperons, elle et moi, en septembre.

— Oh ! je voudrais y être. Me permettrez-vous de vous accompagner, quelquefois ? Vous rappelez-vous ce jour où nous sommes allés à l'étang ?

— Bien sûr, je me rappelle... »

Cette fois où Frédéric l'avait fait attendre si longtemps, pour lui dire, finalement, qu'il ne pouvait aller avec elle... Et tout le temps de leur promenade, elle avait remâché sa déception, lutté contre le regret, et le désir de sa présence. Frédéric... comme il était toujours là, même séparé d'elle, toujours, avec son ombre qui masquait l'horizon !...

Hubert lui marquait une dévotion soumise. Il semblait bien qu'à ses yeux, elle fût toujours aussi séduisante. C'était du moins, une agréable compensation de le constater.

Mais qu'attendait-il ainsi, planté devant elle ? « Ah ! oui... »

« Mais certainement, je serai enchantée...

Vous me ferez voir tous vos coins favoris,
n'est-ce pas ?

— Oui. Ce sera merveilleux... »

La cloche du déjeuner sonna.

« Donnez-moi votre bras, et pressons-nous,
sinon nous allons arriver en retard. Et Dieu
sait que Mère n'aime pas ça. »

En effet, lorsqu'ils entrèrent, tout le monde
attendait dans la salle à manger.

La table avait été dressée avec plus de
raffinement qu'à l'ordinaire. Au milieu des
cristaux et de l'argenterie, trônait le chef-
d'œuvre de Juste.

« Oh ! Mère, quelles belles fleurs ! »

Ludivine alla embrasser la vieille dame.

« Tu es contente, ma fille ? J'en suis bien
aise. Mais assieds-toi vite. Tu a un menu calculé
pour te plaire. »

Ils prirent leurs places.

Soudain, Adrienne poussa un léger cri d'étonnement. En dépliant sa serviette, elle venait
de découvrir un minuscule paquet élégamment
enveloppé.

« Qu'est-ce que c'est ? Qu'est-ce que cela veut
dire ? » Son regard interrogateur allait des
uns aux autres. « Pour moi ?

— C'est une petite attention de Ludivine,
expliqua Frédéric, impassible.

— Non ? Oh ! ma chérie !...

— Ouvre donc », conseilla nonchalamment Frédéric.

Ludivine n'avait pas sourcillé, bien que son cœur battît à lui faire mal. — Son cadeau, son cadeau choisi pour elle !... C'était... Oh !... — Pâle de rage, elle le dévisageait fixement tandis qu'Adrienne s'absorbait à défaire papiers et faveurs.

Il soutint la vue de son regard, ce gouffre noir, avec une tranquillité narquoise.

Stupéfaits, sa mère et Hubert attendaient, cherchant à comprendre.

« Oh ! fit Adrienne, en ouvrant la boîte, quelle exquise chose !... Mère, voyez, une broche. Non, vraiment, Ludivine, c'est trop joli ! La miniature est d'une finesse... Comment te remercier, ma chérie ? »

D'un effort héroïque, Ludivine surmonta la fureur folle qui l'étranglait. Souriant avec suavité, elle rendit ses baisers à sa belle-sœur :

« Cela n'en vaut pas la peine. Je suis heureuse qu'elle te plaise. Laisse-moi te l'attacher, veux-tu ? »

Julia, braquant sur son fils des yeux dont la sévérité démontrait clairement qu'elle n'était pas dupe, vit passer sur les traits de Frédéric une fugitive lueur d'amusement et d'admiration.

Elle-même, se tournant vers sa petite bru, la contempla avec une chaude approbation. L'enfant se tirait en dame de ce pas difficile. « Mais quelle barrière a jamais fait reculer un pur-sang ? » pensa-t-elle.

« Philo, nous commençons. Apporte les hors-d'œuvre. »

Penchée sur son assiette, luttant bravement pour avaler bouchée après bouchée, Ludivine entendait gronder en elle toutes les voix puériles de la rancœur, de l'exaspération, du désespoir...

« Il m'a fait ça !... Oh ! Dieu ! Dieu !... Supporter un soufflet pareil... Dans mon état !... Sûrement, cela va me faire mal. Qui sait comment sera le bébé ? Si c'est un monstre, il l'aura voulu... En tout cas, je vais être malade, certainement. Tant mieux !... Ça m'est égal. Si je pouvais mourir... Que le remords le damne !... »

Elle n'en mourut pas. Et la petite Isabelle qui vint au monde un mois après, le matin du 11 août, fut proclamée, de l'avis de Julia et de la vieille Philo, le plus beau bébé que l'on eût jamais vu naître à Mogador.

Elle ressemblait indéniablement à sa mère. Mais ses yeux bruns étaient ceux des Vernet.

Frédéric, enchanté, se consolait de ce qu'elle ne fût point un garçon :

« Ce sera pour la prochaine fois. »

« La prochaine fois, il en parle à son aise, pensa Ludivine. J'espère bien ne pas recommencer de sitôt. »

X

Quand Ludivine vit sa taille redevenue fine à
miracle, une ère d'apaisement s'ouvrit devant
elle, avec sa liberté retrouvée.

Tout le monde lui faisait compliment de
l'enfant. Elle en conçut une certaine satisfaction, et finit par accepter de bonne grâce la
présence du bébé. Il n'était d'ailleurs pas
gênant, c'était une justice à lui rendre.
On l'entendait rarement pleurer. En outre,
Adrienne était là, qui déchargeait sa belle-
sœur de tout souci à cet égard.

« Regarde-la jouer à la poupée », disait à sa
femme de chambre, Julia, dont la raillerie
faiblissait.

Philomène hochait la tête, l'air avide.

« ... Et tu grilles de la remplacer, hein, vieux gendarme ? »

Philo, toujours bougon, marmonnait entre ses gencives d'inintelligibles réponses.

La petite Isabelle passait des bras de l'une aux mains de l'autre. On apportait à Ludivine un poupon rose, baigné de frais, emmailloté avec art de langes neigeux ; ses épais cheveux noirs, humectés d'eau de Cologne et soigneusement lissés, lui dessinaient une drôle de petite tête japonaise. La jeune femme jouait un moment avec sa fille... Au premier cri de l'enfant, au moindre signe de lassitude de sa mère, Adrienne, ou la vieille servante, toujours là à point nommé, la prenaient, la berçaient, la consolaient, l'endormaient, tandis que Ludivine, consciente de lui avoir consacré le maximum de son temps disponible, courait rejoindre Frédéric, après quelques recommandations hâtives faites à Mathilde, la solide rustaude engagée comme nourrice, au grand déplaisir de Philo.

Comme elle avait été acariâtre, mauvaise, butée, en réponse à toute la patience que son mari avait déployée, ces derniers mois !... Elle s'en rendait compte, à présent. Quelle folle elle avait été ! Mais heureusement, il n'était pas trop tard. Elle allait le suivre, l'entourer, se nouer à lui, le reconquérir s'il le fallait...

Le premier jour où elle put monter *Miranda,* campée, fière, intrépide, elle vint caracoler pour Frédéric devant le perron.

A la voir, une bouffée d'orgueil et de tendresse monta en lui.

« Ne va pas trop loin pour cette fois, mon cœur. Promets-le-moi, ou je serais inquiet. Tu sais que je ne puis t'accompagner aujourd'hui.

— Mais, mon chéri, dit-elle tranquillement, c'est moi qui t'accompagnerai. »

Il tomba des nues :

« Mais voyons, tu n'y penses pas ? D'abord je vais voir le baïle, et puis à la ferme de Tonin...

— Je t'en prie, emmène-moi, insista-t-elle, avec sa moue la plus ensorcelante. Pourquoi n'irais-je pas avec toi ? Je ne te gênerai pas. Je t'attendrai tout le temps qu'il faudra, pendant que tu régleras tes affaires. Oh, laisse-moi venir ! Il y a si longtemps que je me morfonds sans toi, à la maison...

— Soit », céda-t-il, rapidement, persuadé que ce caprice imprévu n'aurait pas de suite.

Mais le lendemain, lorsqu'il annonça, au sortir de table, qu'il lui fallait partir de bonne heure, pour aller jusqu'au barrage où Rangis avait constaté des lézardes dans la maçonnerie, Ludivine s'éclipsa et revint, un moment après, vêtue de son amazone.

Frédéric la considéra avec curiosité :

« Oh ! oh ! Pour moi, ces apprêts ? »

Malicieuse, elle rit.

« Non, pour Ranguis.

— Sérieusement ?

— Pourquoi pas ?

— Alors, en route ! décida-t-il, lui prenant le bras, avec une brusque chaleur.

— Mais... Isabelle ? objecta timidement Adrienne.

— Eh quoi donc, Isabelle ! Elle n'a pas besoin de moi. Je serai là pour cinq heures et demie. Si tu veux, occupe-t'en un peu, tu t'y entends à merveille... A ce soir, Mère. »

Julia lui mit un baiser sur le front.

« Allez, mes enfants, à ce soir... »

Ce bel automne les vit passer, d'une ferme à l'autre, à travers les chemins, entre les vignes fauves, parmi les olivettes où se faisait la récolte, le long des champs retournés pour les semailles d'hiver...

Ludivine apprit à connaître la terre, son labour, ses exigences. Attentive, elle écoutait Frédéric, et l'interrogeait. Il aimait son application, sa promptitude à comprendre, l'intérêt qu'elle manifestait... Lorsque les hommes discutaient entre eux, elle savait se taire et attendre, à l'écart.

Bientôt, la présence de la jeune femme

devint familière à tous, sur le domaine. Partout, on les accueillait avec un empressement déférent, plein de confiance et d'amitié.

Ludivine mettait pied à terre, serrait des mains terreuses ou rêches de paysans et de ménagères, caressait des têtes frisées de marmots, des joues plus ou moins barbouillées...

« Ah ! Madame, c'est que c'est si difficile de les tenir propres, ici, aux champs...

— Bien sûr » acquiesçait-elle, d'un air compréhensif.

Frédéric souriait, ingénument fier d'elle.

Les femmes s'affairaient, tiraient du buffet vitré leur service de gala, offraient du café, atteignaient, dans le placard, la liqueur de ménage, le bocal de fruits à l'eau-de-vie, que Ludivine sirotait dans le fond de sa tasse.

Dans ce cadre inattendu, Frédéric la découvrait plus proche de lui. Et elle s'enivrait de se sentir véritablement sa compagne.

A présent, il lui expliquait avec gravité les travaux et la marche de Mogador. Elle en savait plus qu'Hubert, plus qu'Adrienne, autant que Julia elle-même. Désormais, c'était à elle que Frédéric s'adressait le plus souvent, à elle qu'il disait ses difficultés, ses inquiétudes, ses réussites... à elle d'abord qu'il rapportait le récit de sa journée, lorsqu'une course en ville, une visite à faire ou à recevoir, l'avaient

privé de sa présence. Ces jours-là, le travail
paraissait à Frédéric plus aride, le temps
moins beau ; il trouvait à parcourir Mogador
moins de charme, et sa course solitaire lui
semblait longue.

Il admirait le pouvoir d'adaptation de Ludivine, cette aisance singulière à se mettre à
l'unisson de ceux qui l'entouraient, lorsque, entrant dans une cuisine, après avoir
réglé au-dehors, entre hommes les questions de
travail, il la trouvait assise, bavardant avec
les femmes. Elle écoutait leurs doléances, se
faisait expliquer une recette... « Comme si
vraiment elle était capable de faire cuire même
une infusion ! » remarquait-il, à part lui, amusé.
C'était un fait, elle savait prendre ces gens
simples, et se faire apprécier d'eux.

Ludivine sentait son regard sur elle, dépourvu de l'irritante moquerie de jadis, et savourait
profondément la sérénité de cette entente
silencieuse. Il se laissait gagner, son difficile
amour.

Lorsqu'ils revenaient vers la maison, dans
le crépuscule de ces courtes journées de
novembre, rarement s'arrêtait-il pour l'embrasser, comme il l'avait fait si souvent, l'année
précédente. Mais il y avait désormais, entre
elle et lui, Ludivine le discernait bien, un lien
plus fort et plus sûr que les baisers.

Et il suffisait que, le soir, enfermés dans leur chambre qu'illuminait le feu de bois, tandis qu'elle brossait avec lenteur la masse de ses cheveux luisants et doux, son mari la saisît impatiemment et la portât jusqu'au lit, pour qu'elle reconnût avec délices son pouvoir, et le désir que Frédéric avait d'elle.

Au printemps de 1892, Hubert dut s'apprêter à partir pour le régiment. Il avait demandé à servir dans la cavalerie. On l'affecta à la garnison d'Orange.

Cet exil, pour rapproché qu'il fût, n'en était pas moins une amère perspective. Quelle chance avaient eue les Raynal, d'être réformés !... Son cousin Léon, incorporé l'année précédente, déclarait tout net que, pour lui, en ce qui concernait la vie militaire, les servitudes l'emportaient de très loin sur la grandeur.

« Quel beau dragon vous allez faire ! disait Ludivine, pour le consoler.

— Bah ! Tu n'en mourras pas, mon garçon, ajoutait Julia, Mogador t'attendra. »

Mogador l'attendrait, certes. Mais la pensée de cette première longue absence déchirait Hubert. Chaque jour, il s'en allait, seul, pour de longues courses à travers le parc, qui prenait sous ses yeux, malgré les prestiges de la saison nouvelle, cet aspect indifférent et dépouillé des choses que l'on va quitter ; et, déjà, elles se détachent de vous...

Demain, ici, tout continuerait. On verrait se succéder les floraisons dans les parterres, s'épaissir les massifs pleins d'ombres mouvantes. Ce serait un autre côté, un autre, encore, et cet autre, qu'il ne verrait pas mûrir sur la maison. Trois ans, longs comme une vie...

« Ne soyez pas triste, cher Hubert, vous nous reviendrez vite », lui souriait Ludivine, que le bonheur faisait compatissante.

Bravement, il rendait son sourire à la jeune femme. « Mais, Ludivine, pensez donc, que deviendra Isabelle ? »

L'enfant s'était prise pour lui d'une affection exigeante, autoritaire, qui amusait toute la maison.

« Comme elle te ressemble, Ludivine, remarquait Frédéric, observant sa fille. Elle sait ce qu'elle veut, déjà, et elle le veut bien. Regarde-la trépigner, et tendre ses bras, dès qu'elle aperçoit mon frère.

— Oh ! elle est comme un petit animal. Hubert joue avec elle ; il lui passe tous ses caprices. C'est pour cela qu'elle le préfère. C'est comme pour Adrienne... »

Oui, sans doute, la petite fille avait déjà ses préférences bien marquées. Elle faisait meilleur accueil à son oncle et à son père, à sa tante même, qu'à Ludivine. Frédéric s'en était aperçu. Parfois, obscurément, la pensée le traversait que c'était assez naturel, Ludivine se montrait si peu maternelle... « Elle n'est pas comme tant d'autres femmes », convenait-il, vis-à-vis de lui-même, avec une sorte de gêne, comme s'il eût commis une trahison à son égard.

Il se rappelait la vigilance de Julia, autour de leur enfance à tous ; il voyait Adrienne pouponner avec amour, et songeait aux jeunes mamans qu'il rencontrait chez elles, toujours penchées sur des têtes duvetées, berçant, dorlotant, caressant de fragiles petits corps...

Ludivine, cœur entier, cœur avare... Mais qu'il était enivrant d'être celui à qui ce cœur appartenait, de sentir cette passion attachée à soi, brûlante, avec de brusques jaillissements et des fraîcheurs de fontaine !... Exquis, aussi, et précieux, ce compagnonnage qu'elle avait su établir entre eux, cet intérêt qu'elle avait pris à tout ce qui l'intéressait.

« Frédéric, lui avait-elle murmuré, un jour : je crois que j'aime Mogador pour de bon, à présent, et non plus seulement parce que tu l'aimes. »

Paroles qui résonnaient encore en lui comme une cloche profonde.

Peut-être viendrait-il un temps où, de même, l'amour de sa femme se projetterait un peu sur cette petite fille qu'il lui avait donnée... Il n'était pas très sûr de le désirer vraiment. Leur enfant, et ceux qu'ils auraient encore ensemble, Frédéric se sentait capable de les choyer, de leur donner tout leur dû de tendresse. Mais il était bien que Ludivine fût à lui seulement, à lui et à Mogador.

La petite Isabelle ne paraissait d'ailleurs pas souffrir de cet état de choses. Elle embellissait chaque jour, riait aux éclats dans les bras d'Adrienne. Avec une volonté surprenante chez une aussi jeune personne, elle savait obtenir de chacun l'intérêt, voire l'obéissance, qu'elle estimait devoir lui revenir.

Ludivine protestait quelquefois :

« Vous en faites un vrai tyran !...

— Quoi d'étonnant, ma fille ? Elle a de qui tenir », lui rappelait Julia.

Toutes deux s'égayaient de voir Hubert, le favori, penché sur les mousselines empesées du berceau. Charmant spectacle que celui du grand jeune homme attentif aux exigences de ce bout de femme embobeliné de blanc, dont les prunelles sombres se posaient avec gravité sur un monde à découvrir.

Ludivine se disait qu'elle n'eût jamais supporté de voir Frédéric ainsi absorbé.

Mais Frédéric, grâce au Ciel, consacrait un temps raisonnable aux ébats de sa fille, et gardait à sa femme la place prépondérante.

Les semaines passaient. Vint celle du départ. Vint le jour où Hubert eut devant lui, sur le perron, la famille rassemblée. La tiédeur grisante de l'été proche palpitait dans l'air de mai. Un silence paisible enveloppait la maison dans le soleil. Vert brillant émaillée de blanc et d'or, la pelouse frissonnait à peine. Les buis taillés poussaient dru leurs jeunes rameaux. Les noisetiers épanouissaient leurs bourgeons aux teintes violâtres. Les iris foisonnaient... ce fleuve de hampes dressées, triomphal, courait et enroulait ses méandres à travers le parc. Jamais Mogador ne lui était apparu aussi beau dans sa parure de printemps...

Et Ludivine, donnant le bras à sa mère, portait une nouvelle robe, d'un jaune très doux qui faisait ressortir ses cheveux moirés, son teint d'ambre chaud, et ses yeux de fée. Ceux qui l'entouraient voyaient-ils, comme lui, à quel point elle était jolie ?

Il lança un coup d'œil vers son frère. Frédéric écoutait les recommandations d'Adrienne, vérifiait le bagage d'Hubert, flattait le cheval, tirait sa montre... Dans quelques heures, après avoir déposé l'exilé à la gare de Tarascon, débarrassé des courses accoutumées, il dirait à Victor, comme une chose toute naturelle : « A la maison, maintenant », et rentrerait retrouver sa place entre les chères femmes, dans les murs familiers...

« En somme, ce n'est pas une séparation », dit Julia, qui attachait sur Hubert un regard dépourvu de sa causticité habituelle. « A la moindre permission, tu peux être ici.

— Bien sûr, Maman, acquiesça-t-il, la voix un peu tremblante.

— Allons, allons, garçon... » le reprit-elle, avec raideur.

Mère comprenait toujours si bien... — Sauvé de l'attendrissement, il lui baisa la main.

« Dieu te garde, mon enfant, dit-elle, gravement, haussant sa frêle taille pour l'embrasser.

— Au revoir, Ludivine. Je vous en prie, faites en sorte qu'Isabelle ne m'oublie pas. Ce sera une jeune fille, quand nous nous reverrons. »

Adrienne lui donna un baiser léger.

« L'eau de toilette est dans le nécessaire... Ah ! tu trouveras aussi tes brosses...

— Voyons, ne te mets pas en retard. Il est grand temps, à présent », l'interrompit Fré-

déric, venant au secours de son frère... « L'eau
de toilette, les brosses !... » Pourquoi pas les
bottines vernies ?... Quelle étrange idée les
femmes se faisaient-elles toujours de la vie
militaire ?

La voiture s'engagea dans l'allée d'honneur.
Penché à la portière, Hubert répondait inlas-
sablement aux signes que lui adressait le petit
groupe demeuré sur le perron : déjà, dans la
lumière, on ne distinguait plus qu'une tache
indécise.

Devant la grille ouverte, Juste attendait. Il
ôta son chapeau de paille, et l'agita un moment,
avant de refermer les deux battants.

La route s'ouvrait, blanche, poussiéreuse,
infinie, entre la double rangée de platanes.
Une dernière fois, Hubert se retourna, et dit
adieu à son adolescence.

Peu de jours après, Adrienne et Ludivine
se rendirent à Avignon pour commander leurs
toilettes d'été. La récolte des feuilles de mûriers
battait son plein, à Mogador. Il ne pouvait
être question que Frédéric quittât la propriété
pour les accompagner. Elles partirent donc
seules. C'était la première fois qu'elles entre-
prenaient un tel déplacement sans escorte.

Le regret de s'éloigner de Frédéric était

combattu en Ludivine par le sentiment d'importance que lui procurait ce voyage. Prendre le train, se diriger dans la ville, courir les fournisseurs, aller au restaurant, commander le repas, régler l'addition, constituaient une compensation d'envergure. Et aussi l'amusement de choisir à son gré des parures dont Frédéric aurait la surprise.

Ludivine savait parfaitement, d'avance, ce qu'elle voulait, et l'exprima sans hésitation à la directrice accourue dès leur entrée dans la maison de couture.

Adrienne, plongée dans l'admiration par une aussi éblouissante assurance, sollicita ensuite un conseil.

Sans désemparer, son jeune mentor donna ses ordres :

« Vous nous mettrez de côté le surah bleu paon...

— Mais, Ludivine, ne penses-tu pas que cette nuance fait un peu...

— Laisse donc, tu n'as aucune idée de ce qui te va... Ah ! cette moire gorge-de-pigeon aussi... et le taffetas lavande... celui-là, oui. »

« Seigneur Jésus !... » priait en elle-même Adrienne à la fois effarée et ravie, pour qui tout le problème s'était situé jusqu'alors entre des tons neutres, discrets, si discrets ! et des façons si peu recherchées que nul n'eût jamais pu, au sortir d'une réunion, se rappeler le moindre détail de sa mise.

« *Une dame est quelqu'un qu'on ne remarque pas* », énonçait autrefois mère Magdelaine-de-la-Croix, de sa belle voix noble qui faisait tourner tant de têtes parmi les élèves. Mais Ludivine avait toujours trouvé cet axiome contestable. L'avantage qu'il y avait à être jolie et délicieusement élégante, c'était au contraire que cela vous faisait remarquer. L'intérêt flatteur qu'elle voyait se lever dans les regards masculins, sur son passage, était comme un parfum complémentaire mêlé à ceux dont elle usait : *Héliotrope blanc* et *Peau d'Espagne* pour composer l'atmosphère dans laquelle elle aimait à se mouvoir.

Ayant soumis à sa loi le personnel et les salons de la couturière, obtenu l'essayage pour la date qu'elle exigeait, et commandé de surcroît bon nombre de colifichets, Ludivine passa ensuite chez la modiste.

Adrienne, éprouvée par le lever de grand matin, la voiture, le chemin de fer, le brouhaha de la ville, le défilé des tissus et des collections, opinait complaisamment, toutes velléités de résistance abolies :

« Tu as raison, ma chérie... En effet, ce sera charmant... Avec ma robe bleue, le chapeau Anne Boleyne est parfait... Celui-ci ? Oui ? Tu préfères ?... Moi aussi... » Et contemplait, méditative, ce petit chef de guerre dominateur, tel Bonaparte dressant le plan de sa campagne d'Italie... Celle-là savait d'instinct ce qu'il fallait faire, et le ferait toujours, qu'il fût question de fanfreluches ou de choses sérieuses. Jamais Adrienne ne l'avait aussi bien compris. Et certainement Mère l'avait deviné depuis longtemps, qui, à sa manière, lui témoignait en toute occasion une préférence clairvoyante, une amitié sans défaillances...

Vers midi, les deux belles-sœurs se retrouvèrent, lasses et mourant de faim, dans la rue étincelante de soleil. Tous leurs achats étaient terminés.

Elles allèrent pendre leurs repas à l'hôtel Lance où, de tout temps, la famille de passage dans la ville, était venue se restaurer. Plusieurs fois déjà, Frédéric y avait amené sa femme. Le maître d'hôtel leur donna sa table habituelle, et s'informa de M. Vernet. Détendue, se trouvant moins dépaysée, Adrienne reprit quelques forces. Ludivine honorait d'un appétit de jeune ogresse le menu dressé par elle-même, avec un soin et une gourmandise éclairés qui devaient beaucoup aux leçons de Frédéric.

« A quelle heure est le train pour rentrer ? s'enquit Adrienne, en buvant son café.

— Environ six heures et demie », dit non-

chalamment Ludivine, occupée à se représenter le sourire taquin et tendre de Frédéric
devant les atours qu'elle revêtirait pour lui.
Laquelle préférerait-il ? Allait-il les chiffonner,
ces robes neuves ?...

C'était toujours ainsi, lorsqu'elle venait de
se parer avec un soin particulier, il l'ins-
pectait en connaisseur, sifflotait doucement :
« Voyons, tourne-toi... Très bien, très réussi... »
Et alors, c'était presque immanquable, au
moment où, rectifiant un pli, faisant bouffer
ses jupons, Ludivine se pavanait avec fierté,
il se jetait sur elle comme un loup affamé,
l'étreignait, la serrait, la bousculait, froissait
tout sans vergogne, comme à plaisir. L'expérience avait enseigné à Ludivine que protester
ne servait à rien sinon à stimuler davantage
l'ardeur dévastatrice de son mari. Mieux valait
prendre la chose du bon côté — elle en
avait un, à dire vrai — quitte à rappeler
ensuite Eugénie pour réparer les dommages
subis.

« Grand Dieu ! mais qu'allons-nous bien
pouvoir faire jusque-là ? As-tu une idée ?

— Aucune... Et toi ? » dit à regret la jeune
femme, arrachée à ses imaginations.

Adrienne cherchait avec une application
désespérée.

« Eh bien... nous pourrions peut-être... » Elle

hésita. La proposition était si peu engageante !
« ... rendre visite à Thérèse Mazaud.

— Tu es folle ?... Voyons, ma chérie, s'em-
pressa-t-elle d'ajouter, voyant rougir la sensible Adrienne, je t'ai entendue, toi-même,
convenir devant Mère que c'est une épouvantable pécore, laide à faire peur, prétentieuse,
méchante. »

C'était là une traduction plutôt approximative de la manière de s'exprimer propre à
sa belle-sœur.

Adrienne ne put s'empêcher de sourire.

« Bien sûr, elle manque beaucoup de simplicité. Et je ne la crois pas très bonne... Mais
que veux-tu ? Nous n'avons pas le choix. D'autre part, c'est une occasion. Nous lui devons
cette visite depuis si longtemps.

— L'horrible créature ! Je ne sais pas comment tu peux la supporter. Quand je pense
qu'elle a fait les doux yeux à ce pauvre
Hubert ! Non... mais la vois-tu, installée à
Mogador ?

— Oh ! il n'y a jamais eu le moindre danger », dit Adrienne, placide.

« Naturellement, il était bien trop amoureux
de moi !... » faillit répliquer Ludivine. Elle
arrêta son élan de justesse et se mordit les
lèvres. Ce n'était pas une chose à dévoiler
à sa belle-sœur. Quoique, à vrai dire, ce ne

fût pas de sa faute... Elle n'avait jamais rien
fait pour cela. Pas la moindre coquetterie à
se reprocher. Non, même en s'examinant bien...
Mais enfin, ce n'était pas si désagréable, cette
muette idolâtrie. Pauvre gentil Hubert !... Pen-
sait-il encore à elle, là-bas ?... Bien entendu,
cela ne faisait guère de doute. Mais savait-on ?
C'eût été amusant de s'en assurer.

Elle se regarda à la dérobée dans la glace
placée derrière leur table. Sa robe paille qui
lui allait si bien, et sa toque garnie de pensées !... Oh ! il fallait, il fallait... Orange n'était
pas si loin, après tout... Si l'on pouvait y aller...
Consulter un horaire... On pouvait très bien
reprendre le train directement, là-bas, pour
Tarascon... Amener Adrienne à y consentir,
sans avoir soi-même l'air de le désirer... Tout
un plan s'ébauchait avec rapidité dans sa
tête...

A trois heures et demie, elles débarquaient
à Orange. La petite ville était morne, endormie
sous le soleil. On leur indiqua le chemin de
la caserne. Cela semblait affreusement loin.
Ludivine ne tenait pas à gâcher sa toilette
dans la poussière, non plus qu'à paraître à
son désavantage. Elle arrêta un fiacre. Toutes
deux s'installèrent, ouvrirent leurs ombrelles,
en silence, Ludivine dissimulant le plaisir de
son triomphe sous un air de détachement,

Adrienne, persuadée d'avoir accompli un coup de tête, partagée entre l'émoi de son escapade et la joie d'aller revoir son frère.

Leur arrivée devant la grille du quartier provoqua une certaine sensation parmi les hommes du corps de garde. Après de laborieux pourparlers, un planton s'en fut chercher un jeune lieutenant de belle mine. Adrienne répéta timidement leur requête que Ludivine accompagnait de son sourire le plus enjôleur. Un autre planton fut dépêché, tandis que l'officier priait les jeunes femmes de s'asseoir. On les laissa seules.

La salle était petite, sombre, assez inconfortable. Un soldat entra qu'elles dévisagèrent, béantes... Il demeurait sur le seuil, clignant des yeux, ébloui par le brusque passage du grand jour à cette lumière avare.

Adrienne se reprit la première :

« Hubert ! » dit-elle, doucement, la gorge serrée. « Ses cheveux taillés, coupés en brosse... et cet accoutrement ! Doux Jésus ! si maman le voyait ! Elle, si fière de ses garçons... »

Gauche, il s'avança.

« Adrienne ! Ludivine ! Mais comment êtes-vous ici ? Oh ! mes chères, mes chères, vous ! Ce n'est pas possible.

— Eh bien, Hubert, rit Ludivine, êtes-vous content ? N'est-ce pas une bonne surprise ? »

Ce joli rire de clochettes, il semblait à Hubert l'avoir entendu tinter, bien des années auparavant, dans une vie déjà presque oubliée.

« Tu ne nous embrasses pas », reprocha tendrement Adrienne.

Le regard du jeune homme allait de l'une à l'autre, comme incrédule.

« Pardonnez-moi, toutes les deux. Il me semble que je rêve... Et puis, ajouta-t-il, assez bas, je me sens si emprunté... si ridicule. »

« Pour ridicule, il l'est », constatait Ludivine. Le malheureux, comment l'avait-on affublé ?

« Nous sommes en tenue de corvée, expliqua-t-il, pauvrement.

— Je comprends », dit Adrienne, au hasard.

Gênés, ils restaient tous trois, ne sachant que dire.

Pourquoi étaient-elles venues ? C'était exquis et désolant de les revoir. Depuis dix jours qu'il était arrivé, Hubert se sentait couler peu à peu dans les ténèbres d'un puits, avec la passivité, la résignation de celui qui, à demi-noyé, entend à ses oreilles le bourdonnement apaisant de l'asphyxie, et cesse de se débattre. Leur vue lui rendait soudain plus sensibles sa misère, son éloignement de tout ce qui, jusqu'alors, avait été son univers.

Elles étaient là. Adrienne et son doux visage

attentif. Ludivine dans cette même robe qu'elle portait le jour du départ. Il reconnaissait son parfum, léger et pénétrant.

« Je me fais l'effet d'un mendiant, auprès de vous deux, dit-il, d'un ton où la plaisanterie sonnait faux.

— Allons, Hubert, asseyez-vous, et n'y pensez plus. N'est-ce pas bon d'être de nouveau un peu ensemble ? »

Ludivine serra ses jupes pour lui faire une place sur le banc.

En effet, elle avait raison. Il se glissa entre elles avec bonheur. Peu à peu, en écoutant leur bavardage, il sentait se désagréger ce mur invisible que déjà l'absence avait bâti autour de lui.

« ... Mère allait bien, depuis son départ. Mais évidemment, on était toujours à la merci d'une imprudence. Et Dieu sait si elle en commettait. Oui, Mère était une enfant terrible, elle ne changerait jamais. »

Aucun d'eux ne s'avisait qu'il n'y avait vraiment aucune raison pour quelle eût changé, en si peu de temps.

« ... La récolte du mûrier se faisait bien. Les vers à soie auraient à manger. Frédéric était toujours satisfait du baïle. Il y avait une portée de chiots, qui promettait ; *Miranda* attendait toujours son poulain... » Ludivine n'avait pas encore décidé quel nom elle lui donnerait :

« Cela dépendra de sa robe, vous comprenez. »

Hubert hochait la tête.

« Et ces mariages ? Cela s'approche. Avez-vous choisi vos robes ? Serez-vous belles ? Quel dommage que je ne puisse vous voir. »

Ludivine décrivit les siennes : elle serait en vert pour les noces d'Elise, et garderait la robe lilas pour celles d'Emilie. Elle se faisait une fête d'y assister. Ce serait si bien, à *La Sarrazine*... Oui, il était malheureux qu'Hubert ne pût y venir...

« C'est vrai, murmura Hubert, mélancolique. J'aurais beaucoup aimé être auprès d'Emilie, ce jour-là. Chère Emilie... Je souhaite qu'elle soit heureuse. Tu le lui diras pour moi, Adrienne, n'est-ce pas ? Pensez-y bien. Mais, ajouta-t-il, avec un sourire navré, me voyez-vous, en troupier, parmi toutes ces élégances ? »

Non, bien sûr, Ludivine ne le voyait pas. Elle l'avoua tout uniment, croyant le réconforter.

Une amertume cruelle submergea Hubert. Un paria, au milieu des siens, voilà ce que le régiment faisait de lui. Il souhaita de toutes ses forces être seul à nouveau, allongé sur sa paillasse, dans la chambrée bruyante, parmi ceux à qui il ressemblait maintenant.

L'expression du visage de son frère fit mal à Adrienne.

« Mon petit... » Elle caressa la pauvre tête. Hubert redressa ses épaules.

« Bah ! ce n'est pas si terrible. Les hommes sont de bons bougres pour la plupart. Je m'y ferai. Une habitude à prendre, voilà tout. D'ailleurs, je ne resterai pas longtemps dans le rang. Je vais suivre le peloton.

— Mais oui ! Certainement ! » approuvaient Ludivine et Adrienne, avec une conviction telle, un empressement si évident, qu'ils creusaient un peu plus profond la blessure au cœur d'Hubert.

Adrienne en eut l'intuition. Elle se leva, imitée par Ludivine qui trouvait l'entrevue sans charmes, et le temps long.

« Vous partez ? »

Elles s'excusèrent : la gare était loin... Il ne fallait pas s'exposer à manquer le train...

« Mais oui, bien sûr », approuvait Hubert, à son tour.

Il les regarda remonter en voiture, derrière la grille, puis s'en alla. De loin, elles ne virent plus qu'un soldat mal vêtu qui traversait la grande cour. Il disparut au coin d'un bâtiment sans s'être retourné.

Le fiacre les ramena le long de l'avenue triste, dans un clop, clop, claquant de sabots.

« Oh ! ma chérie, que j'ai de la peine de l'avoir vu ainsi ! Je crois que je regrette d'être venue. Mon pauvre petit frère... »

Ludivine serra gentiment la main de sa belle-sœur, mais ne répondit pas. Son esprit volait vers Mogador. Là-bas, la journée de travail s'achevait ; Frédéric devait songer à rentrer à la maison afin de se préparer. Tout à l'heure, il commanderait la voiture... Chaque minute écoulée la ramenait vers lui. Et déjà, elle imaginait sa haute silhouette sur le quai, son visage entre la foule des visages, et le sourire qu'il aurait.

XI

Y EUT-IL jamais mois de juin plus magnifique ?
Toutes les parures de l'été éclosent et croulent
autour de Mogador, dans la chaleur montante,
sous le profond désert bleu du ciel.

Jamais on ne vit tant de réunions. Jamais
Ludivine ne s'est autant amusée. Le voisinage
est pris d'une folie de fiançailles, de soirées,
de réceptions, de fêtes. Un peu rétif, au début,
Frédéric s'en est accommodé à merveille. Il
danse, rit, plaisante, très en faveur auprès des
femmes. La cour légère et brillante qu'il fait
à toutes, Ludivine ne peut s'en trouver lésée.

Et les retours en voiture, dans la nuit qui
blanchit et se teinte d'une lueur d'aube...

Assise contre lui, elle laisse rouler sa tête

décoiffée sur l'épaule de son mari dont l'étreinte se resserre, dans l'ombre, autour de sa taille, tandis qu'ils conversent avec Adrienne des événements de la soirée.

Il semble bien que le bonheur soit là. Peut-être dans ce frémissement que l'on sent parfois monter en soi, sans bien savoir... Si l'on avait le temps d'y réfléchir... Mais pourquoi, après tout ? Il n'est que de prendre et prendre encore tout ce que le temps vous offre. Et chaque jour est beau, mais chaque nuit est plus belle ; et, dans la chambre ouverte sur le ciel nocturne, elle est reine d'un miraculeux et tremblant royaume, entre les bras de Frédéric.

Voilà donc Elise mariée, elle aussi. Comme elle était charmante, sous ses voiles. Mme Daubenois a toujours su habiller sa fille, c'est une justice à lui rendre... Mais Ludivine rit encore des airs de cane affairée de la bonne dame, en cette occasion solennelle.

Par exemple, qu'est-ce donc qu'Elise a bien pu découvrir chez le docteur Royer, pour être allée en tomber amoureuse ? Il ne ressemble guère au modèle dont s'inspiraient autrefois ses rêves. Peut-on manquer à ce point de « chic » et d'assurance ? Mais Frédéric s'est pris de sympathie pour lui ; il prétend que c'est un homme de valeur... En tout cas, c'est l'affaire d'Elise. Quant à Ludivine, cela lui est bien égal. Elle a découvert qu'il est infiniment plus amusant d'être invitée au mariage des autres, que de voir célébrer le sien propre.

« Mon mari chéri, je crois que, de ma vie, je ne m'étais autant divertie, a-t-elle confié à Frédéric, au lendemain des noces d'Elise.

— Je m'en suis aperçu », réplique-t-il, laconique. Il est furieux contre lui-même. Quelle bêtise de paraître, en la soulignant, prendre au sérieux la conduite de Ludivine. Mais enfin, il ne se rappelle pas l'avoir vue aussi inconséquente... Ce fat d'André Marquet-Rageac... Il tournait autour d'elle avec une insolence... Frédéric n'est pas un mari jaloux. Le personnage est odieux et ridicule, et, certes, il ne s'abaisserait pas... D'ailleurs, il est flatteur, lorsqu'on la sait bien à soi, de voir tant d'empressement autour de sa femme ; de constater, sans fausse modestie, qu'elle est mise à ravir, et follement séduisante, qu'elle s'entend à mener avec esprit un bataillon d'admirateurs... Encore faut-il, cependant, que ces admirateurs restent dans leurs limites de soupirants, et ne se targuent point, plus ou moins ouvertement, d'une faveur que cette évaporée ne songe même pas à leur dénier.

Faut-il faire des remontrances à Ludivine ?

Lui laisser comprendre que... ? Non ! Frédéric ne peut s'y résoudre. Elle est encore tellement enfant, par certains côtés, pense-t-il, en la regardant boire son chocolat avec ces mines de félin gourmand qu'il trouve si drôles...

Elle pose sa tasse, et déclare innocemment :

« Quel aimable causeur que maître Marquet-Rageac ! C'est vraiment un homme du monde accompli. On ne s'ennuie pas un instant, avec lui. Et il danse bien, tu sais. Presque aussi bien que toi, mon chéri. »

Frédéric demeure insensible au compliment.

« Aimable causeur ? Oui, ma foi. Plus de langue que de cervelle. »

Ludivine éclate de rire :

« Eh, mon Dieu, n'est-ce pas juste ce qu'il faut pour réussir, dans son métier ? »

Il rit avec elle, et reprend, désinvolte :

« Sa sœur est bien belle. J'ai beaucoup aimé la robe qu'elle portait. C'est le type le plus pur de la fille d'Arles...

— Oui, coupe promptement Ludivine. Mais elle est sotte à décourager le plus rustre des gardians.

— Allons, allons.. la tance Frédéric, une note de triomphe dans la voix, devant cette mise en garde brusquée. Voilà bien les femmes : Impossible de faire devant l'une le moindre éloge d'une autre... Bon Dieu, mon amour, il est

entendu que tu es jolie, adorable, spirituelle,
au-delà de tout ce qu'on peut rêver, et, de
surcroît, douce et charitable comme pas une.
Mais je t'en prie, laisse-moi espérer pour mes
contemporains que l'on peut dénicher, en cherchant bien, quelques rarissimes échantillons
féminins de beauté, ou d'intelligence, à part
celui que j'ai le privilège de posséder. »

Vexée, Ludivine frappe du pied.

« Assez ! Tu es trop bête !

— Autant que Marceline Marquet-Rageac ?

— Ecoute, Frédéric, comment peux-tu parler ainsi ? Ne sois pas injuste à plaisir ! Ai-je
jamais dit quelque chose sur Elise ? Ou Caroline, ou Blanche ? Ou Lucile du Roveret, ou
Léontine Arnal, ou Mme Lallier, ou...

— Bon, bon, cela suffit, pitié ! Interrompant
cette énumération véhémente, il la prend sur
ses genoux. — Bien sûr, ça, c'est la famille. Ou
alors, ce sont de charmantes femmes timides
et effacées, qui n'auront jamais la moindre
chance de te porter ombrage. Mais les jeunes
filles... Ah ! nous ne sommes pas tendre, pour
les jeunes filles... nous ne leur faisons pas grâce
aussi facilement !... Allons, mon cœur, avoue
que tu ne les aimes guère », badine-t-il,
les lèvres posées sur le doux velours de la
peau.

Ainsi cajolée, embrassée, Ludivine signerait,

sans un regard, les pires pièces de son procès.

« Elles courent toutes après les hommes, avec des airs de sainte Nitouche. Cela m'agace.

— Oui, renchérit Frédéric, tu ne permets pas qu'on braconne sur tes chasses. »

Avec une satisfaction hypocritement contenue, il voit s'empourprer le petit front qu'il surveille.

Ludivine cherche une réponse, mais l'indiscutable vérité de l'affirmation la laisse souffle coupé. Comment expliquer que tout cela ne compte pas réellement ? Seule avec lui, dans l'île de Robinson, elle se sentirait parfaitement heureuse. Le cœur gros d'être si mal comprise, elle se plaint :

« Oh ! Frédéric, pourquoi es-tu si méchant ? »

La peine sincère qui perce dans sa voix met en déroute la combativité de Frédéric.

« Hélas ! Madame, dit-il, la berçant contre lui, vous avez épousé le plus sombre individu échappé de l'enfer. Prenez votre parti en chrétienne, et priez Dieu qu'il lui pardonne et vous en débarrasse. »

Cramponnée à son cou, elle murmure :

« Tu es détestable... détestable !...

— Bien sûr, admet Frédéric, encore contrit, mais qui, pour un peu, recommencerait. Et... tu me détestes, n'est-ce pas ?

— Oh ! dit Ludivine, éprouvant la nécessité

de ménager, au moins pour l'avenir, sa dignité défaillante, il est probable que cela viendra un jour. »

***

C'est pour Emilie Angellier qu'après-demain, les cloches vont carillonner. Emilie qui épouse un ami de son frère. (Beau nom, polytechnicien, grosse fortune, grand avenir, ont chuchoté les dames, derrière leur éventail, dans tous les salons de la région, depuis que l'on a annoncé le mariage.) Et s'en va vivre à Paris tout comme Edmond, parti depuis un an, déjà.

La Sarrazine sera lourde aux épaules de l'oncle Constant et de la frêle Blanche. Mais on dit que le mariage de celle-ci doit suivre de près celui de sa sœur aînée. Bientôt, Léon Vernet viendra prendre les responsabilités.

Ludivine roule tout cela dans sa tête, en surveillant Eugénie qui prépare les bagages. Et Edmond ? va-t-il enfin se décider à demander Caroline ?...

« Doucement, Eugénie, fais attention, voyons, tu froisses les dentelles. — Qui sait si on la lui aura donnée comme cavalière... Mais peut-être le « futur » a-t-il une sœur ? — Oui, la robe de broché à fleurs, et la robe lilas. Tiens, passe-la-moi. »

« ... Regardez, Mère, comme je serai belle, dit-elle à Julia venue s'asseoir dans la chambre, qui inspecte les préparatifs. La verte à fleurettes blanches pour la soirée de contrat, et celle-ci pour le jour des noces. Qu'en dites-vous ? »

« Assez réussie, concède la vieille dame. Bien suffisamment, en tout cas, pour commettre des ravages dans les faibles cœurs de ces messieurs, n'est-ce pas, petite ? Nous sommes du même avis sur ce point ? »

Oh ! Seigneur ! Si elle aussi...

« Mais Mère, qu'y puis-je ? Ils sont tous après moi... Ce n'est pourtant pas de ma faute... Faut-il les rebuter ? »

Julia rit de son petit rire sec.

« Il n'y a pas de règle du jeu bien fixe, ma chère. Non, il n'est pas mauvais d'offrir à Frédéric le piment d'une très légère ombre d'inquiétude. L'admiration des hommes est le meilleur miroir dans lequel nos maris nous voient. Le délicat est de garder la mesure... Question d'adresse, de doigté... Cette science-là, c'est à ton âge qu'on la possède, ou jamais... Allons, je ne suis pas en peine pour toi. »

Ludivine lance à sa belle-mère un coup d'œil chargé de reconnaissance. Comme il est reposant de trouver enfin quelqu'un qui parle la même langue... Leurs regards se croisent une seconde, lourds d'une entente silencieuse.

Julia sourit, et raille :

« Maintenant que te voilà nantie de ma bénédiction, tu vas courir vers le mal d'un pied léger, j'imagine ? »

Elle y court, en effet, toute joyeuse, bavarde, surexcitée, au rythme vif de la voiture qui l'emmène quelques heures plus tard vers *La Sarrazine*, entre Adrienne et Frédéric. Ils ont laissé passer la grande chaleur du jour. Le soleil décroît. L'ombre encore chaude gagne peu à peu les champs, et fonce le vert des pins profilés, çà et là, sur la ligne de collines qui ondule sur le ciel plus bleu du soir. Tournesols et maïs se succèdent, entre les haies de cyprès taillés.

« La campagne est verte, par ici, remarque Adrienne.

— Ils ont l'arrosage.

— Mais la vigne n'est pas aussi avancée qu'à Mogador. Regarde, Frédéric », dit Ludivine avec vivacité.

Il hoche la tête.

« Oui, nous ferons une belle année, si ce temps continue. »

Une belle année... — Ils échangent un sourire plein de gravité, de compréhension. Mari et femme... Eux deux, et leur force d'être deux, en face des autres.

Adrienne, qui les observe sans qu'ils y prennent garde, sent cela. Et son âme dénuée de jalousie, un instant s'étonne d'éprouver de l'envie...

La voiture traverse Maillane. Le bruit des roues résonne dans cette paix villageoise. Des enfants jouent sur le pas des portes. Frédéric les considère, pensif. L'été commence à peine Tant de beaux jours, dont la promesse est devant eux... Pourtant, déjà, le solstice est passé.

« Ce soir, il fera nuit un peu plus tôt qu'hier », dit-il à mi-voix.

Ludivine lève les yeux vers lui. Pourquoi la bizarrerie de ces soudaines poussées de mélancolie ? Quel besoin de gâcher la douceur du moment ? Se pourrait-il qu'il ne la goûtât pleinement qu'à la sentir fugace, et, d'avance, condamnée ? Elle étouffe un soupir impatient. Comme les êtres sont insaisissables. On passe sa vie à les chercher, à se faire une image d'eux, et, sans cesse, ils en diffèrent. Ce que l'on bâtit s'écroule à mesure ; il faut recommencer... Elle pose sa main sur celle de Frédéric, comme pour mieux assurer sa fuyante possession.

« Qu'importe ? N'y pense pas. T'en apercevrais-tu, si tu ne le savais pas ? Non, bien

sûr... Enfin... pas tout de suite. Alors ?... »
Il rit un peu de ce raisonnement.

« Mais puisque je le sais...

— Sottises !... affirme Ludivine, résolue. Tu
sais aussi qu'il fait beau, qu'il fait chaud,
que nous allons arriver dans une maison en
fête, que nous danserons demain, après-demain,
et... oh ! Frédéric, tu verras comme ma robe
me va bien. »

Il l'enveloppe de ce regard mêlé d'ironie et
de tendresse qui la troublait si fort, naguère.
Dure, sans partage, si positive et enfantine à
la fois, dans son chimérique attachement aux
biens les plus palpables de ce monde... avec
ses défauts qu'il connaît bien, elle est celle
qu'il a voulue. Et, tout fût-il à recommencer
demain, il n'en voudrait aucune autre.

« Ah ! la fameuse robe ? dit-il, taquin... Et
toi, Adrienne, tu seras belle, aussi, je pense ? »

Adrienne explique qu'elle l'espère, qu'elle est
contente de sa toilette, que, d'ailleurs, c'est
Ludivine qui...

Ensemble et séparés d'elle, ils se sourient,
cruels sans le vouloir. La jeune fille les regarde
boire à cette source mystérieuse qui semble
couler pour eux seuls... et termine court sa
réponse que nul n'écoute.

*
**

La nuit tombe sur *La Sarrazine*. C'est le soir des noces. Le repas est enfin terminé. On va danser, tout à l'heure. Accoudée à la fenêtre de sa chambre, Ludivine regarde s'allumer, un à un, les reflets roses des lampions sur les feuillages assombris de crépuscule. Quelques couples — habits noirs et robes à traînes — passent et disparaissent entre les arbres du parc. Un reste de jour attardé luit encore au fond du ciel, derrière les branches. Sur la terrasse aux larges dalles polies par l'usure, un orchestre s'accorde en sourdine. Le son des instruments se mêle à la mélopée des grillons cachés. Un rire léger de jeune fille monte vers Ludivine, et se perd dans le calme de l'ombre. En se penchant, elle distingue à peine deux silhouettes rapprochées, sous la glycine qui retombe au-dessus du banc de pierre, contre les marches du perron.

Quel goût fade lui laissera aux lèvres cette fête dont elle s'était tant promis... L'insipide cavalier qu'on lui a donné, ce Maurice de Clarens, raide, gourmé, dépourvu de toute conversation...

« A quoi rêvez-vous, belle dame, à votre croisée ?... »

Cette voix connue...

« Oh ! c'est vous ? s'étonne Ludivine.

— Mais oui... J'arrive d'Aix. Une affaire à

plaider, malheureusement... Mais écoutez donc, on prélude ! Venez, la mariée va ouvrir le bal...

— Je descends », dit Ludivine, radieuse. Elle virevolte et s'élance vers son miroir. Sur le seuil de la porte, Frédéric, immobile, la regarde :

« Je ne savais pas que tu étais montée. Je t'ai cherchée en bas. Avec qui parlais-tu ?

— Avec André Marquet-Rageac.

— Il est là ?

— Il vient d'arriver. »

Frédéric ne fait aucun commentaire.

« Tu es bien jolie, ce soir, murmura-t-il seulement, comme à regret.

— C'est vrai ? Tu trouves ? » Tournée vers lui, dans la lueur blonde de la lampe, elle offre son visage. Mais il ne semble pas s'en soucier.

« Peux-tu me laisser un instant l'usage de la glace ?

— Pour quoi faire ? »

Déçue, elle le taquine.

« ... Tes cheveux sont irréprochables, ta cravate aussi... Tu es beau comme Adonis. Pour qui donc tiens-tu à t'en assurer ? »

Peut-être aurait-il, lui aussi, une question de ce genre à poser. Question trop amère pour son orgueil. Il la ravale. Et, s'asseyant :

« Pour toi, ma chère, dit-il, sans douceur.

— Je l'espère bien, mon chéri. »

Comme il est étrange, ce soir ; Ludivine ne le reconnaît plus. Elle passe derrière le fauteuil, pose ses mains fraîches sur le front où se marque un pli, le caresse, le lisse du bout des doigts.

« Tu ne veux pas m'embrasser ? »

Pas de réponse. Il la considère un instant, saisit son poignet, et, d'un mouvement sec, l'attire contre sa jambe.

« Belle, provocante, dangereuse... C'est bien cela, n'est-ce pas ? »

Interdite, Ludivine ouvre de grands yeux. Sous le baiser brutal, elle vacille.

D'en bas, monte la musique d'une contre-danse.

« Allons, va », dit Frédéric, sans plus la regarder.

La face de la soirée a changé pour Ludivine qui déploie tout son charme capricieux, entourée d'un cercle d'admirateurs. Parmi eux, Marquet-Rageac marque un avantage incontestable, et s'en pare, d'ailleurs, avec une certaine ostentation.

« Ludivine est vraiment irrésistible. Quel triomphe, ce soir, mon cher ! Dieu me pardonne si elle n'est pas en train d'enchaîner André. Voyez-vous cela ! Notre briseur de cœurs... »

Un spectacle dont Frédéric se passerait volontiers, à vrai dire. Mais il ne peut l'empêcher de fixer toute son attention. La fine pointe lancée par Laure s'est enfoncée en lui comme une vrille...

Les heures passent, cependant. Les mariés se sont retirés. On a servi le souper dans la roseraie. Un peu de lassitude traîne dans l'atmosphère. Les danseurs sont moins nombreux. Certains ont gagné l'ombre du parc. Les conversations se font plus graves. Le nom de Panama, jeté par quelqu'un, a rassemblé instantanément un cercle. Le scandale est trop brûlant pour ne point passionner tous ces hommes d'une province où chacun a, de naissance, le goût et le sens romains de la politique. Groupées en chatoyantes gerbes, les dames peuvent bien encore jouer de l'éventail, et lancer un feu d'artifice de jolis rires, afin de ramener à elles l'attention de leurs cavaliers : danses, galanteries, tendres intrigues, tout est oublié, dans l'ardeur de la discussion.

« Ecoutez-les, se moque Caroline : « ... *Opposer un barrage solide à la poussée républicaine... La menace socialiste... Les utopies de*

*Jules Guesde... La trahison des ralliés... Albert
de Mun... Des complicités jusque dans le
ministère... La faillite de la Compagnie... Les
listes...* »

« ... Comme c'est intéressant ! Ah ! Sainte
Vierge !... Je voudrais pouvoir vider toutes
leurs pauvres cervelles de ces absurdités. Dans
quarante ans d'ici, s'ils contemplent un clair
de lune pareil, par une nuit aussi douce, ils
hocheront leurs vieilles têtes en regrettant
l'âge où ils pouvaient parler d'amour. Ils ne
se souviendront plus des noms de MM. de
Lesseps, Cottu, ou Baïhaut, mais des nôtres...
et ils nous appelleront au fond de leur
mémoire.

« ... Seulement, où serons-nous, alors, mes
belles ? D'autres danseront sous les arbres,
avec des visages sans rides, et des robes qu'ils
ne reconnaîtront pas...

« ... Je ne parle pas pour toi, Blanche,
ajoute-t-elle, devant le regard interdit, attristé,
que la jeune fille pose sur elle. Nous aurons
perdu toutes nos dents que tu seras encore un
enfançon, et mon benêt de petit frère, un
jeune fou. »

« *Perdu toutes nos dents !* » Grand Dieu, à
quoi va-t-elle penser là ? s'épouvante Ludivine.
Comme si l'on pouvait déjà voir approcher un
jour où... Comme si l'on pouvait seulement

s'arrêter à cette idée !... Devenir vieille aux yeux de Frédéric, ah ! Dieu ! Mais sans doute Caroline n'est-elle pas heureuse aujourd'hui.

Et ils sont tous, là-bas, à s'échauffer pour cette extravagante histoire... Le ton a monté de telle sorte qu'on pourrait, aux éclats de voix, suivre de loin ce qu'ils disent.

Tiens ! même ce Maurice de Clarens, si terne, tout à l'heure, si peu loquace :

« Et voilà le visage que nous offre leur République ! Ah ! si les princes pouvaient comprendre combien l'occasion leur est favorable !... Un manifeste de Monseigneur ferait grand effet. Il emporterait l'adhésion du pays. »

Le bruissement des feuilles caressées par le vent de la mi-nuit accompagne cette éloquence. L'odeur des tilleuls domine, par instants, parmi tous les parfums mêlés qu'exhale le parc. Un peu à l'écart, adossé contre le gros marronnier rose, Frédéric suit ces discours sans y participer.

« Il a raison, se dit Ludivine : Qu'avons-nous à voir avec un gouvernement, monarchie ou république ? Est-ce que cela changera le ciel et les saisons ? Qu'est-ce qui importe, à part Mogador ? Et pourvu que les récoltes soient belles et se vendent bien... L'Etat, quel qu'il soit, il faudra toujours lui payer des impôts...

Mais au fond, tout le monde sait ça, et ils pérorent seulement pour le plaisir. »

« La concussion parlementaire est un mal inhérent au régime. Nous le lui devons, mais ne nous en plaignons pas trop : sans doute finira-t-il par en mourir un jour.

— Je regrette de vous voir ériger en règle quelques exceptions navrantes, mon cher ami...

— Oh ! c'est cela, à vous, Marquet-Rageac, défendez vos compères ! Tout le monde sait bien que vous votez à gauche, ironise Auguste Sabrier.

— Je ne désire en aucune manière faire mystère de mes convictions. Mais la question n'est pas là. J'estime que l'honneur de nos représentants met en jeu le nôtre, après tout, celui de la France. Il serait d'une injustice, d'un parti pris, indignes de notre bonne foi, de généraliser sous le terme insultant de « concussion parlementaire » les erreurs ou les défaillances plus ou moins prouvées, j'insiste là-dessus, plus ou moins prouvées, de quelques-uns.

— Bravo !... dit soudain Frédéric, d'une voix si parfaitement nonchalante qu'elle atteint à la plus sûre insolence. Bravo ! Nous savions déjà qu'un avocat est professionnellement au service de la canaille. N'importe, il est touchant de voir votre témérité voler au secours d'une cause indéfendable, avec des effets de prétoire pour seuls arguments. »

Une stupeur unanime accueille les paroles qu'il vient de prononcer. On lui connaît la dent dure, mais, cette fois, la raillerie semble passer les bornes. Marquet-Rageac, lui-même, tarde à réagir.

Frédéric tire sur sa cigarette avec calme :

« ... Si l'on ne vous connaissait, on pourrait prendre ça pour le résultat d'une incorruptible candeur »

« Il est fou », souffle Georges, consterné, à l'oreille de leur ami Caussade, qui hausse les épaules.

Blême, l'air mal assuré, André Marquet-Rageac fait un pas au-devant de l'interlocuteur.

« J'aime à croire, mon cher Vernet, que vous n'êtes pas en ce moment dans votre état normal, sans quoi je...

— Mais non, il n'est pas dans son état normal. Il ferait beau voir qu'il y fût, le soir du mariage de sa cousine ! Vous en avez de drôles. André !... s'interpose Caussade, empoignant la perche tendue. — Et ni vous, ni moi, n'y sommes non plus, tenez-le pour certain. »

L'air détaché, un irritant demi-sourire aux lèvres, les yeux froids, Frédéric paraît suivre la scène en spectateur.

Revenus de leur surprise, les autres s'em-

pressent à la rescousse, multipliant les plaisanteries. Calmé, l'avocat se laisse raisonner,
circonvenir, entraîner vers la terrasse où
l'orchestre reprend.

Ludivine valse au bras d'un lieutenant de
hussards. Sa jupe lilas se balance, tour à tour
irisée et glacée, au reflet des lampions et sous
le clair de lune.

*
**

Eugénie achevait de défaire les bagages,
lorsque Frédéric entra.

Ludivine lui jeta un regard à la dérobée, et
soupira. Il avait toujours ce visage fermé
qu'elle lui avait vu, la nuit du bal, lorsqu'elle
l'avait enfin retrouvé, après l'avoir recherché
partout, avec Raoul.

Cher Raoul, comme il avait été bon, malgré
son apparente brusquerie :

« Ludivine, il vous faut tout de suite rejoindre et emmener votre mari. Il est homme à
faire, ce soir, n'importe quelle folie. Ce n'est
certes point de sa faute s'il n'a pas déjà, sur
les bras, une affaire avec Marquet-Rageac...

— Frédéric ? Une affaire ? »

D'un seul coup, aux oreilles de la jeune
femme, la musique s'était affaiblie jusqu'à
n'être plus qu'une sorte de bourdonnement

au sein duquel elle continuait à se laisser porter sans y prendre garde, soutenue par le bras de son cousin.

« ... Vous voulez dire... un duel ?... Avec Marquet-Rageac ? Mais pourquoi ?... Oh ! Raoul, pourquoi ? Que s'est-il passé ? »

Gêné, il demeurait sans réponse.

« ... Ils se sont disputés ? Vous parliez tous si fort, tout à l'heure. Cette maudite politique !... Vite, vite, descendons ! Dites-moi où vous l'avez laissé... » Elle l'entraînait vers le parc, hors du cercle des danseurs. Sa main se crispait sur le bras de Raoul.

« ... Il faut le trouver ! Je l'empêcherai bien... Oh ! Dieu... Les hommes ne peuvent donc jamais rester tranquilles ?... Se quereller pour Panama !... »

Ils atteignaient le couvert des arbres. Impatiente, Ludivine allait devant, sans trop savoir où, courant presque.

« Etes-vous folle ? Il s'agit bien de Panama !... » lança Raoul, brutalement.

Les yeux dilatés, elle se retourna vers lui. Il distinguait mal le petit visage noyé d'ombre, dont, peut-être, l'angoisse l'eût apitoyé, l'eût-il vu en pleine lumière.

« ... Connaissez-vous assez peu votre mari pour le croire capable de rompre en visière pour de pareils moulins à vent ? Nous ne sommes pas des Parisiens qui se battent comme ils font des mots ! »

C'est à ce moment qu'elle avait compris : pour elle, c'était pour elle !... C'était cela, l'explication que Raoul ne pouvait lui donner. Frédéric... Il avait cherché ce danger, à quelques pas d'elle, à son insu... Jaloux !... Il pouvait donc être jaloux !... Et si fort, si démesurément ! Mais comment avait-il pu croire... ? Oh ! Dieu, se jeter dans ses bras, le rassurer...

« Frédéric, mon amour !... »

C'était déchirant et exquis à la fois de se découvrir ce pouvoir ! Quelques danses, quelques compliments acceptés, quelques sourires accordés... et lui, il avait eu envie de tuer un homme... Emerveillement de voir se révéler cette violence inconnue, cet âpre amour, frère taciturne du sien... Douleur de le deviner blessé, de ne pas savoir où s'élancer pour l'atteindre et lui apporter la paix...

« Raoul, trouvons-le ! Il faut que je le voie, tout de suite ! »

En vain l'avaient-ils cherché longtemps, parmi les bosquets où ils dérangeaient de doux tête-à-tête, à travers le bal — et Ludivine avait respiré, en apprenant d'Edmond que Marquet-Rageac venait de prendre congé — dans les salons, dans la bibliothèque...

Et alors, lasse, découragée, la tête vide, en

rentrant dans leur chambre, elle avait découvert la silhouette allongée sur ·la dormeuse, dans la pénombre où brillait rouge la petite lueur de la cigarette.

Il était là. Enfin !... Enfin !... Mais elle avait senti, presque à la même seconde, le cœur serré devant son immobilité et son mutisme, que les choses n'en étaient pas, pour cela, simplifiées ; que, cet élan, qui l'avait jetée en quête de Frédéric, il ne s'achèverait pas, cette nuit-là, contre sa poitrine.

Avec quelle joie, elle eût accueilli des reproches qui lui eussent permis de se justifier ! Elle se souvenait de ses manières étranges, au début de la soirée. Cette phrase... « Belle, provocante, dangereuse... » Comment n'avait-elle pas compris, à ce moment-là ?

Mais ce silence, depuis... Ce refus indifférent opposé à toutes ses tentatives d'explications... Cette contrainte souriante qu'elle avait dû s'imposer, à son exemple, jusqu'au départ de *La Sarrazine...* .

Au diable Marquet-Rageac, ce bellâtre ! — — Elle eût souhaité l'humilier, lui marquer son mépris ; elle le haïssait d'avoir été l'objet de l'exaspération de Frédéric, la cause de cette faille béante qui semblait s'être creusée durant ces deux jours.

Et maintenant, de retour à la maison, comment reprendre la vie accoutumée ? Adrienne, quoi qu'elle eût supposé ou découvert, s'était tue. D'elle, à coup sûr, ne viendrait aucune question pénible à subir. Mais Mère ? Qu'allait-elle dire ? Déjà, la veille au soir, parmi les embrassades de l'arrivée, son regard perspicace était allé de Frédéric faussement dégagé, à Ludivine, penchée par contenance sur les rires de sa fille qu'elle avait prise aux mains de Philo... Comment franchir les brisants du déjeuner ?

Frédéric n'avait pas l'air de s'en préoccuper le moins du monde. Assise devant sa coiffeuse, elle l'observait dans la glace, tandis qu'il échangeait sa veste de cheval contre un veston, et choisissait une cravate.

« Dites donc, Eugénie, ne rangez pas mon nécessaire de voyage. Et laissez dehors, aussi, la petite malle.

— Oui, monsieur... Et pour celui de Madame ?

— J'ai dit : le mien. Allez, emportez le reste. Et prévenez Victor que j'aurai besoin de lui, cet après-midi... »

Sa femme de chambre à peine sortie, Ludivine bondit :

« Qu'est-ce que ça veut dire ? Tu pars en voyage ?

— Apparemment, ma chère.

— Seul ?

— On ne peut plus seul. Rassure-toi, si tant est que cela t'inquiète.

— Où vas-tu ? » demanda-t-elle encore, imperméable à l'ironie.

Il la regarda avec cet air de ne pas la voir, qui fait si mal à Ludivine.

« Oh ! oh ! quelle curiosité ! C'est un interrogatoire ?

— Où vas-tu ? s'obstine-t-elle.

— A Paris. »

A Paris où ils ont été si heureux...

« Oh ! Frédéric, ne me laisse pas, emmène-moi !

Anxieuse, elle guette sur les traits de son mari... Si tendue, dans un tel appel muet, que son espérance est au bord du miracle. Mais il se détourne.

« Non, je regrette.

— Mais que veux-tu que je fasse sans toi ?

— Eh bien, ce que tu voudras. Les distractions ne te manqueront pas. Au pis aller, tu peux diriger Mogador à ma place. »

Atterrée, elle le dévisageait :

« Frédéric, non ? Ce n'est pas possible, tu ne vas pas... Mais enfin, pourquoi ? Parle, dis quelque chose, donne-moi une raison !...

— Une raison ? Je t'en donnerais à la pelle, des raisons ! En voilà une : j'ai besoin de

changer d'air. Tâche de te contenter avec
celle-là.

— Non, non, écoute... »

Sans se soucier d'elle, il alla vers la commode, et entreprit de vider son tiroir particulier.

Ludivine le suivit comme une mendiante.

Ses cravates étalées, il se livrait à un tri
soigneux. Elle en prit une au hasard, et, machinalement, la froissa, l'étira entre ses mains
fébriles.

Frédéric se retourna, vit le dommage.

« Eh là, doucement ! Donne-moi ça, veux-
tu ? »

Il la lui prit des mains, avec une correction
indifférente.

Ludivine s'appuya contre la commode.

La pièce oscillait autour d'elle. La fraîcheur
du marbre sous ses paumes lui fit du bien. Elle
respira avec force.

« Ecoute-moi, Frédéric, il faut que tu
m'écoutes ! Tu ne vas pas me quitter comme
cela ? Tu sais que je t'aime, que je n'ai rien
à me reprocher. Et toi, tu m'... »

Comment dire : « Tu m'aimes » à cet étran-
ger glacé qui rassemblait, sans s'occuper
d'elle, les menus objets personnels épars dans
cette chambre ?

D'une voix traversée par le désir de convain-

cre, la colère, le désespoir, elle reprit : « J'ai
le droit de savoir ce que tu penses. Pourquoi
t'éloignes-tu de moi ? Tu ne peux pas refuser
de me le dire, ni m'empêcher de me défendre,
ce serait lâche, Frédéric, lâche, tu m'entends ?
Oh ! je te... Dis-moi, dis-moi à la fin !... »

Agrippée à son bras, elle attendit. Et, cette
fois encore, Frédéric parut sur le point de
céder. Mais il dit seulement, en se dégageant :

« Tudieu, ma chère, quel drame pour un
petit voyage ! »

Et, comme si la détresse de Ludivine avait,
malgré tout, éveillé en lui un remords, avant
de refermer la porte, déjà dans le couloir, il
ajouta sans dureté :

« Laissons cela, crois-moi ; nous en parle-
rons mieux à mon retour. »

*
**

« Maintenant, déclara Julia, tu vas me
raconter toute l'histoire. »

Non, non, c'était trop. Demain, cela irait
mieux, elle aurait plus de courage. Mais ce
soir... Ce soir où Frédéric venait de partir, où
l'attendait la solitude du lit vide, — et, à ce
moment, elle se prenait à la désirer comme un
havre promis, après toutes ces tourmentes...

« Je suis si fatiguée, Mère...

— Je le suis aussi. Crois-tu que j'aime à voir mes enfants me quitter ? Je me sens essoufflée... Tiens, fais-moi passer mes gouttes. »

« ... Non, Philo, pas encore, dit-elle à la vieille camériste qui entrait. Nous avons d'abord à parler, Mme Frédéric et moi. Je t'appellerai. »

Philo, les babines retroussées, disparut sans mot dire.

« Allons, petite, viens ici. Baisse l'abat-jour, nous serons mieux. Assieds-toi, et vide ton sac. Un peu de courage au nom du Ciel ! Je suis honteuse pour toi. Penses-tu que j'aie la pénitence dans ma poche ?... »

Piquée au vif, Ludivine eut un sursaut.

« Pourquoi aurais-je peur, Mère ? que croyez-vous donc que j'aie à me reprocher ?

— Rien qu'un peu de niaiserie, je n'en doute pas, ma fille. Tu t'es laissé trop complaisamment chanter la romance, et la musique n'a pas plu à Frédéric.

— Eh bien, Mère, puisque vous le savez... » s'impatienta la jeune femme, au supplice. Le langage railleur de sa belle-mère était plus qu'elle n'en pouvait supporter pour l'instant.

« Sans doute, je le sais. Crois-tu, par hasard, qu'il n'arrive jamais rien que ne puissent imaginer les gens nés avant toi ? Ce sont les détails que je veux.

— Mais il n'y a pas de détails ! C'est à peine si j'en sais plus que vous. La soirée s'est passée comme d'habitude. A un moment donné, les hommes se sont mis à parler politique, et Caroline nous a même fait remarquer...

— Laisse donc Caroline, ce n'est pas là ce qui nous intéresse. »

Ludivine se mordit les lèvres jusqu'à s'en faire mal, mais reprit, avec un effort sur elle-même :

« Nous nous sommes morfondus pendant ce temps. Puis le bal a commencé. Raoul est venu m'inviter. Et alors, il m'a dit que Frédéric s'était querellé et qu'il fallait...

— Querellé avec qui ?

— André Marquet-Rageac.

— D'Arles ? Le neveu du docteur ?

— Oui. »

N'en finirait-elle jamais avec cette inquisition ?

« Quelle raison avait-il ? »

Les yeux de Ludivine brûlaient sec, comme des flammes noires. Mais il en eût fallu bien davantage pour déconcerter l'intrépidité de Julia. Son regard affronta victorieusement celui de sa belle-fille.

« Allons, parle. Ne m'oblige pas à t'arracher chaque parole.

— Est-ce que je sais ? Aucune raison parti-culière, à ma connaissance. »

La fureur étranglait sa voix.

« ... Dieu sait ce qu'il est allé se mettre en tête. Je n'ai même pas pu obtenir de lui que nous nous expliquions.

— Veux-tu dire par là que tu as essayé de te disculper, et qu'il a refusé de t'entendre ? »

Quelle humiliante manière de présenter les faits ! Rien ne lui serait donc épargné ? Jus-qu'ici, l'existence avait toujours fait grâce à Ludivine Peyrissac. Et n'était-ce pas tout natu-rel ? On sait bien que le mal existe. Depuis toujours, il est entendu que soucis, peines, tourments, sont le lot quotidien du monde. Elle avait eu les siens, comme chacun : robes gâchées, désirs contrariés... On pleurait, on trouvait un remède.

Cette fois, quelque chose semblait s'être détraqué. Perdue au centre d'un brouillard sans cesse plus dense, elle apprenait que le chagrin, lorsqu'il vous touche, c'est, bien au-delà de ce qu'on avait imaginé, cette attaque innombrable qui vous enserre, vous transperce, et vous emplit, et vous dévore ; et l'on se sent saigner de toutes parts, à petit bruit...

Julia l'observait, attendant.

« C'est cela ? Non ? »

Incapable de parler, Ludivine haussa les

épaules. Que sa belle-mère pensât ce qu'elle
voudrait, après tout. Cela lui était bien égal.
Frédéric s'en était allé, sans qu'elle eût pu
le retenir, sans qu'elle sût, même, pour combien de temps. Et lorsqu'elle eût voulu se
terrer dans la nuit de sa chambre, mordre ses
draps, s'écraser contre la place qui demeure-
rait froide, à son côté, dépasser sa souffrance
à force de souffrir... on la retenait là, avec des
questions épuisantes...

Elle releva la tête, et regarda Julia en face :

« Je préfère vous le dire, Mère ; si vous
pensez avoir des reproches à me faire, eh bien...
je ne veux pas les entendre ce soir. Je ne les
supporterais pas.

— Tu ne les supporterais pas... » répéta la
vieille dame, pensive.

En effet, elle semblait à bout...

« Cela me rappelle, un jour, avec Rodolphe... » Mais elle n'était pas en état, non plus,
d'écouter une histoire. D'ailleurs, que lui dire ?
Un simple geste de douceur eût fait éclater
la fragile armure qui la soutenait encore. Julia
savait au plus juste, de quel prix, compté et
recompté tant de fois, elle avait payé la sagesse,
cet incommunicable trésor que l'on ne trouve
que dans les décombres. C'était au tour de
Ludivine. Elle commençait la recherche. On ne
pouvait rien pour elle, ou si peu...

« Somme toute, conclut-elle, il n'y a pas de quoi fouetter un chat, dans cette affaire. »

Ludivine écarquilla ses yeux fiévreux. « *Pas de quoi...* »

« Mais, Mère, il est parti !... » Est-ce qu'elle ne comprenait pas ?

Oui, il était parti, s'était mis hors d'atteinte. Ce renversement de la situation... Il avait trouvé cela... Rodolphe lui, autrefois, n'aurait pas... C'était là un trait Angellier. Julia s'y reconnaissait et, malgré qu'elle en eût, un sourire secret montait en elle.

« Et après ? Il reviendra, ma chère, tu le sais bien. Mais probablement as-tu l'intention de nous donner le spectacle de ta douleur d'épouse délaissée ? Ou peut-être préféreras-tu t'enfermer dans ta chambre, volets clos, rideaux tirés, jusqu'à son retour, munie d'une provision de mouchoirs pour étancher tes larmes amères ?

— Vous me jugez bien sotte, n'est-ce pas ? articula Ludivine, redressée sous les flèches. Je suis fâchée de vous avoir donné cette impression, ce soir plus que de coutume. Permettez-moi d'aller me reposer, maintenant. Frédéric devait voir le baïle dès notre retour, au sujet des foins... Pour la deuxième coupe... Je le verrai demain matin, à sa place. Bonne nuit. »

Elle se leva.

« Bonne nuit, ma fille. Embrasse-moi, et sonne Philo. »

Raidie, Ludivine obéit, puis se dirigea vers la porte.

Une petite lueur au fond de ses prunelles, Julia la suivit des yeux.

« Allons, ça ira, dit-elle à Philo. Mais vraiment, mon fils exagère !... Donne-moi ma valériane. Je me suis irritée aujourd'hui... Pauvrette... Il mériterait, ce grand imbécile !... »

Elle rêva un moment : « Bah ! je suppose qu'il la connaît. »

XII

LUDIVINE avait calculé : « Au bout de quatre ou cinq jours sans doute... » Il y en eut sept. Il y en eut huit...

Juillet était presque à moitié écoulé. L'anniversaire de leur mariage n'avait pas ramené Frédéric. Après cela, il semblait qu'il n'y eût plus rien à attendre...

Chaque matin, levée de bonne heure, elle se remettait à la tâche qu'elle s'était fixée. Il y avait la vigne à surveiller, les journaliers dont elle devait examiner les réclamations, les salaires à payer, le blé que l'on commençait à battre, les foins à rentrer, les comptes à tenir pour chaque marché passé avec les fermiers. Assez réticents, au début, enclins à profiter de l'absence du maître, ceux-ci s'étaient vite aperçus que Mogador ne demeurait pas sans un chef. Habilement, la jeune femme s'était fait des alliés de Tonin et de Ranguis qu'elle savait dévoués à Frédéric comme des hommes de main à leur capitaine de bande. Tous trois tenaient conseil, quotidiennement. Le côté pratique de la nature de Ludivine s'était éveillé. Elle écoutait les explications nécessaires, pesait, supputait, puis, prenant sa décision avec une sûreté qui emportait l'admiration des deux hommes, se servait d'eux pour la faire exécuter. Rarement se montrait-elle sur l'exploitation, près de l'aire ou dans les vignes où se faisait le dernier labour, comprenant que, seule, entourée des hommes au travail, elle perdait l'avantage. Mais ceux qui, appelés dans le bureau de « moussu Vernet », comparaissaient devant cette petite personne à la voix nette et posée, sachant de quoi elle parlait, et ne se dépensant pas en paroles inutiles, en ressortaient généralement avec une considération accrue envers Mme Frédéric, mêlée au sentiment vague d'avoir été dépouillés de leurs finasseries, et battus avec leurs propres armes.

La moisson avait été belle. Maintenant, tout était rentré. Le maïs jaunissait. La seconde

récolte de pommes de terre s'annonçait bien.
Au verger, les pêchers et les abricotiers donnaient à plein. Les prunes Reine-Claude, touchées de brun, se fendillaient. Le raisin
poussait, dur et serré, en grappes déjà gonflées
qui s'alourdissaient tous les jours. On avait
biné et soufré des ceps, labouré la terre autour
des mûriers, semé les prairies fourragères...
Parfois, le soir, après le travail, Ludivine, poussant *Miranda* parmi les champs désertés, se
laissait aller à l'orgueil de constater la bonne
marche et l'ordre du domaine. Du moins
aurait-elle cela à lui montrer, lorsqu'il reviendrait.

« Au pis aller, tu peux diriger Mogador à
ma place. » Elle l'entendait encore. Cette indifférence... cette ironie glacée... Eh bien, il
jugerait !

Elle serrait les poings, secouée de rage :
« Qu'il revienne et nous verrons !... Oh ! Dieu.
Il me le paiera. C'est trop lâche, trop bête...
Après tout, qu'ai-je fait qu'il puisse me reprocher ? Rien. Trois fois rien ! Il n'y a pas une
femme à ma place qui... Ah ! le tenir, le gifler,
lui faire mal !... Prendre une fois le dessus sur
lui... Le jour où je l'aurai devant moi...

« Mais quand ? Quand donc ?... »

La douleur refluait en elle, submergeait sa
colère.

Etait-il possible qu'il supportât de prolonger indéfiniment leur séparation ? Chaque fibre de son cœur à elle, était à vif. Eût-elle su où le trouver qu'elle eût couru vers lui, à pied, s'il l'eût fallu, par les chemins... Mais lui, il avait enfin laissé entrevoir son amour jusqu'au fond, et, tout de suite après, lorsqu'elle venait à peine d'en recevoir l'éblouissement, il s'était enfui sur de dures paroles.

Depuis, ce silence...

Nul, dans la maison, n'osait y faire allusion. Sa belle-mère n'était pas revenue sur leur conversation. Avait-elle reçu des nouvelles ? Ludivine eût donné beaucoup pour le savoir. Mais Julia se contentait de lui épargner désormais ses railleries, se rabattant sur la pauvre Adrienne qui, depuis longtemps, ne s'était vue mise à pareille épreuve.

Isabelle, elle-même, semblait se rendre parfaitement compte, à des indices de son code particulier, qu'une tension anormale pesait sur l'univers des grandes personnes, et que le moment eût été mal choisi pour se jeter dans les jambes de sa mère. Aussi réservait-elle à la seule Adrienne le spectacle de ses essais couronnés d'autant de chutes que de triomphes, pour assurer ses premiers pas.

Ludivine déployait pourtant tous ses efforts, certains soirs, pour se concilier la confiance de sa fille. Elle se déridait, entrait dans ses jeux, la chatouillait, la faisait sauter sur ses genoux. Mais la petite, étonnée, considérant la tentative sans plaisir, s'y prêtait avec une sorte de politesse inquiète qui repoussait la jeune femme vers sa solitude.

Une fois le bébé couché, Julia remontée chez elle, la perspective des soirées s'étendait comme une route aride à parcourir. La grande bergère était bien trop vaste, où elle s'obstinait à s'installer seule, dans un refus puéril de changer quoi que ce fût aux coutumes établies par Frédéric. Adrienne tricotait sans fin on ne savait quelle brassière pour quelque enfant nouvellement né sur un coin de Font-fresque, et n'osait forcer le mutisme où s'enfermait sa belle-sœur.

Penchée sur un livre dont elle ne songeait pas à tourner les pages, Ludivine écoutait ce petit bruit de rat de la pendule qui rongeait le temps silencieux, et toujours, toujours, revenaient dans sa tête, comme des vagues l'une sur l'autre, les mêmes pensées, les mêmes souvenirs, les mêmes questions sans réponse. Des moucherons, attirés par la lumière, surgissaient de la nuit du jardin par les fenêtres ouvertes. Ils se précipitaient en bourdonnant vers le globe de la lampe, tournaient un moment à l'intérieur, pris au piège de la clarté, et, brûlés, rentraient dans le néant.

Parfois, cependant, pour s'arracher au désespoir dont elle sentait monter en elle les lames vertigineuses, Ludivine priait :

« Joue-moi quelque chose, veux-tu, Adrienne ? »

Trop heureuse de l'entendre exprimer un désir, Adrienne se mettait au piano. Mais sa médiocrité d'exécutante avait tôt fait de lasser l'intérêt de son auditrice. Elle s'en apercevait, et, découragée, continuait pourtant, n'osant plus s'interrompre, jouant de mal en pis, jusqu'à ce que Ludivine la délivrât en se levant pour lui souhaiter le bonsoir.

Il n'y avait plus alors qu'à essayer d'aller dormir dans la chambre où, partout, se levait cette impalpable présence que Frédéric avait laissée, au fond des miroirs, près du guéridon où traînait une de ses pipes, dans la salle de bain — l'ordre y régnait perpétuellement, à présent —, entre les plis de ses vêtements rangés qui sentaient son tabac, et ce chaud parfum de cuir du cavalier... Ludivine posait sa joue contre l'étoffe bourrue pour la respirer mieux, avant de se jeter sur le lit où le sommeil venait tout d'un coup la rouler dans ses plis de fatigue et de chagrin.

Elise vint la voir. Rentrant, un après-midi, d'une longue inspection qui l'avait entraînée jusqu'au fond de Mogador, sous la conduite de Tonin, elle la trouva installée dans le salon. Adrienne lui tenait compagnie avec un plaisir visible.

Ludivine se précipita, insoucieuse de sa toilette qui avait quelque peu souffert au rude contact cahotant de la carriole du contre-maître.

« Mon Dieu, chérie, c'est donc vous, enfin ? Que je suis contente ! Ce voyage ?... Et votre installation ?... Vite, racontez-moi. Vous plaisez-vous à Barbegal ? » Elle lui prit la main et l'attira vers le canapé.

Toutes deux s'assirent côte à côte.

« Allons, racontez ! »

Elise ne demandait pas mieux. Elle décrivit avec enthousiasme à son amie, confondue par un tel lyrisme, les beautés du Pays basque, passa ensuite aux détails de l'aménagement de sa maison, se révéla intarissable sur le charme du village, sur l'amabilité de l'accueil de chacun...

Ludivine l'écoutait, remarquant son allure, ses gestes vifs, enjoués, son aisance toute naturelle... Hors de la tutelle de l'austère Clémence, il semblait que la jeune mariée se fût éclose, sans rien perdre de ses doux coloris ni de sa grâce satinée de fleur en bouton.

Discrète, Adrienne s'était éclipsée.

« Et... votre mari, ma chère ?... Parlez-moi de lui.

— Eh bien, je... Oh ! il n'y a rien à en dire, n'est-ce pas, je... Enfin... Nous nous aimons et... Oh ! Ludivine, vous savez bien comme c'est merveilleux ! Je suis tellement, mais tellement heureuse, et lui... je crois qu'il l'est aussi. »

« Et moi, est-ce ainsi que j'étais ? » se demandait Ludivine, tirée un instant du cercle morne de ses pensées par l'éclat exquis de cette joie rougissante.

« Il va venir me chercher tout à l'heure, continuait Elise. Il m'a déposée ici en allant visiter un malade. Mais je veux que vous le connaissiez mieux, chérie. Je lui ai tant et tant parlé de vous !... Il faut que vous veniez, un dimanche, avec Frédéric. Nous passerons la journée ensemble. Venez tous deux, je vous en prie...

— Il n'est pas là, en ce moment.

— Oh ! vous êtes seule ? Il est en voyage ? Mais pas pour longtemps, j'espère ?

— Non, non, je pense qu'il va rentrer d'ici peu. »

Elle parvenait avec difficulté à prendre un air naturel.

« Pauvre chérie !... » Impulsivement, Elise entoura de son bras l'épaule de son amie. « Le temps doit vous paraître long ! »

La tête appuyée contre celle d'Elise, les yeux fermés, Ludivine soupira sans répondre. « Où est-il ? Que fait-il ?... » Jusqu'à quand faudrait-il continuer à tout ignorer de lui ?

Toute sa force s'échappait à travers la blessure plus cruellement sensible, au regard de cet innocent bonheur. Si seulement elle avait pu déposer son fardeau un instant, se confier et pleurer ensuite... La tentation lui vint de tout révéler à Elise : « Il est parti fâché contre moi, après un baiser de circonstance donné devant tout le monde, et je ne sais rien depuis plus d'une mortelle semaine, ni s'il pense à moi, ni s'il m'aime toujours, ni quand il reviendra... J'étouffe, je deviens folle de cette torture que je n'ai pas méritée, ou si peu, si peu !... »

Mais il eût fallu, alors, raconter aussi la soirée de *La Sarrazine*, expliquer ce qui avait pu motiver la jalousie déraisonnable de Frédéric, dévoiler ses propres coquetteries, s'accuser... Comment faire admettre cela à cette Elise si timide, si sage, si éloignée de toute complication ?...

Elle se représentait la stupeur scandalisée, la désolation envahissant ce visage... Mais la compréhension dont elle eût eu besoin ?...

« Oh ! chérie, comment avez-vous pu ? » s'entendrait-elle reprocher. Comme si c'eût été une si terrible faute de se laisser complimenter, de rire avec les hommes, leur permettre de vous faire la cour, et se plaire à régner sur tous, en n'appartenant qu'à un seul...

Non, non, il n'y avait qu'à se taire, il fallait refréner, refouler au fond de soi cet attendrissement soudain qui lui faisait désirer d'être plainte.

« Oui, c'est long, murmura-t-elle. Mais il le fallait. Et puis, nous sommes de vieux époux. Deux ans, pensez donc. »

Allons, elle s'en tirerait. Déjà elle parvenait à plaisanter.

Elise hocha la tête. Deux ans paraissaient en effet un long bail à cette épousée d'un mois. Pourtant, jamais Vincent et elle... Oh ! s'il eût fallu le quitter ! Mais Ludivine était si forte... Elle avait toujours eu tellement plus de caractère qu'elle-même... Les yeux brillants de tendresse, elle souriait à son amie :

« Et Isabelle ? Puis-je la voir ? Que fait-elle ? Je vais sûrement la trouver changée...

— Elle commence à marcher, figurez-vous. Je pense qu'elle est au jardin. Adrienne a dû aller la promener. Elles s'entendent bien,

toutes deux. D'ailleurs, ma belle-mère l'élève
admirablement. Moi, j'ai trop à faire. Frédéric m'a confié le domaine, et je ne veux
pas avoir honte quand il rentrera... Savez-
vous que ce n'est pas rien, Mogador, à
diriger ?

— Oh ! c'est vous, vraiment, qui vous
occupez de tout ? Est-ce possible ? »

Elise était confondue d'admiration.

« ... Jésus ! que vous êtes courageuse, ma
chérie ! Jamais je ne pourrais, il me semble... »

Mais jamais, non plus, cela ne lui serait
demandé. Des enfants, une petite maison à
tenir, un amour sans heurts, à partager, c'était
là ce qui attendait Elise, sans aucun doute...
Au bout du compte, nous portons en nous-
mêmes les éléments de notre destinée, se
consolait Ludivine, retranchée dans son orgueil
amer.

Le lendemain après-midi, Ludivine, assise au
bureau, effectuait laborieusement une longue
addition. La maison tout entière se taisait,
endormie dans la chaleur de ce jour de juillet.
Il faisait relativement frais dans la petite
pièce située au nord, tout au fond de la vaste
demeure. La jeune femme s'absorbait dans sa
tâche. L'arithmétique n'avait jamais été son

fort... Il lui fallait y apporter toute son attention.

La porte s'ouvrit. Perdue dans ses chiffres, elle n'y prit pas garde.

« On peut entrer ? »

D'un bond, Ludivine fit face, repoussant son fauteuil.

« Frédéric ! C'est toi ?... »

Clouée sur place, elle le dévisageait avec une sorte d'incrédulité. Une lourde cloche se mit à battre dans sa poitrine. Sa langue séchait dans sa bouche. Elle ferma les yeux et les rouvrit. Il était là, vraiment là... Cette longue silhouette, ce rire heureux sur les lèvres...

« Tu ne veux pas t'en assurer ? »

En deux enjambées, il fut tout près d'elle.

Bien des fois, elle s'était représenté la scène de son retour. Il aurait télégraphié pour qu'on allât le chercher à Tarascon avec la voiture, et Ludivine se serait trouvée sur le quai pour l'accueillir, avec une contenance parfaitement détachée et tranquille, en épouse offensée qui a pris le parti de se borner à des relations conjugales de pure courtoisie... Ou bien, arrivant seul à la maison, il devait affronter la froideur méprisante de Ludivine, en présence de sa mère et de sa sœur... Ou bien, mais cela, c'était le conte de fées imaginé pour charmer les pires heures et, au fond d'elle-même, elle n'y croyait guère, un matin, en s'éveillant, elle le voyait debout au pied de son lit, et il disait : « Ludivine, mon amour, pardonne-moi. J'ai été si triste, loin de toi. » A chaque heure de la journée, presque, elle avait adapté ce rêve de son retour, se berçant d'avance de tous les mots qu'il lui dirait pour réparer... A chaque heure, oui, sauf peut-être, celle-là où il la surprenait dans cet absurde travail d'écolière, les doigts tachés d'encre, tout ébouriffée, avec cette vieille robe grise qui ne lui allait pas très bien.

Et il était là, lui, comme si rien de doulou-reux ne se fût passé, comme s'il ne venait pas de lui infliger une épreuve... la plus amère qu'elle eût jamais subie dans toute sa vie. Et ce pardon, qu'elle s'était crue en droit de tenir en réserve, il était clair que Frédéric ne penserait pas une seconde à le lui demander.

« Eh bien ?... »

Penché, la joue tendue, il lui offrait cet insupportable sourire qu'elle adorait.

Soudain, elle se retrouva dans ses bras, la respiration haletante comme après une grande course, répétant, sans en avoir conscience :

« C'est toi... C'est toi... »

Il la serra contre lui avec force, et rit.

« Bon, il paraît que je vous ai manqué, madame ?

— Oh ! Frédéric, ne ris pas ! Si tu savais comme j'ai eu mal... Pourquoi m'as-tu fait cela ? Pourquoi ?

— Chut ! Chut ! ma petite reine, ne parlons plus de ça. »

L'enlevant, il la porta jusqu'au fauteuil, l'installa sur ses genoux, et commença à l'embrasser sur les cheveux, sur les joues, sur la frange humide des cils...

« Il ne faut pas, il ne faut pas que je pleure... il va se moquer de moi, me trouver laide. »

« Mais, Frédéric, protesta-t-elle, en reniflant un peu, je veux que tu me dises...

— Tiens, prends mon mouchoir, nigaude. »

Elle le prit, se moucha, et le lui rendit avec impatience.

« Pourquoi n'as-tu pas écrit ? Que faisais-tu, là-bas ? Comment avais-tu le cœur... Non, laisse-moi parler. Je veux que tu le saches : tu m'as rendue très malheureuse ! Et pourtant je n'avais rien fait qui pût... »

D'un baiser, il la réduisit au silence.

« Et maintenant, es-tu encore malheureuse ? »

Maintenant, non, bien sûr. Mais ce poids de chagrin accumulé depuis des jours... A peine commençait-elle à le sentir se soulever. Sans doute ne se retrouverait-elle plus jamais tout à fait comme avant. Quelque chose en elle d'intact, jusque-là, d'insolemment jeune et confiant, avait reçu sa première fêlure.

Mais cela n'apparaissait pas sur le visage que Frédéric tenait entre ses mains comme une coupe. Il en découvrait à nouveau chacun des traits, buvant la plénitude de sa possession.

Il réclama :

« Regarde-moi, chérie. » Pour que, relevant les paupières, elle lui donnât aussi les feux violets de ses prunelles.

« ... Comme tes yeux sont clairs, aujourd'hui ! »

« Tu les aimes encore ? demanda-t-elle, d'une petite voix tremblée.

— Tu ne le sens pas ?

— Oh ! Frédéric ! si seulement..., si je pouvais être sûre que tu m'aimes...

— Méchante, la gronda-t-il doucement, tu es méchante quand tu me parles comme ça. »

Oui, mais il ne répondait pas. Il ne le disait pas. Il ne le dirait donc jamais ? « Oh ! mon Dieu, que je l'entende une fois, une seule fois me le dire ! Que je le sente à moi, mais si fort, si tout entier à moi... qu'il n'y ait plus qu'à mourir après !... »

« Frédéric, je te veux !

— Mais, tu m'as, dit-il, remué par cette

plainte. Folle petite, tu le sais bien que tu m'as. »

La tenant plus étroitement serrée, il inclina la tête vers elle, afin qu'elle pût lire en lui plus loin que les mots.

« Et moi ? »

Elle nouait ses bras, comme pour l'emprisonner, autour du torse puissant dont elle sentait la chaleur à travers les vêtements...

« ... Moi ? Dis ? Tu le sais que je suis à toi ? Tu le sais que je t'aime... que je t'aime, ah !... Dis que tu le sais ?... »

« Oui, je le sais », reconnut-il, avec gravité.

Tous deux se contemplaient profondément. Unis, apaisés, ils demeurèrent silencieux.

Ludivine caressait le visage de son mari, s'émerveillant de reconnaître le grain de la peau, le creux de la tempe, les contours du front, le dessin carré de la joue, le pli familier près de la lèvre...

« Tu es là, mon amour. Tu es revenu.

— Je ne suis jamais parti. Oublie-le. »

Elle savait bien qu'elle ne le pourrait pas, qu'il se passerait sans doute des jours et des jours, avant que son bonheur recouvré ne lui apparût plus comme un don fragile et menacé...

« Comme tu es jolie ! »

Il la caressait du regard.

« Jolie ? Avec cette affreuse robe ? Et mes cheveux décoiffés ? Et mes doigts...

— Tais-toi. Je ne t'ai jamais vue plus à mon goût. » Il prit sa main droite qu'elle examinait piteusement, sourit aux taches d'encre, et l'embrassa.

« ... Mère me l'avait bien dit que je te surprendrais en plein travail.

— Mère ? Tu l'as déjà vue ?

— Mais oui, et Adrienne aussi, et la princesse Isabelle. Tout le monde. Il n'y avait que toi... Il a fallu qu'on me renseignât : « Tu la « trouveras sûrement dans ton repaire. C'est « devenu son quartier général, depuis que tu « lui a mis Mogador sur les bras. »

— Ah ! c'est Mère qui t'a dit... ? »

Frédéric rit et cligna de l'œil.

« Tu reconnais le style, hein ? Elle a même ajouté, qu'autant qu'elle en pouvait juger du haut de son empyrée, Mogador ne paraissait pas s'en porter plus mal. Ce qui est, somme toute, un assez joli compliment dans sa bouche. Avoue-le... »

Envahie de plaisir, Ludivine acquiesça de la tête. A présent, elle se rendait compte que c'était à la vieille dame qu'elle était redevable de ce sursaut nécessaire qui l'avait jetée vers la besogne à accomplir. Que fût-elle devenue, sans cela, tout au long de ces jours de misère ?

Cependant, elle ne pouvait se rappeler sans malaise cette soirée où, à bout de nerfs et de détresse, elle s'était montrée si pitoyable, jusqu'à ce qu'enfin, l'ironie de sa belle-mère l'eût cinglée assez violemment pour lui rendre son orgueil. Depuis ce soir-là, cet orgueil à vif l'avait tenue à l'écart de Julia.

« Je crois qu'elle m'aime bien, au fond, murmura-t-elle, réfléchissant.

— Mais, voyons, cela saute aux yeux que tu es la fille de son cœur. Elle est pour toi d'une partialité scandaleuse. Je soupçonne qu'elle pourrait aller jusqu'à nous enlever Mogador pour te le donner... Et alors, mon cœur, qu'as-tu fait de beau dans le domaine ? Tu me mettras au courant ?

— Eh bien », dit Ludivine, blottie au creux de l'épaule retrouvée, commençant le récit de ses prouesses avec une satisfaction dépourvue de modestie : « ... les foins sont rentrés, le blé aussi. La vigne est splendide, tu verras. On fait les pommes de terre. J'ai passé plusieurs marchés. Un avec Carrière pour... »

— Là, doucement ! Je ne suis pas si pressé de te reprendre les pouvoirs. Tu me diras tout cela demain matin. »

Devant l'expression désappointée de Ludivine, il ajouta, ses yeux gris chaudement posés sur elle : « Tu n'imagines tout de même pas que j'aurais laissé les terres en pleine fenaison, et la moisson à peine fauchée, si je n'avais pas su de quoi tu es capable... »

XIII

La vie reprenait son cours. L'orage qu'ils venaient de traverser semblait avoir laissé derrière lui une zone pacifiée dans laquelle baignaient Frédéric et Ludivine. Julia prétendait qu'ils traînaient après eux un édifiant parfum de vertus célestes. Sans doute ne saurait-on jamais avec certitude à quelles distractions Frédéric avait employé le temps de son voyage à Paris. Mais quoi qu'il pût s'être mis sur la conscience, Ludivine avait fini par renoncer à tout espoir d'éclaircir ce point délicat. La sagesse aidant, elle ne songeait plus qu'à boucler et recrépir les fentes du mur un instant ébranlé, et y réussissait parfaitement, à l'estimation de la vieille dame.

Jamais pareille atmosphère de concorde et de bonne volonté conjugale n'avait flotté sur Mogador.

Tous deux s'enfermaient pour travailler, sortaient, montaient à cheval ou partaient en voiture, rentraient, toujours ensemble, réduisant à l'extrême les obligations qui eussent pu les séparer, et s'isolaient du reste de la maison, avec une sereine inconscience. A peine s'ils consentaient, aux repas, à redevenir un peu plus sociables. Encore écourtaient-ils les veillées pour se retirer dans leur chambre, laissant Adrienne, seule sous la lampe du grand salon déserté, achever, avec sa patience un peu mélancolique, l'ouvrage auquel succéderait, le lendemain, un autre tout pareil.

Ils montaient voir Isabelle, se penchaient un moment sur le petit lit où le bébé dormait avec application.

« Regarde donc, chérie, tu devais être exactement comme ça, au même âge. Endormie, elle te ressemble encore plus. »

C'était vrai. L'enfant n'avait rien, physiquement, de Frédéric. Et cette gravité qu'elle apportait à commencer sa petite vie, comme quelqu'un qui pèse avant de se décider ; ce calme, coupé parfois d'accès de violence imprévus, irrépressibles, qui laissaient Adrienne consternée ; cet entêtement, ces exigences

volontaires, passionnées, rien de tout cela, non
plus, ne lui venait de son père.

« Mais toi, tu es plutôt Angellier, constatait
Julia. Et si elle a pris quelque chose de ton
côté, c'est aux Vernet. Elle a les yeux de
ton père. Et il se pourrait bien qu'elle eût
aussi quelques traits de son caractère. En tout
cas, elle ne paraît pas devoir être une agnelle
bêlante, et j'en suis bien aise. Si elle me
rappelle, un jour, une de mes filles, ce sera ta
sœur Amélia. »

Mal à l'aise, Ludivine écoutait. Cette Amélia
que l'on disait si belle, morte défigurée par
la variole... Et il avait fallu l'enterrer précipitamment, revêtue de la robe de noces que
la couturière avait livrée la veille, tandis que
son fiancé s'enfuyait on ne savait où, à demi
fou de désespoir... Julia se laissait rarement
aller à parler d'elle. Mais pour les trois derniers enfants, elle était entrée dans la légende
de la famille. Hubert, surtout, dont les quatre
ans d'alors n'avaient pas été effleurés par la
réalité du drame, aimait à l'évoquer pour sa
jeune belle-sœur. Mais, certes, il ne plaisait pas
à Ludivine que l'on pût, à propos de sa fille,
réveiller ce fantôme dont la destinée s'était
achevée de façon si terrible à vingt ans.

Pour l'instant, en tout cas, la jeune Isabelle
n'était encore qu'un bébé potelé, agréable à

voir et à embrasser, dont la croissance se déroulait sans encombre et sans soucis pour sa mère, grâce à la vigilance capable d'Adrienne. Après un dernier coup d'œil, ils l'abandonnaient à son sommeil.

Rentrés dans leur chambre, en règle avec la vie quotidienne, ils refermaient leur porte sur le monde. Le ciel moucheté d'astres s'encadrait dans la fenêtre, une fois la lampe éteinte. Allongés, aux bras l'un de l'autre, ils voyaient devant eux s'étendre les grands pays éblouissants et déserts de leurs nuits.

Ils allèrent à Barbegal, curieux de ce bonheur qui ne ressemblait pas au leur. Le repas ordonné par Elise était savoureux. L'après-midi s'écoula sous les marronniers du jardin. Epanoui, dans son rôle d'hôte, le docteur Royer contait avec une simplicité, un sens comique irrésistibles, ses mésaventures professionnelles. Frédéric et Ludivine s'amusaient beaucoup. Elise riait aussi, heureuse de voir se nouer cette amitié. Il fut convenu que les Royer viendraient à leur tour à Mogador...

L'été s'achevait. Vint le temps des vendanges. Une sourde inquiétude s'insinuait en Ludivine. Depuis quelques jours, elle ne se sentait pas très bien portante.

« Est-ce que... ? »

Non, non, ce n'était pas possible. C'était la chaleur...

Elle se raidissait. Il n'y avait qu'à ne pas y penser...

Aux côtés de son mari, elle s'absorbait dans la tâche commune, en réclamait sa part, accompagnant Frédéric, le plus souvent, à travers les vignes déjà touchées de pourpre, tenant pour lui les comptes fastidieux des salaires des journaliers, veillant à leur nourriture, tandis qu'il réglait leurs différends, et surveillait le travail.

Mais, au mois d'octobre, lorsque les champs furent laissés au grappillage, elle dut s'avouer qu'aucun doute n'était plus permis.

Ainsi donc, cet interminable cortège d'ennuis et de souffrances allait recommencer. D'ici peu, elle perdrait à nouveau sa démarche légère, et l'orgueil de sa taille. Assise dans le grand fauteuil de sa chambre, les coudes sur les genoux, le menton dans ses poings serrés, elle méditait sur le désastre : si peu de temps pour être heureuse ! C'était cela, l'existence... Au moins le savait-elle, à présent. Il fallait toujours s'attendre à des désagréments, et essayer de s'en accommoder. Eh bien, elle allait en prendre son parti, puisqu'on ne pouvait faire autrement. Il y avait encore deux bons mois, au moins, avant que cela ne se

vît ; peut-être plus. Elle calculait fiévreuse-
ment... Le cacher à tous, le plus longtemps
possible. « Il faudra faire attention. »

Frédéric, la semaine précédente, avait remarqué : « Tu as mauvaise mine, une pauvre petite
figure toute tirée. Je trouve que tu te surmènes
un peu trop... »

« Le plus difficile, ce sera Mère... Bah ! elle
a presque toujours sa crise aux premiers froids.
Avec un peu de chance, en m'y prenant adroi-
tement... Gagner jusqu'après les fêtes... A ce
moment-là, tant pis. Ce sera en plein hiver :
le coin du feu, des peignoirs flous... Allons,
décida-t-elle, cela pourra passer. Au printemps,
je serai sortie de ce guêpier. Et Frédéric sera
tellement content d'avoir un fils... »

Les choses allèrent ainsi sans obstacles.
Quelques semaines après, la jeune femme vit
s'espacer, puis disparaître ses malaises. Elle
put affronter le traditionnel voyage à Tourvieille en pleine possession de ses avantages.
Et si l'attention de Laure fut éveillée, comme
celle-ci l'affirma plus tard, au moins n'osa-
t-elle s'en ouvrir à quiconque, faute d'indices
suffisants. Une sorte de paix armée s'était
établie entre les deux belligérantes, due à la
froideur que manifestait Frédéric à sa cousine,
depuis le mariage d'Emilie. Il se rendait compte
qu'elle avait, ce jour-là, excité sa jalousie avec

une astuce dont il se sentait peu enclin à l'absoudre. Sans en discerner la cause, Ludivine perçut sa victoire, et dédaigna d'en abuser. Piétiner l'ennemi à terre n'était pas dans ses principes. Laure, humiliée, se retira sous sa tente, dans l'expectative d'un sort meilleur.

Tourvieille avait perdu beaucoup de son animation des années précédentes. Georges, de plus en plus pris par sa peinture, espérait en faire une exposition à Paris. Il préparait aussi un envoi au Salon. Léon disparaissait dans sa chambre durant des heures, n'en sortant que pour galoper « à étripe-cheval », disait Raoul, dans la direction d'Arles :

« Il va mettre son courrier à la poste. Si on ne le marie pas vite, nous n'aurons plus ici que des bêtes fourbues... »

Caroline riait moins souvent qu'autrefois. Sa brillante petite cour s'était dispersée. Les sœurs Barcarin mariées toutes deux, Albert admis à Saint-Cyr, avaient quitté Fiélouse : seuls demeuraient au mas le frère aîné, Philippe, et sa famille, que Ludivine ne connaissait pas.

« Angèle de Barcarin vient souvent rendre visite à Laure. Elles sont grandes amies. Numa s'entend bien avec son fils Gaspard, qui a six ans. C'est une femme agréable...

— Oui ? disait Ludivine, indifférente. Et les deux Rouveyre ?

— Toujours à Albaron. Arlette s'est fiancée à Etienne Saliez. Vous vous souvenez de lui ? Nous voyons Marc de temps en temps... Le pauvre, je l'ai tant et si bien rabroué qu'il a fini par perdre tout espoir, je crois. Ah ! l'amour, l'amour !... »

Elle riait comme elle se fût moquée d'elle-même. Ludivine se sentait le cœur serré devant cette gaieté.

« ... Oui, et elle est déjà un peu moins jolie, observa Frédéric à qui la jeune femme faisait part de ses réflexions.

— Oh !... s'exclama-t-elle, choquée. A vingt ans, voyons... »

Comme les hommes pouvaient être cruels, parfois, avec un détachement, une inconscience, qui renforçaient encore le poids de leur cruauté. Le besoin d'être rassurée la prit :

« ... Et moi ?... me trouves-tu déjà vieillie, moi aussi ?

— Toi, c'est différent, assura Frédéric, en veine de galantes déclarations, tu sais bien que tu es tout ce qu'il y a de plus jeune et de plus ravissant au monde. »

Elle lui coula une tendre œillade reconnaissante, et protesta :

« Je t'en prie, ne plaisante pas.

— Je ne plaisante pas », affirma-t-il, solennel.

Ils rentrèrent à Mogador avec plaisir, malgré l'insistance de tante Lucie et de l'oncle Antoine à les retenir.

L'hiver était venu de bonne heure, cette année-là. Il y eut, de nouveau, fête à *La Sarrazine*. Par une belle journée immobile et gelée de décembre, Blanche épousa Léon dans l'église de Maillane. Tante Sophie, très émue, se trouva mal au milieu de la cérémonie. On dut l'emmener. Emilie était là, rayonnante, presque belle. Le mariage lui réussissait étonnamment. Caroline, cette fois, avait Edmond pour cavalier.

« Tu ne crois pas que, peut-être ?...

— Il ne l'aime pas et ne l'aimera jamais », fut la réponse de Frédéric.

Sans doute savait-il à quoi s'en tenir. Ludivine soupira :

« Pauvre Caroline... »

La jeune fille paraissait si peu faite pour un amour malheureux...

« ... Je crains qu'elle n'en veuille jamais épouser d'autre... »

Et, comme le spectacle de toute passion la ramenait immanquablement à la sienne :

« ... Oh ! Frédéric, chuchota-t-elle, moi, si tu ne m'avais pas aimée, je... je crois que j'en serais morte.

— Peste, comme tu y vas ! » Il souriait, ému malgré lui.

Elle posa la main sur son bras et le dévisagea, anxieuse.

« Peux-tu imaginer que tu es marié avec une autre ?

— Non, mille fois non ! » avoua-t-il, repoussant l'hypothèse avec un accent de conviction qui fit bondir le cœur de Ludivine.

Ce soir-là, elle décida de lui offrir, comme son plus beau cadeau de Noël, cette promesse cachée en elle.

***

« Tu m'enverras Ludivine, avait dit Julia. Et je t'en prie, mon garçon, cesse de te rengorger comme un coq de basse-cour. J'ai eu six enfants sans que ton père se soit jamais rendu aussi ridicule. »

Légèrement penaud, Frédéric avait quitté la place. Mais dès qu'il fut dans le couloir, toute sa fierté lui revint. — Mère était si mal en point, ce matin de liesse, après une nuit de suffocations et d'insomnie... Et Hubert qui n'avait pu venir... Elle était bien excusable... il ne fallait pas se tracasser de ses propos acerbes. Quant à lui, la révélation de Ludivine, son cadeau, comme elle disait, l'avait enlevé jusqu'aux sommets de l'exultation. Ce jour de

Noël, on eût pu chercher longtemps, à vingt lieues autour des Alpilles, un homme aussi comblé que Frédéric Vernet.

Il ouvrit la porte de leur chambre, et s'arrêta sur le seuil.

Ludivine, qui achevait de s'habiller pour la messe, se retourna et lui sourit avec coquetterie.

« Comment me trouves-tu ? Viens vite me regarder avant que je ne sois devenue repoussante.

— Repoussante, toi ? Mon petit soleil !... » protesta son époux, ardent. Il s'approcha.

« Tu as vu Mère ? demanda-t-elle après avoir reçu le tribut.

— Oui, elle te demande.

— J'y vais. »

Nantie d'un dernier baiser, elle sortit, tandis qu'il renfonçait en lui, sans vergogne, un frêle sentiment de culpabilité : « L'humeur de Maman... la prévenir. Oui... j'aurais peut-être dû... Bah ! elle s'en tirera. Personne qui sache prendre Mère comme elle. Dans cinq mois, cinq mois seulement !... »

Comme elle avait bien su garder son secret : « Ludivine... Ludivine... »

Son nom était comme une chanson sur les lèvres de Frédéric. Le cœur gonflé de joie, il s'en fut la chanter à la bise, aux arbres noirs, à la neige qui couvrait les pelouses, aux paons silencieux dans leur volière, aux vignes dépouillées, aux oliviers frissonnants, à tout ce Mogador qu'ils aimaient l'un et l'autre.

« Alors, tu as fini par te décider ? demandait pendant ce temps Julia à sa belle-fille. Entre nous, tu y as mis de la réflexion. J'en venais à croire que tu te bornerais à nous présenter, un beau matin, l'enfant du miracle... »

Confondue, Ludivine rougit.

« Comment, Mère, vous le saviez ?

— Depuis beau temps, ma fille. »

C'était trop fort ! Avec toutes les précautions qu'elle avait prises.

« Mais... Comment ?

— Ah ! tu t'imaginais être bien à l'abri, n'est-ce pas ? bien protégée par tes petites ruses... Mais, tes ruses, elles n'étaient pas bonnes à tromper la plus bornée des femmes de chambre ; tout au plus ton dadais de mari...

— Mère !... »

Oser qualifier Frédéric... Ludivine montrait les dents comme une jeune louve.

Un éclair brilla dans les prunelles pâles de Julia.

« Tout beau, ma chère, ne te fâche pas. C'est de mon fils que je parle. Tu ne peux m'en dénier le droit, je suppose ? Bien que tu aies une tendance à le considérer comme ta propriété strictement personnelle. »

Un instant leurs regards croisés se défièrent. Puis, Ludivine découvrit une ombre de malice dans celui qui narguait sa mine hérissée. Eclatant de rire, elle s'assit, très à son aise.

« Vous ne m'attraperez pas, cette fois, Mère. Oui, Frédéric est à moi. Et je suis très capable de me battre sans merci pour défendre mon bien. Mais vous ne me forcerez pas non plus à rompre la trêve de Noël. En outre, si vous me mettez trop en colère, comment ferez-vous, ensuite, pour me donner votre cadeau sans paraître vouloir vous faire pardonner ? »

La vieille dame se dérida franchement.

« Tu vas bien m'offrir le tien, enveloppé dans ce paquet d'impertinences... Mais il y a un grain de sens dans ce que tu dis. Allons, tiens, embrasse-moi, et prends ceci. »

Elle lui tendit un écrin.

« Oh ! qu'est-ce que c'est ? demanda Ludivine.

— Tu le regarderas dans ta chambre. Tu sais que j'ai horreur des congratulations.

— Très bien. Alors, voici pour vous. Je l'ai choisi toute seule. J'espère que vous me direz si cela vous convient. »

Pleine de curiosité, elle tournait entre ses doigts la petite boîte liée de rose, dans son papier de soie blanc.

« Merci. Et... bon Noël, Maman !

— Bon Noël, fillette ; et beaucoup d'autres comme celui-ci. Maintenant, je ne te tiens pas quitte, continua-t-elle avec vivacité, devant le mouvement de retraite esquissé par sa bru. Viens là, et explique-moi pourquoi toutes ces cachotteries. Philo s'en ronge les poings et me casse la tête : « *Comme si cet enfant n'avait pas un père !* »

Ah ! c'était donc Philo qui...

Ludivine pensa qu'elle s'en souviendrait. Bien entendu, elle aurait dû songer à tous ces potins de l'office...

« C'est que... je voulais... » Elle chercha une seconde. « ...Vous faire une surprise.

— Ludivine, ne mens pas, dit paisiblement la vieille dame.

— Eh bien... »

Et, renonçant à tout subterfuge :

« ...Eh bien, en réalité, c'était pour avoir la paix... » Enfin, se reprit-elle, gênée : « Je veux dire... n'est-ce pas ?... Je voulais vivre encore un peu comme tout le monde, vous comprenez ? »

Julia se mit à rire.

« Oh ! c'est assez clair. En somme, conclut-elle, après avoir réfléchi, tout cela est de la faute d'Adrienne et de Philo. Si l'on ne t'avait pas cadenassée, la première fois... Fie-toi à moi

pour le leur dire !... Allons, c'est toi qui a
raison. Après tout, je ne vois pas pourquoi
les femmes font tant de manières, dans ces
cas-là. Du temps de nos aïeux, on se dorlotait
moins. Va, mène la vie qui te convient, et
donne-moi un petit-fils qui te ressemble, je
ne m'en plaindrai pas trop. »

Mais le petit-fils tant attendu ne vint pas.
A sa place, cinq mois plus tard, jour pour
jour, naissait une seconde fille. Devant le
désappointement général, Frédéric, magna-
nime, prit avec chaleur le parti de la pauvrette.
Soulagée en le voyant se résigner si facilement,
Ludivine se fit apporter l'enfant, la trouva
jolie, et déclara qu'on l'appellerait Anne.

« Encore un nom de reine », sourit Adrienne
qui, déjà, tournait autour de sa nouvelle nièce.

Quelques heures s'étaient à peine écoulées
que nul ne semblait se souvenir, à Mogador,
de quels espoirs déçus Anne prenait la place.

On baptisa la petite fille, en présence de
toute la parenté.

Fiançailles, mariages, naissances ou deuils,
chaque solennité donnait lieu à ces réunions.
La famille, au grand complet, considérait
comme un devoir d'y assister. Etayés l'un à
l'autre, les trois grands fiefs faisaient figure

de puissance, dans la région. D'Avignon en Arles, et jusqu'aux Saintes-Maries-de-la-Mer, on prononçait avec une nuance de respect : « Les Vernet de Mogador, et ceux de Tourvieille » ou « les Angellier de *La Sarrazine* », à peu près comme on eût dit : ' « les marquis de Barbentane » ou « les princes des Baux ».

Ludivine s'en rendait compte. La fierté qu'elle en retirait compensait un peu la monotonie de ces agapes sans imprévu, où se retrouvaient invariablement les mêmes convives, où l'on parlait chevaux, vignes, récoltes, avec religion ; et politique avec gravité.

Tous ces grands terriens envisageaient avec une méfiance dépourvue de passion les « menées extrémistes » qui commençaient à se faire jour, à Paris. Chez eux, les fermages se payaient généralement sans peine, les valets et les journaliers recevaient de bons gages. Chacun avait sa place à table, son coin au soleil. Une sorte de solidarité régnait de maître à serviteur. Nul n'entrevoyait la nécessité de changer quoi que ce fût à un ordre de choses aussi satisfaisant pour tous. Unis dans la même opinion, ils considéraient les revendications sociales dont la capitale était le théâtre, du même œil qu'ils auraient regardé une maladie de la pomme de terre, ou du raisin, envahissant un champ bien séparé des leurs. Se tenant volontiers un peu à l'écart, ils demeuraient unis, jaloux de leurs coutumes, attentifs à vivre comme leurs parents avaient vécu.

Somme toute, Ludivine s'était parfaitement accoutumée à ces mœurs de clan. Peut-être était-ce là, songeait Julia, comme une contre-partie de son enfance orpheline. Ou peut-être, simplement, retrouvait-elle alors, au milieu de tous, invisible, ce sentier de la solitude d'où son mariage l'avait arrachée. Julia inclinait à le croire, elle qui, depuis des années, dans son fauteuil d'éternelle malade, au sein même des repas les plus animés, s'était si souvent abstraite, jusqu'à ne plus percevoir autour d'elle qu'un brouhaha vide de sens au milieu duquel les visages s'éloignaient, devenaient soudain étrangers.

Hubert vint en permission pour le baptême. Il avait bonne mine, dans son uniforme où reluisaient à neuf les galons de maréchal des logis. Sa mère l'examinait à la dérobée. On pouvait s'enorgueillir de ce beau garçon. Moins grand que Frédéric, mais presque aussi large d'épaules, il était bien un Vernet, lui, avec sa mâchoire dure, ses cheveux noirs drus, et son regard brun — celui de Rodolphe — vraiment, oui, un Vernet... La ressemblance s'était accusée depuis son départ pour le régiment. Pourtant, Julia s'attardait à chercher en vain,

sur son fils, quelque chose d'indéfinissable,
déjà perdu : cet air de jeune chien fou, dégingandé, de naguère... Il avait été longtemps son
dernier petit garçon. Maintenant une page était
tournée, une de plus pour Julia Vernet qui
regardait s'effeuiller le livre...

« Ah ! pensait-elle, que Ludivine nous donne
un fils au plus vite !... »

XIV

ISABELLE eut trois ans. C'était une belle petite
fille en qui l'on retrouvait certains traits de
son oncle. Pour Hubert, d'ailleurs, l'enfant
savait se faire caressante, et presque docile.
Mais nul autre ne pouvait se flatter d'avoir
apprivoisé cette nature difficile. Elle était,
lorsqu'elle voulait s'en donner la peine, d'une
grâce extrême à laquelle on ne résistait pas ;
mais ses emportements dont on n'apercevait
pas le motif, se déchaînaient soudain sans
qu'on pût les endiguer.

Impénétrable, contemplant le berceau où la
petite Anne riait à tous, généreusement, elle
se perdait dans des méditations qui inquié-
taient les grandes personnes.

« Tu es contente d'avoir une petite sœur ? »

Arrachée à ses pensées, la jeune Isabelle levait vers le fâcheux un regard qui, le toisant, le décontenançait.

« Oui. »

Sa politesse laconique, plus insolente que ne l'eût été un refus de répondre, laissait à l'interlocuteur démonté, un bizarre sentiment de malaise, et l'incitait, en général, à borner là ses avances.

« Ma parole, je crois qu'elle me ferait baisser les yeux, riait Frédéric. J'ai l'impression que Mère et toi, trouverez à qui parler, un de ces jours. Je serais curieux d'assister à une conversation entre vous trois, d'ici quelques années. »

Ludivine haussait les épaules, mortifiée de voir sa fille lui marquer aussi clairement le pauvre prestige qu'elle lui accordait. « Cela vient de ce qu'Adrienne ne sait pas se faire obéir », pensait-elle.

Fruit de ces réflexions, un plan d'éducation s'échafaudait : elle allait prendre en main la petite fille. Elle se promettait d'être douce et patiente, mais inflexible. L'enfant devait se sentir dominée... Demain, elle expliquerait à sa belle-sœur...

Mais le lendemain, Frédéric disait :

« Il faut que j'aille à la ville. Viens-tu avec

moi ? Nous passerons chez les Royer, ce soir, en rentrant, si j'ai fini assez tôt. »

Une belle journée à eux deux, tout entière... Et cet arrêt au retour, dans la petite maison accueillante d'Elise... ; il n'y avait plus qu'à se préparer, et monter en voiture.

« Adrienne, ma chérie, veille bien sur les petites.

— Sois sans crainte. »

Embrassée, cajolée, déposée à terre, Isabelle reprenait ses jeux silencieux, un instant dérangés. Anne se démenait et riait aux éclats, dans les bras de la nourrice qui avait succédé à Mathilde, promue bonne d'enfant.

Tout allait bien, en somme...

Julia eut une crise cardiaque grave. L'inquiétude pesa sur Mogador. Abandonnant ses nièces, Adrienne s'établit dans la chambre attenante à celle de sa mère. Ludivine dut, cette fois, s'occuper des enfants. Mal secondée par Mathilde, dans cette tâche inhabituelle, elle réussissait cependant assez bien avec Anne. Douée d'un heureux caractère, celle-ci, contrairement à sa sœur, ne témoignait d'aucune préférence, et distribuait ses gentillesses avec la plus équitable impartialité.

Mais Isabelle demeurait irréductible. Bien

des fois, exaspérée par l'hostilité muette de l'enfant, Ludivine se résolut à quitter la place, pour ne pas s'exposer à voir s'effriter aux quatre vents le calme d'emprunt qui masquait son impuissance.

Sortant de chez sa mère, Frédéric la retrouvait nerveuse et lasse. Il la réconfortait de son mieux, s'offrant parfois à la remplacer quelques instants. A la volonté de sa fille, il opposait, d'instinct, les mêmes armes qui lui servaient à l'égard de sa femme, et s'amusait de reconnaître chez l'enfant les réactions de Ludivine.

« Je me demande, lui exposa-t-il, un jour, si tu t'es jamais avisée du fameux atout que cela a été pour toi de perdre tes parents, si jeune.

— Oh ! »

Scandalisée, elle ouvrait de grands yeux.

« Mais oui ! Regarde donc : Isabelle n'a pas la même chance, elle. La voilà en train de se débattre contre nous tous. Imagine-toi à sa place...

— Oh ! Frédéric ! Mais tous les enfants ont un père, une mère, et obéissent, et...

— Mais toi, l'as-tu fait, mon cœur ?

— Non, bien sûr, mais... Mais moi, je suis allée au couvent. » Elle brandissait triomphalement l'argument : « J'avais sept ans, mon

chéri, lorsque j'y suis entrée comme pensionnaire.

— Pauvre petite fille ! dit-il, en la serrant
contre lui. Mais, tout de même, vous étiez là,
à trente ou quarante contre une : et les religieuses n'avaient qu'à bien se tenir, même si
tu étais seule de ton espèce, ce que je crois
volontiers. »

Egayée, Ludivine se rappelait l'épopée de ses
rapport avec mère Jeanne-des-Anges. Elle ne
protesta pas.

« De toute manière, conclut Frédéric, Isabelle n'ira pas en pension, et nous pourrons
juger, d'après elle, de ce que serait devenue
sa mère, élevée dans les joies d'une enfance
au foyer. »

Il y avait du vrai, dans le raisonnement de
Frédéric, bien que sa manière de présenter les
choses fût un peu agaçante. A la réflexion,
Ludivine était bien obligée d'en convenir.
Derrière ce bout de femme indomptable
se levait un autre petit personnage d'un
temps déjà presque oublié au fond de sa
mémoire.

Néanmoins, lorsque après trois mois de
soins, de souci, de convalescence coupée de
rechutes, l'état de la malade permit à Adrienne,
libérée, de reprendre sa place auprès des enfants, Ludivine la lui abandonna avec un

empressement qui en disait long sur la contrainte que lui avait imposée ce rôle.

Un printemps nouveau s'annonçait ; ce printemps de Provence qui naît en février, et se hâte, déjà guetté par la sécheresse de l'été, pour éclater en gerbe émouvante, durant le temps si bref qui lui est imparti.

On discernait le gonflement des bourgeons sur les branches nues. Vinrent le nacre des amandiers, le corail clair des pêchers, l'ivoire frissonnant et tendre des poiriers... Les prés s'étoilaient de narcisses... Une nuit faisait éclore l'aubépine parfumée des buissons... Au coin de la pelouse, en face de la maison, les fleurs du magnolia furent, en mars, comme un vol d'oiseaux blancs posé sur l'arbre mort.

Puis le lilas entrouvrit ses grappes fugitives. Du fouillis de languettes vertes des bordures, surgirent les tiges dressées des grands iris violets et mauves, au cœur tigré de jaune. Il y eut des fleurs de glais dans les fossés, et le long de la roubine ; le chèvrefeuille foisonna sur les haies ; les coquelicots se déplièrent au bord des talus ; les genêts et le cytise étalèrent leur gloire aux pentes des collines, le romarin, la menthe sauvage, et les genévriers.

Frédéric aimait cette saison où la fuite du temps n'est pas encore une menace ; où chaque heure porte en elle sa promesse... Heureuse, Ludivine le suivait, partageant ses journées, apprenant de lui sa gravité toujours voilée d'un sourire, son sens de la beauté du monde, et cette discrétion à l'exprimer, dont il se départait peu à peu, pour elle. L'existence prenait une saveur de fruit mûr, frais-cueilli...

« C'est comme si, avant, j'avais été seulement amoureuse de lui. Maintenant, je commence à l'aimer », découvrait-elle, avec un étonnement un peu ivre.

**

Libéré du service depuis plusieurs semaines, Hubert reprenait sa place. Mais l'homme qui revenait ne s'identifiait pas à l'adolescent dont tous avaient gardé le souvenir. Les rapides permissions au cours desquelles on l'avait revu à Mogador, n'avaient pas préparé ce retour. Chacun, alors, l'avait accueilli et traité avec cette sorte de gêne heureuse qui préside aux rapports de ceux qui, s'aimant, découvrent qu'ils ne savent plus rien les uns des autres, et cachent ce vide, avec une bonne volonté maladroite, sous des mots sans importance. Il repartait ensuite, laissant Mogador reprendre sans lui sa vie quotidienne qui continuait, resserrée, et, peu à peu, nivelait les traces de l'absence.

C'était cette vie quotidienne qu'il fallait forcer, à présent. Seules de nouvelles habitudes, lentes à se créer, l'y aideraient. Mais il était dur de voir fuir entre ses doigts, comme de l'eau, la joie de ce retour tant désiré. Hubert errait dans la maison, des uns aux autres, à la recherche du passage juvénile qui le relierait à eux.

De son côté, Julia s'appliquait à deviner ce fils inconnu que l'existence lui ramenait. Seule avec lui, dans sa chambre, elle l'observait.

Déconcerté, Hubert attendait vainement la raillerie familière. Les yeux gris posés sur lui interrogeaient ses traits, appelaient secrètement, derrière leur ressemblance, un autre visage estompé depuis vingt ans qui, parfois, affleurait celui-là.

Un instant, Julia voyait s'abolir le temps. Ce beau garçon aux traits virils, au regard brun plein d'une assurance caressante... Ces larges épaules... c'était Rodolphe qui se tenait là. Non, certes, le Rodolphe irritable, taciturne, maigre, aux traits creusés, qui était revenu de la guerre pour mourir longuement auprès d'elle. Mais celui qui avait dit, un lointain matin d'avril : « *Vous voici chez vous, ma mie* », tandis que la voiture franchissait la grille. Un matin bleu clair, emperlé de rosée, plein de rires d'oiseaux, et de cloches sonnantes, comme ceux que l'on a rencontrés en rêve ; un matin miraculeux, né une fois pour Julia Angellier et son amour... Il n'avait plus jamais fait aussi beau, depuis ; il n'y avait plus eu de vent aussi frais, de soleil aussi chaud, de joie aussi douce... Il n'y en aurait plus... Jamais plus.

La vieille Julia fermait les yeux sur ses pensées.

« Vous êtes souffrante, Mère ? demandait Hubert, inquiet de son silence.

— Non pas, non pas. A peine un peu lasse... »

Avide d'offrir son aide, de parler du domaine, de s'initier, il rejoignait Frédéric dans le petit bureau, le trouvait étendu sur le vieux canapé, un coussin sous la tête, tirant sur sa pipe avec béatitude, allongeant ses jambes au mépris des traces que laissaient ses souliers boueux. Et Ludivine, assise, à sa place, devant la table, insoucieuse de la fumée, écrivait sous sa dictée, en discutant avec lui, pleine d'une compétence dont s'effarait le jeune homme.

Tous deux paraissaient parfaitements sûrs et forts, isolés dans leur entente. Ils étaient un bloc, un bastion, une forteresse étalant son orgueil d'être inabordable, à la face du monde.

On lui souriait pourtant. On l'invitait à

entrer, on lui faisait place. On allait jusqu'à
s'enquérir de son avis sur des questions dont
il ne savait pas le premier mot... Il semblait
à Hubert qu'on lui fît la charité. Blessé, il se
réfugiait dans une nonchalance affectée ; affichant un manque complet d'intérêt, il demandait la permission de fumer un cigare...

Ludivine riait. La demande était saugrenue,
formulée au sein de cette tabagie.

Il écoutait ce rire d'autrefois, tout pareil à
son souvenir, comme elle-même était encore
toute pareille, rieuse, dorée, vêtue de frais
basin crème. Cette robe jaune qu'elle portait,
le jour du départ... Il avait envie de lui dire :
« Vous souvenez-vous ? »

Mais pourquoi se fût-elle souvenue ? Trois
ans de cela... Une robe comme une autre, pour
elle... Eût-il pu lui raconter que, des nuits et
des nuits durant, quand le désir de Mogador
le tenait éveillé dans la chambre lourde de
respirations, de sueurs, de corps alignés,
c'étaient cette robe et cette ombrelle garnie
de rubans, qu'il croyait voir passer entre les
massifs, sous ses paupières brûlantes. Il avait
aimé à se rappeler, d'elle, jusqu'au moindre
détail : ce balancement, en marchant, qu'elle
savait donner à ses jupes ; cette façon altière
de rejeter en arrière sa tête que le poids des
cheveux paraissait entraîner ; sa vivacité, son

impatience autoritaire ; ce léger pli irrésistible
de la bouche, et ces yeux, tantôt clairs comme
la première violette, tantôt étincelants et
sombres comme ces grands iris noirs
qu'elle aimait... Et son parfum, toujours le
même...

Tant de mois passés où, fermant les yeux,
il avait cru le respirer... Et à présent, de nouveau... Il se défendait de la contempler, et la
cherchait du regard, en même temps, recevant
le sien comme un choc. Les amourettes de
garnison, cette jeune fille qui l'avait, un
moment, distrait, comme tout cela était loin,
déjà, et de peu de prix...

« Aimez-vous toujours les iris, Ludivine ?

— Sans doute. » Etonnée, elle haussait les
sourcils. « Quelle question... Pourquoi ?

— C'est que je pensais qu'ils vous ressemblent...

— Qu'ils me ressemblent ? »

La plume en l'air, elle oubliait son travail.

« ... Mon Dieu, Hubert, quel joli compliment ! »

Paisible, du haut de sa certitude conjugale,
Frédéric tira une bouffée de sa pipe.

« Eh, dis donc, mon garçon, je crois que
tu fais la cour à ma femme ? »

Mais le temps n'était plus où Hubert eût
perdu la face devant cette remarque cava-

lière. La vie de soldat l'avait aguerri sur ce point comme sur bien d'autres.

« Et quand cela serait ? demanda-t-il tranquillement. Regarde-la. Elle est faite pour être admirée, plutôt que pour additionner des chiffres.

— Oh ! Oh !... demande-lui donc ce qu'elle préfère, dit Frédéric, moqueur. Tu vas bien l'embarrasser, je parie.

— Est-ce vrai, Ludivine ? Alors, tranchons la question : faites de la comptabilité avec votre époux, et venez ensuite cueillir des fleurs avec moi. » Il luttait avec le tumulte intérieur que la remarque de Frédéric avait fait lever. Après tout, elle était sa belle-sœur. Pourquoi ne se fût-il pas montré galant ? N'était-ce pas naturel ?

Ludivine leur souriait, heureuse d'être l'objet de cette légère passe d'armes fraternelle.

« Je le voudrais bien, mais je crains que Frédéric ne soit jaloux, dit-elle, avec une ombre de malice. Il est terrible...

— Jaloux ! Savez-vous que vous me faites un immense honneur, à le supposer ? »

Elle adressait à son mari une grimace taquine. Frédéric, bon joueur, lui renvoya un sourire. Sans comprendre, Hubert sentit passer entre eux quelque chose dont il était exclu. La pièce lui parut soudain inhospitalière.

Il se leva. Tous deux se retournèrent vers lui.

« Tu nous quittes déjà ?

— Oui, dit-il, détaché. Décidément, Ludivine, je crois qu'il vaut mieux que j'aille porter mes hommages à vos filles.

— C'est cela. Allez retrouver votre favorite. »

Ils ne le retenaient pas. Evidemment, ils avaient hâte d'être seuls à nouveau. Ils s'aimaient, et n'avaient nul besoin de sa présence. Hubert les imaginait étouffant un soupir de soulagement, une fois la porte refermée. Peut-être même se moqueraient-ils... La pensée des railleries de Frédéric, il l'eût encore affrontée avec calme. Mais que Ludivine pût... Il voulut effectuer une sortie dégagée, heurta l'angle du bureau, se prit le pied dans le tapis usé, et faillit tomber.

« Ah ! ces poètes... » s'exclama Frédéric, avec un rire affectueux.

Au désespoir, Hubert s'en fut sans un mot.

Abandonnant sa chaise, Ludivine vint s'asseoir au bord du canapé. Toute son attitude quêtait une caresse.

Frédéric lui tapota la joue avec une tendresse bourrue.

« Paresseuse !... Déjà fatiguée ? »

L'air rêveur, elle questionna :

« Est-ce que tu trouves qu'il a raison ?

— Raison ? Comment cela ?

— Eh bien... à propos des iris... »

Elle guettait sa réponse, du coin de l'œil.

« Quelle damnée petite coquette vaniteuse tu fais ! » s'exclama-t-il, riant de tout son cœur.

Elle posa la joue contre la sienne, et rit avec lui.

Le cœur lourd, Hubert s'était mis à la recherche des petites. En le voyant entrer, Isabelle, absorbée dans un album d'images d'Epinal qu'il lui avait rapporté, leva vers lui un visage radieux. Anne se trémoussa sur les genoux de sa tante, avec des cris de satisfaction.

« Ma pauvre Adrienne, elle va t'échapper des mains, remarqua-t-il, égayé.

— Elle est belle, n'est-ce pas ? dit Adrienne, orgueilleuse.

— Superbe ! »

Devant le concert le louanges, le bébé se rengorgea.

« Z'ai deux-z-ans », énonça-t-elle, d'un air grave, un doigt dans la bouche.

Hubert siffla d'admiration.

« Oh ! une jeune fille, tout à fait !

— Quel dommage que tu n'aies pas été de retour pour son anniversaire. Chacun de nous lui a offert quelque chose, même sa sœur. Elle a déjeuné à table, à la place d'honneur, vis-à-vis de Mère...

— Mais j'y serai pour le prochain... Et aussi pour celui d'Isabelle », ajouta-t-il en se tournant vers elle.

L'enfant attachait sur lui un regard de femme, dur, étincelant, désespéré...

Un instant interdit, il s'approcha.

Isabelle le regardait venir sans rien dire. Lorsqu'il fut à deux pas d'elle, sans le quitter des yeux, elle prit son livre, et, posément, mais de toutes ses forces, le déchira.

« Isabelle ! » cria Adrienne.

Hubert contemplait le désastre.

« ... Ton beau livre ! Méchante petite ! Demande pardon à ton oncle Hubert, tout de suite... »

« Mande pa-don », appuya Anne, à l'unisson.

Isabelle reprit les morceaux et continua son œuvre de destruction.

Outrée, Adrienne, déposant le bébé à terre, se leva.

Devant l'imminence de l'attaque, la jeune révoltée fit face avec un dédain superbe.

« Laisse-la !

— Mais... Non, Hubert, ne vois-tu pas comme elle est...

— Je te dis : laisse-la. »

Clouée par la violence du ton, sa sœur hésitait. Plus doucement, il ajouta :

« ... Je ne veux pas que ce que j'avais apporté pour lui faire plaisir devienne la cause d'une punition... J'ai un peu de peine, Sabel », dit-il encore, en s'en allant.

Sombre, la petite se détourna.

Voyant qu'il n'obtiendrait pas une parole, il se décida et sortit.

Isabelle considéra la porte refermée, de ses yeux brûlants et secs. Frappée, devant son expression, Adrienne se rappelait l'avoir rencontrée sur un autre visage, durant ce temps déjà ancien où Frédéric était demeuré au loin...

Brusquement, une tempête de sanglots creva dans le silence consterné de la pièce. Adrienne respira : la détente viendrait ensuite. Il fallait que se débridât la plaie de ce cœur exclusif.

« C'est toi qui lui as fait tant de chagrin, chérie », murmura-t-elle, de tout près, sans la toucher.

Hoquetante, Isabelle fondait, se désagrégeait.

« Oh ! Tatie ! Tatie...

— Toi pleure pas », conseilla Anne, occupée à récolter avec soin les débris de l'album.

Méditative, Adrienne, caressant une tête brune enfouie dans les plis de sa jupe, regardait le bébé achever ingénument son butin de pilleur d'épaves.

Au bout de quelques semaines, pourtant, Hubert s'aperçut, un beau matin, sans savoir comment cela s'était fait, que Mogador l'avait repris et absorbé. Le souvenir du régiment s'effaçait peu à peu... Il commençait à se trouver au fait des menus événements qui constituaient la monnaie des conversations journalières. Il avait revu ses amis Raynal, renoué avec quelques jeunes gens du voisinage, recueilli les regards flatteurs, timidement posés sur lui, des jolies filles. Fréquemment, on le voyait s'absenter :

« Il s'amuse, l'animal ! » disait Frédéric à sa femme. En confidence, il ajoutait : « On l'a vu en bonne compagnie, l'autre soir, à Avignon, chez Lance. Tu sais, après les courses de Roberty... »

Hubert fit aussi la connaissance du docteur Royer. Celui-ci passait souvent, après ses visites, reprendre sa femme, venue l'après-midi. Tous deux dînaient à Mogador. Elise attendait son premier enfant, tout éclairée d'un bonheur qui semblait émaner d'elle et l'entourer comme un halo. Sa fraîcheur, sa simplicité, avaient conquis jusqu'à Julia qui la ménageait.

« Elle est heureuse d'être tombée sur le mari qu'elle a, déclarait la vieille dame. Dépourvue de défense, comme elle l'est, que fût-elle deve-

nue, entre les pattes d'un lourdaud comme
il y en a tant ? »

Mais la bonté brusque du docteur Royer, sa
finesse, ses saillies plaisaient à Julia. Elle raf-
folait des anecdotes qu'il lui contait, avec une
verve imprévue chez ce grand garçon, aux
manières gauches. Ne quittant guère son fauteuil, au coin du feu ou dans un bosquet abrité
du parc, selon les saisons, elle savait, par lui,
toute la chronique du pays, ses joyeusetés, ses
peines et ses misères contre lesquelles il lui
demandait parfois du secours, sans embarras,
comme à une alliée tacite, plus franchement
que n'osait le faire le curé. Lui seul, en outre,
parmi tous leurs amis, se risquait à la taquiner,
voire à la contredire.

Oui, c'était « quelqu'un », avait-elle décidé,
lui ouvrant sa maison.

« J'espère que vous allez lui donner un fils
qui lui ressemble, ma belle. Il le mérite, ce
garçon », disait-elle à Elise.

Ludivine se sentait un peu humiliée : un fils.
Naturellement, voilà ce que tout le monde
souhaitait. Ses deux filles étaient bien jolies,
certes, mais... — Elle pensait que Frédéric,
tout tendre père qu'il se montrât, eût préféré
un solide garçon. — Enfin, bientôt, peut-être...
Personne ne se doutait encore, à Mogador.
Elle-même n'était à peu près sûre que depuis

quelques jours... Les choses se présentaient assez désagréablement. La chaleur l'éprouvait du premier... Cette fois, ce serait moins dur, déjà. Encore un été gâché... Elle se souvenait malgré tout : l'enfant naîtrait sans doute après les fêtes du Jour de l'An.

Peu après, elle en fit la confidence à sa belle-mère.

« C'est le plus grand plaisir que tu pouvais me procurer. Tâche de nous « le » réussir, ce coup-ci. L'as-tu dit à Frédéric ?

— Pas encore. Je pense que je vais attendre au mois prochain, et le lui annoncer pour l'anniversaire de notre mariage. »

Julia demeurait pensive.

Cinq ans, bientôt. Cinq ans que cette petite était arrivée à Mogador, duveteuse comme un poussin, le bec à peine formé ; mais décidée, mais vaillante, prête à entrer à son tour dans la lice. Maintenant, c'était une jeune femme que mille petites aspérités avaient déjà égratignée, qui avait appris, chaque jour...

... Et Dieu sait, se disait Julia, tout ce qu'il lui faudra encore apprendre. Tout ce qu'il est bon, et nécessaire d'apprendre, dans la souffrance, les larmes, et l'amertume de se taire, avant d'accepter enfin cette idée que l'on meurt... qu'il vient un jour où ni soleil, ni vent, ni voix aimée, ne vous atteignent plus dans votre corps abandonné, descendu au profond de cette nuit de pierre, et que c'est le repos, et que l'on y consent.

XV

IL arriva des nouvelles de *La Sarrazine*. Un premier petit Vernet y venait de naître. Blanche demandait à Frédéric d'être parrain. Il accepta.

L'automne, précoce, cette année-là, empourprait insidieusement les haies. On achevait des vendanges que la pluie de septembre avait gâtées. Mauvaise année pour la vigne... Mais le maître de Mogador ne s'en souciait pas beaucoup. Quelle année eût pu être mauvaise, qui lui apportait l'espoir d'un fils ?

Ludivine, qui se portait admirablement, prit prétexte de sa grossesse déjà avancée, pour laisser Frédéric se rendre sans elle au baptême, accompagné d'Adrienne, et d'Hubert. Depuis

la soirée des noces d'Emilie, elle n'était jamais
retournée volontiers à *La Sarrazine*.

« Je me demande si je ne suis pas lasse,
tout simplement, de la vie mondaine, dit-elle
à Julia. Voyez-vous, Mère, c'est si monotone,
à la longue. D'avance, je pourrais dire comment cela se passera ; le repas, les conversations, les petites pointes entre femmes, chacune
dénigrant, à part soi, la toilette des autres ;
les compliments, toujours les mêmes, des
messieurs, leurs discussions politiques... Qui
sait combien de temps encore, il nous faudra
les entendre parler de Panama ?... Bien
entendu, il y aura les histoires d'Egypte, et
celles d'Erythrée. Ils se lanceront à la tête
M. Crispi et Lord Salisbury. Ah ! Seigneur...
Et avec ça, il y a toujours, en train, des élections quelconques, pour leur permettre de
s'échauffer tout leur soûl... Grâce au Ciel,
Frédéric n'est pas un forcené sur ces questions.
Mais voyez Hubert, n'est-ce pas risible ? On
dirait que sa vie en dépend. »

Hubert avait une fougue, un besoin de se
dépenser à fond, au service des articles de
son credo personnel, que ne tempérait pas,
comme chez son frère, ce sens aigu de l'insta-
bilité des choses et des êtres, dissimulé sous
une raillerie permanente.

« Que veux-tu, ma fille, tu t'es adjugé la part

qu'il aurait pu prendre dans l'administration de Mogador. Laisse-le reconstruire le monde à son idée, ça le distrait, ce garçon. »

De la fenêtre du salon, toutes deux regardaient descendre le soleil, dans une gloire rouge et dorée, derrière les chênes touchés de roux qui se détachaient, plus sombre, sur le ciel d'un bleu adouci.

« Maintenant, ils doivent être arrivés », dit Ludivine.

Julia ne répondit pas. Elles écoutèrent un moment les mille bruits du silence.

« Quand j'étais jeune, je détestais cette saison. Là-bas, à *La Sarrazine*, la terrasse était jonchée des feuilles du grand marronnier, on marchait sur les marrons et les cosses éclatées. La glycine se défaisait aussi. Aussitôt après les premières pluies, il montait du parc une humidité... Les sous-bois étaient si touffus... J'aurais aimé revoir encore une fois tout cela.

— Oh ! sourit Ludivine, il n'y a rien d'impossible, Mère, il me semble. On pourrait très bien, en choisissant... »

Julia secoua la tête.

« Depuis dix-sept ans, je n'y suis pas retournée. Il est trop tard, maintenant, ma chère, il y a trop longtemps... Ni les arbres, ni la maison ne me reconnaîtraient. Essaie de comprendre cela. Il y a dans le monde une grande sagesse. Rien ne sert de vouloir aller contre. *La Sarrazine* était le domaine de Julia Angellier, et j'ai été longtemps Julia Angellier, même mariée, même mère de famille. A présent, il n'y a plus que la vieille Julia de Mogador. Il viendra un jour où tu découvriras cela pour ton propre compte ; mais pas tout de suite, pas si vite, tout de même... C'est le temps qui te l'apprendra. Et alors, c'est que le tien sera passé. »

Ludivine se leva comme on s'étire.

Mère était quelquefois un peu impatiente. A quoi bon parler de ces choses-là ? On le sait de reste, que la vie s'écoule, qu'il y a au bout cette inconvenante maladie, la vieillesse ; et quelque chose de noir, d'épais, de lourd et de vague, que l'on appelle la mort.

Dans la pénombre, elle examina sa silhouette devant la glace, et soupira :

« Ah ! je voudrais qu'il passât, ce temps !... Je voudrais avoir quatre mois de plus. Ou seulement, tenez, Mère, seulement quatre jours, après tout. Quatre jours, pas davantage. Que Frédéric fût de retour... »

Il ne revint qu'au matin du sixième. Encore au lit, elle entendit le bruit des roues sur le gravier, celui des voix confondues dans la

rumeur de l'arrivée. Et, tout de suite, il fut
là, dans leur chambre, joyeux, bruyant, tendre,
plus tendre encore qu'elle n'eût osé le rêver.
Les contrevents, repoussés, claquèrent. Il la
prit dans ses bras, ébouriffée, éblouie de soleil,
étourdie de caresses. Heureuse, elle se laissait
aller, blottie dans sa chaleur et sa force.

« Habille-toi vite, et fais-toi belle. Tout le
monde est en bas.

— Tout le monde ? Qui ça, tout le monde ?

— Eh bien, Caroline, Georges, Raoul,
Laure...

— Mais... Comment... ? » Interdite, elle ouvrait de grands yeux.

En riant, il expliqua :

« Mais oui, ma chère. Ils ont voulu passer
par ici pour te voir. Oncle Antoine et tante
Lucie sont rentrés par le train. Nous nous
sommes empilés dans la voiture, Hubert et
Georges sur le siège, à côté de Victor. Georges
lui a pris les guides, et a conduit, une partie
du chemin. Ils déjeunent ici. Adrienne s'occupe
de donner les ordres. Nous les mènerons à
Tarascon, cet après-midi, et nous prendrons
les bagages à la gare. »

Toute sa joie tombée, Ludivine se mit à sa
toilette. Quel besoin avait-il eu de tout gâcher
en les amenant ?... Bien entendu, c'était lui
qui avait imaginé cette sotte équipée. Il n'y

avait pas à s'y tromper. Et maintenant, il fallait les recevoir, subir leur tapage, leur présence...

« Sonne Eugénie, je te prie », dit-elle, d'un ton assez sec.

Parfaitement inconscient, il se précipita.

« Voilà, chérie. Veux-tu de mes services, en attendant ?

— Grand Dieu, non ! Va donc plutôt les rejoindre. J'aurai plus vite fait sans toi.

— Comme tu voudras, acquiesça-t-il, conciliant. Mais viens vite, n'est-ce pas ? »

Elle l'entendit descendre l'escalier en sifflotant.

Eugénie qui entrait s'étonna, en son for intérieur, de trouver Madame d'aussi méchante humeur.

« Elle m'a fait devenir chèvre », expliquait-elle, plaintivement, trois quarts d'heure plus tard, à Philomène, intéressée et pleine de sympathie.

Sous les armes, comme un soldat à la parade, masquant sa contrariété d'un sourire, Ludivine se dirigeait vers la pelouse.

Le groupe, installé devant des boissons fraîches, sous l'ombre du cèdre, au bord du miroir d'eau, l'accueillit avec des exclamations de plaisir et des embrassades.

« Enfin, la voilà...

— Toute belle !...

— Vous nous avez manqué...

— Chère Ludivine...

— Ma chérie, tu vas bien ?

— Loin de vous, Frédéric était comme une âme en peine », assura Georges, avec un grand sérieux.

Hubert jeta un regard de colère à son cousin.

Le surprenant, Ludivine s'en étonna. Depuis son retour du régiment, le jeune homme gardait auprès d'elle une attitude empressée, mais froide, qui la déconcertait un peu. Il sortait beaucoup, et paraissait ne plus guère se soucier d'elle. On chuchotait qu'il avait une fille de Tarascon pour maîtresse. Ludivine l'avait croisée, cette Régina, un jour, sur le « cours ». Une belle créature, bien habillée. — Ces « horizontales », on les prendrait à présent pour des « dames », constataient les dames avec acrimonie. — Eh, ma chère, elles nous singent : ce sont nos maris qui leur donnent des leçons... » — Elle avait dévisagé Ludivine au passage, sans retenue, avec curiosité...

Assez mortifiée, volontiers, Ludivine eût risqué quelques coquetteries sans portée, afin de reprendre son pouvoir. Mais Hubert ne lui en avait jamais laissé l'occasion. Maintenant, commençant de perdre un peu chaque jour l'avantage de sa séduction, elle se regardait sans complaisance, dans la haute psyché de sa chambre, tous les matins, durant le temps qu'Eugénie l'aidait à sa toilette. Il ne pouvait plus être question de conquérir qui que ce fût...

Elle sourit à Georges.

« Je suis sûre qu'il ressemblait plutôt à un écolier en vacances », dit-elle, se retournant vers son mari, d'un air d'entente.

Mais il causait, assez bas, avec Laure, et ne s'en aperçut pas.

A nouveau, rencontrant la figure contractée de son beau-frère, elle en ressentit un malaise fugitif. Son attention fut détournée par Raoul.

« Venez vous asseoir ici, Ludivine. Il y a bien longtemps que nous ne nous sommes vus. Laissez-moi profiter de cette absence de rivaux pour vous faire ma cour...

— Vous avez là un amoureux bien rassis, pauvre chère, pouffa Caroline... Et dire que, dans vingt ans d'ici, probablement, tante Julia lui dira encore, comme tout à l'heure, quand il m'a embrassée : « Mon garçon, je me « demande vraiment à quoi pense ta mère, de « te tolérer des gilets aussi extravagants ! »

Ludivine s'esclaffa à son tour. — Mère avait le génie de ces réceptions bien personnelles. L'observation avait dû aller droit au cœur du pauvre Raoul. — Nul doute, par ailleurs, que

chacun eût reçu son paquet... — Elle se
demanda si Laure s'était tirée indemne de la
visite.

« Tout de bon, Raoul, moi je le trouve très
joli. C'est la dernière mode du Boulevard, je
suppose ?

— Tout juste, ma chère, dit Georges. C'est
moi qui le lui ai rapporté.

— Oh ! pria-t-elle, vivement, dites-nous donc
ce qui se porte à Paris ! A en croire la *Mode
illustrée*, il faut renoncer à la bottine, même
pour la ville. Est-ce vrai ? »

Georges se campa dans une pose inspirée.

« C'est une question bien controversée. On
rencontre beaucoup de petits souliers décou-
verts, à la promenade, évidemment. Je l'avoue,
je suis du nombre de leurs partisans. Fi de
ces bas blancs, qui accompagnent les bottines.
Une jolie jambe est si jolie dans un bas noir,
au milieu des frous-frous nuageux...

— Georges, voyons... »

En riant, Ludivine tapa sur les doigts de
son cousin à petits coups d'éventail.

« ... Tenez, racontez-moi plutôt le baptême.

— Bon, voilà. Hum !... Tout s'est passé à
merveille : repas parfait, beautés piquantes,
mon jeune frère très « pater familias », très
bien. Blanchette adorable, comme toujours, le
parrain très imbu de ses devoirs de toutes

sortes, le jeune Laurent aussi sage qu'on...

— Laurent ? s'étonna Ludivine.

— Mais oui ! Laurent-Frédéric Vernet. Laure était marraine. Ne le saviez-vous pas ?

— Non, dit-elle, légèrement, je l'ignorais. Toutes mes félicitations, Laure. »

L'air interrogateur, interrompant son entretien, sa cousine se tourna vers elle.

« Qu'y a-t-il, ma bonne amie ? Ah ! oui, notre filleul ? Il est superbe, n'est-ce pas, Frédéric ? Je vous souhaite un beau garçon tout pareil, puisque vous l'attendez.

— Nous l'espérons, sourit Ludivine. Et Numa ? »

Laure se lança dans le panégyrique de son fils.

Comme elle est affectée, se disait la jeune femme. Ces manières de tendre mère... Et elle surveille ses effets, en même temps... Elle a grossi. On ne peut pas dire que ça lui aille mal... Je déteste cette peau blanche et rose. Tiens, ce petit pli au coin de l'œil... On le voit bien, quand elle rit. Dieu, quel rire désagréable ! Si j'étais un homme...

Elle promena son regard sur les hommes qui l'entouraient, comme pour confronter leur opinion et la sienne. Raoul et Georges, étalés avec béatitude dans les grands fauteuils de rotin, planaient au-dessus de l'assemblée : l'un suivait des yeux les évolutions d'un couple de paons sur la pelouse, l'autre, absorbé dans le dosage méticuleux d'un verre d'absinthe, faisait couler, goutte à goutte, l'eau glacée du carafon sur le sucre de sa cuillère. Hubert, le dos tourné, poursuivait avec Caroline une conversation qui les isolait.

En somme, l'auditoire se bornait à elle-même, Adrienne et Frédéric. — Frédéric... Mais qu'y avait-il donc sur le visage de Frédéric ? Quelle bizarre expression à la fois attentive et dure, voilée de nonchalance ! « Il a l'air d'un chat qui a vu un rat », se dit-elle. Une fois de plus, une sensation de malaise la traversa. D'instinct, elle posa la main sur le bras de son mari.

« Que veux-tu ? »

Elle eût juré qu'il y avait un peu d'agacement dans la voix de Frédéric. Se raidissant, elle parvint à lui sourire avec naturel.

« Rien, mon chéri. Je me demandais seulement si tu avais vu les petites.

— Naturellement. Nous y sommes tous allés pendant que tu te préparais... Isabelle a refusé de dire bonjour, même à Hubert. Elle s'est cachée... »

Ludivine se sentait, sur ce point, singulièrement solidaire de sa fille, ce matin-là. Elle dit, avec indulgence :

« C'est une enfant très sauvage, tu le sais bien. Toute cette foule a dû l'effrayer. »

Il la regarda tendrement.

« Bien sûr, chérie, c'est sans importance. Anne a été un petit amour, d'ailleurs. »

Non, il n'y avait rien. C'était elle qui... Des idées absurdes. Ils allaient repartir au début de l'après-midi, de tout façon...

Victor vint prévenir que le repas était prêt. Elle prit le bras de Raoul pour rentrer à la maison.

Le déjeuner se prolongea. Les convives savaient se tenir à table, et buvaient sec. Les plaisanteries se répondaient. La vaste pièce résonnait des exclamations joyeuses de ce repas en famille.

De sa place, entre Raoul et Georges, Ludivine observait son mari assis en face d'elle. « Décidément, la paix est faite, constata-t-elle amère. — Cette Laure avec ses œillades hypocrites, et ses petits rires. »

A la dérobée, elle lança un coup d'œil vers Philo et Victor qui dirigeaient le service assez hésitant d'Eugénie. « Seigneur, que cette fille est empruntée ! Jamais on ne la dégourdira... » Elle eût voulu presser les choses, bousculer le temps...

« Vous ne mangez pas », remarquait Georges, affectueusement.

Elle sentit l'attention de Julia se poser un instant sur elle.

La vieille dame présidait, au haut bout de la table, avec une autorité que sa bru ne pouvait s'empêcher de lui envier. Certes, Ludivine se sentait maîtresse sur toute l'étendue du domaine. Mais, à la table de Mogador, c'était toujours le règne de Julia Vernet. Nulle apparence qu'elle acceptât de se dessaisir un jour du sceptre...

Inquiète, Adrienne surveillait sa mère, sans rien dire. Ses yeux parlaient pour elle.

Julia, qui riait aux boutades de ses fils et de ses neveux, lui fit une grimace narquoise :

« Laisse, ma fille, j'ai donné congé pour aujourd'hui à la maladie. »

Adrienne soupirait. Caroline se hâta de détourner son esprit des écarts de régime de la malade, en lui parlant de ses nièces. Sur ce sujet, la tante était intarissable. Son visage s'éclaira.

« Ainsi, nous ne pouvons pas espérer vous revoir à Tourvieille, cet automne ? » La voix de Laure domina les conversations, ramenant tout le monde à la question posée.

Frédéric, indécis, consultait sa femme du regard.

« Oh ! je le regrette bien, déclara Ludivine, mais vraiment, vous le voyez, ma chère Laure, c'est impossible. Je dois renoncer à me déplacer.

— Quel dommage ! C'est désolant. Nous ne nous voyons plus guère qu'en passant, depuis si longtemps. Nous serions si heureux de vous avoir un peu... Ne pourriez-vous... ? Dites ?... »

Elle le savait bien. Jusqu'à quand allait-elle continuer à insister ainsi, sans retenue ?

« Eh bien, mais... c'est tout simple ! »

La voix de Frédéric avait un accent triomphant.

« ... Faisons le contraire, Mère, Ludivine, n'est-ce pas ? Venez tous, pour cette fois. Les enfants sont assez grands à présent, Laure ; vous pouvez très bien les emmener. Ils s'amuseront avec Anne et Isabelle... »

Manifestement, il était enchanté de son idée, et décidé à l'imposer au besoin.

La question se débattit. Glacée, Ludivine écoutait sans penser à prendre sur elle pour intervenir.

« Cela me ferait plaisir, dit Julia. J'aime à discuter avec ce bon Antoine, et il y a bien du temps que je n'ai fait enrager la pauvre Lucie. Allons, c'est une chose entendue, vous m'amènerez les petits et leurs grands-parents. »

Ludivine luttait avec effort contre la colère douloureuse qui l'envahissait au spectacle de Laure, souriante et dégagée, objectant le déran-

gement... la turbulence de son fils... l'état de
sa cousine...

Se ressaisissant peu à peu, elle dit, avec
une douceur indéfinissable :

« Mais oui, Laure, voyons, vous n'allez sûrement pas refuser cela à Frédéric ? »

Ironie perdue.

« Je me rends, je me rends, ma bonne amie »,
accepta Laure gaiement, avec un gracieux
mouvement de tête qui fit flamber, un instant,
dans la lumière, la somptueuse masse rou-
geoyante de son haut chignon bouclé.

Frédéric s'épanouit, satisfait.

*
**

Ainsi, ce qu'elle avait obscurément craint
depuis le jour lointain de ses fiançailles s'était
produit. Comme une sotte, elle s'était endormie dans la paix d'un triomphe illusoire, après
quelques escarmouches dont elle s'était exagéré l'importance... Ah ! l'autre avait été plus
fine ! Comme elle avait bien su patienter, et
choisir son heure, pour lui porter le coup dans
le dos...

Enfermée dans sa chambre, comme toujours
aux moments difficiles, Ludivine, ramassée sur
elle-même, les mâchoires contractées, examinait la situation en face :

« Il lui plaît, il lui a toujours plu. C'est
l'évidence. Une coquette, sans le moindre
cœur... » Elle oubliait de bonne foi que d'autres
femmes, dont elle avait détourné les soupirants
à son profit, eussent pu formuler sur elle le
même jugement... « Elle ne l'aime pas, elle
n'aime personne. Pas plus que son mari, ou
que... Mais elle me déteste. Et si elle peut me
le prendre... »

Le prendre, lui, Frédéric !... Une angoisse
furieuse montait en elle. Comme si cela eût
dû être possible, prendre à quelqu'un l'air
qu'il respire, le sang même de ses veines...
« Mais je l'aime ! Mais il est à moi ! » Est-ce
que ça ne suffisait donc pas à l'empêcher ?

Mais non, il n'eût servi à rien de se le dissimuler. Déjà, il était attiré, comme dans une
toile invisible, tissée autour de lui avec cette
habileté qu'il fallait bien reconnaître à Laure.

Naïvement, Frédéric s'imaginait être le
chasseur. Elle lui mettait aux lèvres ce goût
de conquête, auquel nul orgueil d'homme ne
résiste... Un gibier, voilà ce qu'il était. L'enjeu
de la partie ouverte entre elles deux... Cinq ans
qu'elle guettait, manœuvrait... Et maintenant,
c'était la guerre déclarée.

Comme on est seule, comme on est seule
dans le monde, lorsqu'il faut se battre. Aucun
secours à espérer. Pas même de ceux qui vous

aiment. Hubert... Mais que pouvait Hubert ?...

Des larmes de rage brûlaient les yeux de Ludivine. Ses mains se crispaient, s'ouvraient, se resserraient, sans qu'elle en eût conscience, dans une sorte d'égarement.

Ce Raoul était donc aveugle ? Bien entendu, il avait confiance. « Son épouse irréprochable... » Un galant homme !... Elle eût craché le mot, comme une insulte. — Un galant homme... quelle bêtise ! A quoi cela servait-il ? La bonne foi, la délicatesse, le respect... armes de dupes ! On a son bien, on le défend. Est-ce que les moyens comptent ?

Elle pensait à ces Espagnoles de Mérimée, tailladant de croix au couteau la figure de leur rivale. Les hommes, eux, avaient le duel !...

Depuis cinq jours qu'ils étaient là tous, arrivés de Tourvieille, elle sentait croître cette haine meurtrière dissimulée sous l'affabilité de son rôle d'hôtesse. Impuissante, il lui fallait assister aux attentions de Frédéric envers sa cousine. Il déployait une astuce ingénue à susciter des occasions de l'isoler des autres. Ludivine le voyait étaler son envie de plaire, avec une inconscience qui eut rapidement compromis sa partenaire, eût-elle été moins savante dans l'art des feintes dérobades, suivies d'avances déguisées. Croyant mener le jeu il était mené comme un enfant.

Envers sa femme, tantôt il se montrait injuste, presque dur, lui reprochant sa mauvaise grâce, lorsqu'ils étaient seuls ensemble, son manque d'entrain, tantôt il redevenait inexplicablement gentil et tendre, plein de prévenances, comme si l'autre n'eût pas été entre eux, — ou comme s'il eût voulu acquérir le droit de faire ensuite de la peine, songeait Ludivine.

Elle apprenait la patience, la maîtrise de soi. Et qui eût jamais pensé que cela coûtât si cher ? Au sourire perfide de l'ennemie, elle opposait tout le dédain d'un calme parfait, jamais en défaut, affichant à son égard plus d'amitié qu'elle ne se sentait capable d'en éprouver pour quiconque.

Sa tactique consistait à se séparer de Laure le moins possible, prenant son bras dans le parc, s'asseyant auprès d'elle... Cela ôtait toute initiative à la jeune femme, mais Frédéric gardait la sienne. Ludivine reconnaissait, sur son visage, l'ardeur, au temps des fiançailles, et cette langueur nonchalante, sous laquelle perçait la dureté du désir tendu.

Tout ce qu'elle avait jadis épelé maladroitement sur ces traits, elle l'y revoyait inscrit, sans qu'il lui fût fait la grâce d'un doute. Tout recommençait, cette séduction complexe faite d'ironie, de charme, de froideur, de bru-

talité... tout cela pour une autre ; et il lui
fallait en être témoin... Il lui fallait accepter,
et sourire, pour bien marquer qu'il n'y avait
là rien qui méritât d'être pris au sérieux.

Laure, triomphant, sous cape, répondait,
quoi qu'elle en eût, aux démonstrations affectueuses de sa cousine. On ne voyait, le plus
souvent, les deux jeunes femmes qu'ensemble.

La situation se maintenait ainsi dans un
équilibre apparemment solide. Nul n'eût pu
dire si Frédéric s'y trompait. Mais cette tension épuisait Ludivine. Elle se rendait compte
que la moindre occasion, la plus petite faille
dans son système de surveillance, jetterait
l'un contre l'autre, ces deux désirs, aiguisés
par la contrainte qu'elle leur imposait. On
ne tenait pas aisément en brides un Frédéric
Vernet... Quant à Laure, elle voulait sa victoire,
cette fois, et l'humiliation de Ludivine. Il était
visible qu'elle ne s'était pas avancée jusque-là
sans réflexion. D'une manière ou d'une autre,
elle chercherait l'écrasement de son ennemie.
Ludivine le discernait clairement. Dans ce
combat à fleurets démouchetés, tous les coups
marquaient.

Bien sûr « cela » ne pouvait aller très loin.
A Mogador, au milieu de tous, une intrigue
suivie était inconcevable, et Laure devait le
savoir... Sans doute n'était-ce pas là son but...

Et ils repartiraient bientôt, la laisseraient seule auprès de Frédéric, mais blessée, abaissée, dépouillée de cette armure de confiance joyeuse qui l'avait protégée jusqu'alors...

Il ne serait pas difficile de le reprendre, elle en était sûre, elle ne voulait pas en douter... Mais là n'était pas la question. Qu'il eût pu, sur un signe de Laure, se mettre à jouer ce jeu absurde et cruel, en sa présence à elle, ayant oublié à ce point tout ce que Ludivine avait cru intangible entre eux... et juste à ce moment où elle supportait, pour lui, cet odieux amoindrissement physique, c'était cela qui était grave, cette trahison... Et aussi qu'il la mît en posture de vaincue, devant cette femme, détestée depuis le premier jour.

Souffrir... Il s'agissait bien de souffrir ! Elle l'avait appris, déjà, que ce n'est pas tellement impossible... que la souffrance, cela tombe sur l'un, sur l'autre, tout le long de la vie... et qu'on raidit ses épaules, jusqu'à ce que ça passe. Elle se sentait bien suffisamment de courage... Son amour à défendre, c'était une affaire entre Frédéric et elle.

Mais sur Laure, elle ne pouvait rien. Cette Laure éclatante qui s'inclinait sur elle, examinait ses traits tirés, avec cette férocité voilée de douceur dont, seules, les femmes savent user entre elles :

« Comment vous sentez-vous ? Ne vous fatiguez pas, surtout, ma bonne chérie. »

Frédéric, surgissant, la trouvait confite dans son rôle de tendre amie.

« Un fleuron de plus à sa couronne », ricanait Ludivine, à part elle.

Les voir ensemble était un supplice. Ne pas les voir eût été pire. Durcie, un sourire incessant sur ses lèvres sèches, elle les observait, pesait leurs paroles, leurs silences, notait les intonations de leur voix, interprétait les mouvements de leur physionomie...

C'était là tout un butin empoisonné dont elle se repaissait ensuite, la nuit venue, pendant ses longues insomnies. L'enfant de Frédéric pesait à son ventre, et son cœur gonflé semblait vouloir lui déchirer la poitrine.

A ce moment, il reposait près d'elle. En étendant la main, dans l'obscurité grise, elle touchait son corps allongé. Elle écoutait son souffle, si calme. Soulevée sur un coude, elle tâtonnait, effleurant ses cheveux, se penchait pour le sentir un peu plus proche, un peu plus sien... Mais ce sommeil, où il lui échappait encore... Ces rêves où il se réfugiait, à l'abri d'elle... Il refermait la porte, avec une aisance d'acrobate, de criminel impuni... « **Et Dieu sait** qui entre avec lui et où ils partent, délivrés, hors d'atteinte... Son corps : une chose abandonnée là, comme un vieux vêtement, on s'en débarrasse, il n'est plus à personne... »

De jour, de nuit, cette poursuite décevante... et elle haletait. On avance les doigts, on se dévore de l'envie de cette épaule tiède qui était la place du repos, naguère. Et le repos, où est-il, où est-il ?... Un instant, on s'étonne d'avoir mal, puisque tout est pareil. Si pareil, vraiment, que rien ne peut être arrivé ; que le bonheur de tant de nuits toutes pareilles ne peut pas être devenu cette pincée de poussière dans le creux de la paume, tout d'un coup, sans que l'on sache pourquoi... « Frédéric, mon amour, tu m'aimais, tu n'aimais que moi, il y a si peu de temps... » Comment est-ce que cela s'est fait ? Il doit y avoir un raisonnement... une explication à trouver. Et alors, tout s'éclaire, avec la simplicité d'un miracle d'arithmétique, et l'on retombe dans l'ordre, dans la ligne des jours tous égaux, tous sûrs !...

Mais non, rien ne vient, que la laide, trouble lueur annonçant l'aube. Le vent apporte le son de la cloche de Fontfresque. La paix du repos, l'intolérable paix, autour de soi, lorsqu'on est comme un pauvre aux portes du royaume...

Parfois, son angoisse misérable, penchée sur Frédéric, pesait sur lui comme une pierre. Il remuait lourdement, lançait un bras de noyé sur les draps, avec une longue aspiration, et

retombait dans les grands fonds du sommeil.
Au matin, Ludivine, s'examinant sans pitié
dans son miroir, ne se défendait plus de s'y
trouver laide.

Mise en éveil, Julia la suivait d'un regard
perspicace : visiblement, cette petite se rongeait... Et ce grand niais qui ne semblait pas
s'en douter... Jusqu'où allait-il mener cette
comédie jouée sous le nez de sa femme ?

Philo, confidente de sa maîtresse, approuvait de la tête, sans se compromettre. Elle
n'avait jamais beaucoup aimé madame Ludivine... « Tout de même, dans son état... ça
risquait d'être mauvais pour le petit... Un
homme, ça fait ses frasques... Mais à la maison,
non, il n'aurait pas dû... Et l'autre, la rouquine,
avec ses yeux de chat... Rien de bon, elle lui
disait, celle-là... Et puis enfin, la femme de
monsieur Raoul... Un Vernet, lui aussi ; et ils
avaient joué ensemble sur ses genoux lui et
monsieur Henri... Ah ! monsieur Henri, ce
n'était pas lui qui... Comme elle l'avait pleuré...
Si beau, si sérieux, tout le portrait de son
défunt père... Non, ni son mari, ni ses garçons
à elle, ni le petit Cyprien, mort entre ses bras,
ni le maître, ni Amélia — ma perle, ma beauté
fine ! — aucun ne lui avait tiré tant de larmes.
Des fontaines de larmes, elle avait versé.
A s'en perdre les yeux ; que depuis, ils étaient

pleins de petites lignes rouges, et elle n'y voyait plus comme avant... Mais monsieur Frédéric, lui, tout petit, encore en robes, déjà il était un garnement. Et entêté, et malicieux, et câlin, que toujours il fallait faire ce qu'il voulait, pour finir... »

« As-tu vu mes nièces, aujourd'hui ?

— Madame ? Ah ! oui... ce matin ?... »

Arrachée à ses souvenirs, Philo reprenait pied péniblement.

« ...Je leur ai servi à déjeuner en bas, de bonne heure. Mlle Caroline vient de partir à cheval avec M. Hubert. Et Mme Raoul leur a dit qu'elle allait cueillir des zinnias. »

« Des zinnias ? Quelle diable de lubie est-ce là ? » « Qu'est-ce qu'elle voulait faire de ces zinnias ?

— Philo, rappelle-moi : est-ce que M. Frédéric n'a pas parlé hier soir, à table, de voir Juste, ce matin ?

— Oui, madame. Pour les carreaux de la serre qui sont cassés... »

Maîtresse et servante se regardèrent.

Allons, ouste ! dit Julia, avec décision, finis de m'habiller, et presse-toi. Je vais profiter de cette belle matinée pour aller faire un tour par là, moi aussi. Et puis, ne me fais pas ces yeux stupides. Qu'y a-t-il là de si extraordinaire ?... Mon châle de laine, oui. Ma capote.

Mon réticule... Et apporte-moi mon ombrelle noire. Là, partons. Tu me donneras le bras pour descendre l'escalier.

— Quel beau temps », dit-elle encore, le nez frémissant, le menton résolu, devant le parc, glorieusement étalé au pied du perron.

Mais les zinnias rutilaient, bigarrés, arrondis, enjuponnés, tuyautés, gaufrés, gonflés de couleur et de sève, solitaires sous le soleil d'octobre. La vieille dame rencontra le jardinier occupé à rattacher les surgeons dans la roseraie. Nulle trace de Laure. Quant au chef de Mogador, Juste avait entendu dire quelque chose au sujet d'une charrue cassée, d'un cheval couronné, que, peut-être, il faudrait abattre. Et on avait vu partir « moussu Frédéri », sur les huit heures, avec le baïle venu le chercher dans la carriole.

A la maison, Ludivine s'était un peu attardée au lit, après le départ de Frédéric. Le sachant loin, elle respirait. Sa toilette terminée, elle se dirigea vers la chambre des enfants, d'où provenait, depuis quelques minutes, un vacarme dépassant les limites normales.

La porte ouverte, elle tomba en pleine anarchie. Le jeune Numa talonnait au hasard dans les jambes à sa portée, en poussant des hurlements sauvages. Muette et acharnée derrière lui, Isabelle, les doigts agrippés dans les boucles rousses de son cousin, offrait une nouvelle illustration de ce que l'on peut attendre, touchant la valeur, chez une âme bien née.

La petite Agnès, suspendue aux vêtements de son frère, gênait considérablement sa défense, et, ballottée, atteinte de temps à autre par les horions qui ricochaient, augmentait le tapage d'un appréciable contingent de cris et de sanglots.

Pour parachever l'ambiance guerrière, Anne, puisant dans la caisse à jouets, bombardait les belligérants, avec cette philosophique impartialité, cette approximative précision de tir, caractéristique de l'artilleur né...

Mathilde semblait avoir déserté le champ de carnage.

Ludivine demeura un instant clouée sur le seuil, devant l'envergure de la bataille.

« Eh bien, par exemple... Mais qu'est-ce que c'est ? Voulez-vous vous arrêter ! »

L'injonction passa inaperçue: Adrienne qui accourait, se jetant dans la mêlée, reçut une ruade et un coup de griffe qui ne paraissaient d'ailleurs pas lui être destinés. Au même moment, une quille, lancée à la volée par Anne, l'atteignit dans le dos.

« Au nom du Ciel, Ludivine, fais quelque chose ! Ce sont des démons !... cria-t-elle, exaspérée.

— Je viens, je viens, ma chère... Mais si tu crois que c'est commode... » articula Ludivine, étouffant de rire, au spectacle offert par sa belle-sœur.

Adrienne, qui « voyait rouge », maîtrisa de justesse son envie de répondre qu'en effet, ça ne l'était pas, qu'elle-même en savait quelque chose... et qu'après tout, les enfants n'étaient pas à elle. Ludivine n'avait qu'à...

« Oh ! je t'en prie... » proféra-t-elle seulement.

Le ton était tel qu'il n'y avait pas à s'y tromper. Ludivine le comprit et, sans plus barguigner, entra dans l'arène.

« Anne, cesse immédiatement, ou je te donne une fessée ! »

Cette fois, l'intervention domina le tumulte. Anne, qui craignait sa mère, et voyait en outre approcher la fin de ses munitions, se le tint pour dit. Elle saisit sa poupée négresse, et se mit à lui lécher les joues, à l'écart de l'affaire en ce qui la concernait désormais.

Forte de ce premier succès, Ludivine s'en fut chercher un pot à eau. Elle y trempa une serviette-éponge.

« Attrape, Agnès ! »

Adrienne obéit. L'enfant, cramponnée à la taille de son frère, fut décrochée et emportée, coulante de larmes.

La serviette mouillée cingla les mollets d'Isabelle qui eut une défaillance. En un éclair, jetant au visage de sa fille le reste de l'eau, Ludivine consomma sa victoire.

Un calme relatif s'établit sur-le-champ. Mathilde, peureusement apparue, emmena la silencieuse petite furie ruisselante, désarmée par la traîtrise des grandes personnes, mais invaincue.

« Dépêchez-vous de la changer !

— Et frictionnez-la bien, avec l'eau de Cologne », ajouta Adrienne, occupée avec sa filleule dont la désolation persistante menaçait de tourner à la crise de nerfs.

Ludivine revint vers son petit cousin. A l'aide d'un coin de la serviette, elle débarbouilla la figure écarlate, et entreprit de peigner, avec les précautions qui s'imposaient, le crâne à demi scalpé de la victime.

Numa reniflait sans se plaindre.

« Là, tu es courageux, ça va bien, c'est fini. Maintenant, dis-moi, que lui avais-tu fait ?

— Rien.

— Pas possible ? Alors c'est elle ? Raconte-moi, allons... »

Le petit garçon se raidissait entre ses genoux,

fixant attentivement les dessins de sa jupe.
Elle caressa la joue égratignée.

« ... Te voilà fait comme un joli cœur, pour
plaire aux dames. Ainsi, tu ne veux pas me
dire... ? » Agacée par les lamentations aiguës
d'Agnès, elle s'interrompit : « Pour Dieu,
Adrienne, fais-la taire. Elle me casse les
oreilles ! »

Adrienne lui adressa un coup d'œil chargé
de reproches. L'enfant était si gentille, habi-
tuellement. Comment pouvait-on manquer à ce
point de patience et de compréhension ?...

« Pauvrette, elle a eu peur.

— Peur ? Je te demande un peu. Que d'histoires ! Et Isabelle a eu peur, elle ? Et Anne,
donc ?... Allons, finissez, mademoiselle la
pleurnicheuse ! Quelle honte ! »

Le chagrin de la fillette redoubla. Numa,
méprisant, se désintéressait de la situation.
Peut-être regrettait-il vaguement la perte d'un
ennemi à la mesure de son courage. Ludivine
le laissa aller.

« Je vais chercher sa mère pour la calmer. Je
ne peux pas supporter ces cris de crécelle. »

Soulevant au passage la rondelette Anne,
elle la gratifia d'un baiser souligné d'une tape
légère sur les cuisses. Le bébé rit aux éclats.

« Tout de même, songeait la jeune femme, en
descendant à la recherche de sa cousine, quelle

petite sotte, cette Agnès, et pleurarde et fai-
seuse d'embarras... » Exactement le genre
d'enfant que l'on pouvait supposer à Laure...
Dieu merci, ses filles à elle étaient d'une autre
trempe. Elle sourit au souvenir d'Isabelle,
comme un petit rapace, les ongles plantés
solidement dans sa proie. Et Anne, la rieuse,
la coquette, Anne au nez impertinent, aux
cheveux de châtaigne, qui se contemplait déjà
dans toutes les glaces à sa portée, avec ses
yeux tout pareils aux siens... Oui, elle pouvait
se sentir fière...

Dans le grand vestibule, elle rencontra tante
Lucie qui rentrait, élégante, pomponnée, san-
glée comme si elle fût arrivée d'une cérémonie.
« Dirait-on jamais qu'elle passe sa vie au milieu
des chevaux et des taureaux ? Et l'oncle
Antoine, si négligé... » Comme les gens étaient
drôlement assortis... Ils paraissaient bien avoir
été heureux, pourtant... »

Tante Lucie l'embrassa.

« Vous êtes superbe ce matin, ma belle petite.
Et notre chère Julia, comment se sent-elle ?
A-t-elle passé une bonne nuit ? »

L'excellente dame avait pour chacun des
trésors d'intérêt qu'elle se plaisait à prodiguer.

Sa nièce la jugeait encombrante.

« Très bonne », affirma-t-elle, pour régler la
question.

Ses dernières informations touchant sa belle-mère remontaient à la soirée de la veille.

« ... Avez-vous vu Laure, ma tante ?

— Je l'ai aperçue, il n'y a pas longtemps, avec Frédéric. Ils revenaient à la maison. »

L'estomac de Ludivine se contracta brutalement.

« Très bien. Je pense que je vais les trouver au salon.

— Certainement, approuva tante Lucie, indifférente. Il fait encore bien chaud, ce matin, ne trouvez-vous pas ? On ne sait comment s'habiller, en cette saison. Je monte faire un peu de chaise longue. Cette promenade m'a fatiguée. »

Au salon ?... — Elle s'arrêta une seconde devant la porte. — Eh bien, s'ils étaient là, il n'y avait pas grand mal. On y pénétrait à tout instant... — Elle entra. Le salon était vide... — Ce n'était pas étonnant... elle l'avait toujours su qu'ils n'y seraient pas... Dieu !... son cœur lui faisait mal... Il fallait les trouver. Dans la bibliothèque, peut-être ?... — La bibliothèque était une petite pièce située au fond. Autrefois, Rodolphe Vernet avait aimé s'y tenir. On n'y allait plus guère...

« ... Oui, là, sans doute... » Elle traversa le salon, et s'arrêta de nouveau, parvenue près de la porte. Nul bruit de voix perceptible.

Mais celui que faisait le battement de ses tempes semblait une rumeur de gouffre.

« Non, ce n'est pas la peine, il n'y aura personne. » Elle se contraignit à ouvrir posément.

Au bruit de la porte, Frédéric se dressa brusquement, contourna le haut canapé placé devant la cheminée, et, s'appuyant au dossier, lui fit face :

« C'est toi ? »

Le ton était bref, le visage hostile.

« Oui. Je pensais que vous pouviez être là. »

Elle réussit à sourire.

« ... Je cherche Laure. Elle n'est pas avec toi ? Tante Lucie m'avait dit...

— Mais oui, ma chère, en effet... »

La voix de Laure venait des profondeurs du canapé, nette, un peu moins modulée qu'à l'ordinaire. Elle se leva à son tour, avec tranquillité, tandis que Ludivine s'avançait à sa rencontre.

« ... Votre époux me choisissait un livre.

— Oh ! dit Ludivine, je vous dérange !...

Le ton plein de regrets, se nuançait d'une ironie à peine perceptible.

Frédéric réprima un sourire. Même à cet instant si désagréable, où les deux femmes, s'affrontant, lui laissaient un rôle mi-déplaisant, mi-ridicule à ses propres yeux, humilié

et furieux de l'être, il ne pouvait s'empêcher
d'accuser une touche réussie. Et certes, celle-là
l'était : « Un chef-d'œuvre ! » applaudissait en
lui l'incorrigible spectateur.

« A peine », répliqua Laure, insolente avec
grâce.

Celle-là aussi avait un sacré style... Oui,
toutes deux étaient... Mais bon Dieu ! quel
pétrin !... Et pour si peu de chose...

Il ne se sentait réellement pas très coupable.
— Mais Ludivine, avec son caractère... Et puis
après tout, il n'était pas un gamin, et si elle...
— Il la regarda avec une sorte de rancune...
Si elle voulait un éclat...

Ludivine avait pris le volume posé sur le
guéridon, et en examinait le titre sans mot
dire. *Les Liaisons dangereuses*... Elle se rappelait... Tous deux l'avaient lu ensemble, il
y avait... — Ah ! il y avait des siècles de cela.

Démontée par ce silence prolongé, Laure
s'énervait. Elle voulut le rompre.

« J'espère qu'il me plaira. Qu'en pensez-
vous ? » demanda-t-elle avec défi.

Ludivine la dévisagea.

« Oh ! je le crois. »

Une petite moue railleuse et dure déformait
le coin de sa lèvre. Elle lui rendit le livre.

« Je le trouve vraiment bien choisi. »

« Elles vont se sauter à la figure, pensait

Frédéric. Alors que rien... Et moi, là au milieu, j'ai l'air... » Prêt à intervenir, il cherchait en même temps un moyen de rétablir sa situation, et n'en trouvait pas.

« Au diable ces femmes... »

Sa fureur les englobait l'une et l'autre.

Bon Dieu ! Allaient-elles l'ennuyer longtemps ?... Il n'avait pourtant pas besoin de ça... Juste ce matin-là...

L'amertume le submergeait.

Dédaignant Laure, sa femme se tourna vers lui, et questionna :

« Là-bas ? C'était grave ? »

Il haussa les épaules.

« Affaire réglée. Deux balles... Ranguis est allé chercher le pistolet du beau-père... Il s'était pris sous la charrue, tu comprends ? Le poitrail... »

Il fit une grimace et n'acheva pas.

Ludivine posa sa main sur son bras. Ils se regardèrent.

« ... Du moins, ai-je cela à moi, à moi seule, sa peine », pensait-elle. Une douceur brûlante et triste la traversa.

« Tu as fait ce qu'il fallait. C'est fini ? N'y pensons plus. Montons voir les enfants.

« ... J'étais venue vous chercher pour Agnès, ajouta-t-elle, s'adressant à Laure, qui attendait, délaissée, exclue, dévorant sa colère. — Il y a eu un drame là-haut : Isabelle et Numa ont réglé ce qui m'a paru être une vieille querelle inavouable. »

Tous trois, quittant la bibliothèque, traversèrent le salon.

« Ah ?... Et qui a gagné ? demanda Laure, détachée.

— Oh !... Eh bien, figurez-vous, je crains que ce ne soit Isabelle », lui fut-il répondu avec le même détachement.

Etranger à la conversation, Frédéric se contentait d'accompagner les deux jeunes femmes.

Ludivine, s'arrêtant pour prendre le bras de son mari, vit les doigts de Laure crispés sur le volume qu'elle tenait, si fort qu'ils en paraissaient livides. Alors, seulement, elle s'aperçut que sa main gauche à elle, demeurée enfouie dans la poche de sa jupe, déchirait encore à grands coups d'ongles, quelque chose qui avait dû être son mouchoir.

XVI

APRÈS le départ de ses hôtes, Frédéric se sentit plein de regret et de soulagement à la fois, devant l'occasion perdue, et la tentation écartée. Décidé à redevenir l'époux que pouvait désirer sa femme, il apportait, dans ce retour à la vertu, le naturel d'une rivière qui reprend son cours régulier après une inondation.

... En somme, rien ne s'était passé. Un attrait passager, un flirt léger, irritant, qui l'avait tenu en haleine... Bah! un homme n'est pas un enfant de chœur, que diable !... Un peu de piment parmi les douceurs conjugales en soulignait le charme. N'importe qui eût admis cela. — Il se sentait tout prêt à une nouvelle lune de miel. Aussi fut-il mortifié du peu d'accueil fait à ses avances.

Ludivine, le choc passé, avait vu s'enfuir toute sa force de résistance, comme le sang d'une blessure d'où l'on retire le couteau. Et c'était bien une blessure qu'elle portait, à y regarder de près.

Oui, elle avait arraché la victoire, et jusqu'à l'instant des adieux devant la voiture, Frédéric et Laure s'étaient évités, depuis la scène gênante où Ludivine avait pris l'avantage. Avec adresse, elle avait ensuite enfermé son mari dans le réseau d'une attention continuelle, si lâche d'aspect, cependant, qu'il n'eût pu trouver un prétexte à en exprimer son agacement. Précaution d'ailleurs inutile. De toute évidence, Laure acceptait dédaigneusement la certitude de sa défaite, et ne se fût pas risquée à la voir se renouveler. De son côté, Frédéric ne semblait pas disposé à la poursuivre. Une histoire terminée.

Mais à présent, le péril écarté, la jeune femme demeurait lasse et sombre, incapable de se surmonter encore. Tant de choses s'étaient effritées en elle... Pierre à pierre, depuis des années, âprement, elle avait bâti sa ville, sans rien ménager, sans plus vouloir détourner les yeux pour regarder alentour, et, pendant tout ce temps, le mal était là, il existait déjà, installé à l'intérieur des murailles. Et un beau matin... Des ruines... Des ruines,

qu'il fallait déblayer, reconnaître, pour reconstruire. « Comme si... Eh bien, non. » Elle n'en
pouvait plus.

Ce qu'il y avait de plus vivant, de créateur,
en elle, était atteint. Morne, elle faisait et
refaisait sans cesse une sorte de bilan : il était
menteur, léger, égoïste, prêt à n'importe quelle
trahison... Laure même... qui pouvait savoir ?...
était-elle la première ?... — Elle se souvenait :
le voyage à Paris... cette longue absence mystérieuse. Et pour quel futile motif, grand Dieu !
— Elle serrait les poings : « Un jour, je le
haïrai... Et je porte un enfant de lui !... » Ce
poids, cette taille déformée... tout ce qu'il
fallait subir pour lui, toujours pour lui !... Le
haïr, était-ce donc si difficile ?

Tout se soulevait en elle...

Il entrait, désinvolte, élégant, avec quelque
chose de dangereux..., se heurtait à cette hostilité, l'attaquait, pressé de la réduire.

« Mensonges... menteur... trop commode...
Mais c'est fini. Ne plus l'aimer, Dieu, quel
soulagement ! Ne pas répondre. Le toiser,
simplement. Un tel mépris... On détourne la
tête... »

Des monosyllabes, un visage durci, des
regards dardés, pleins d'un amer poison.

Rebuté, furieux devant tant d'injustice, il
s'en allait, claquant les portes, au moment

même où Ludivine, suspendue au moindre
trait de ce visage, découvrait avec désespoir
son impuissance à s'en détacher : « Je l'adore.
Frédéric... Jamais je ne pourrai... »

Mogador assistait en témoin discret à ces
orages. Julia se calfeutrait dans sa chambre.
A cette époque de l'année, oreillers et tisanes
devenaient tout son horizon. — Il eût fallu
faire quelque chose, bien sûr. Ces deux-là
avaient aussi peu de bon sens l'un que l'autre...
Mais ces suffocations, cette toux... — Elle
s'était brouillée avec le curé qui l'exhortait
à la patience avec la sainte ardeur d'un floris-
sant serviteur de Dieu.

Adrienne se partageait entre sa mère et les
enfants. Quoi qu'elle eût pu deviner, jamais
elle ne laissait paraître... Et Ludivine qui portait son chagrin comme une maladie, pleine
d'une rancœur universelle, n'était pas éloignée
de la taxer d'égoïsme et d'aveuglement, voire
d'hypocrisie.

Hubert, ah ! Hubert, lui, c'était différent.
Toute son attitude traduisait la réprobation
pour la conduite de son frère. La souffrance
qu'il éprouvait à voir souffrir sa belle-sœur
avait fait éclater ce barrage de courtoisie
cérémonieuse qu'il avait tenté de dresser entre
elle et lui, durant six mois. Bien souvent, aux
moments pénibles, en présence de Laure, la

jeune femme, les nerfs trop tendus, avait puisé inconsciemment un peu de réconfort dans le regard toujours posé sur elle, où se lisait, avec l'anxiété et la sollicitude, toute la fidélité d'un sentiment qui mettait un baume sur cet orgueil comme une plaie. Ludivine devinait qu'elle eût pu devenir laide, vieille, misérable, aux yeux de l'univers, sans jamais cesser d'être pour lui la plus belle et la seule.

Sachant bien que rien ne lui serait demandé en échange, elle acceptait cette dévotion silencieuse, et prenait l'habitude d'en user à son gré. Jamais importun, sur un signe, Hubert apparaissait ou disparaissait avec un tact qui tenait du prodige.

Fatiguée par sa grossesse, elle avait dû renoncer à seconder Frédéric. D'ailleurs, le travail en commun n'était plus guère qu'une occasion de discorde entre mille autres... Mogador même, avait perdu de son intérêt.

Elle demeurait à la maison, auprès de ses filles. Moins farouche, Isabelle, traînant son tabouret, venait s'asseoir tout contre elle, un album sur les genoux. Elle commençait à lire couramment. La petite voix dévidait de longues histoires, trébuchant sur les mots compliqués, et relatait sans fin les « *Amours d'Avenant et de la Belle aux cheveux d'or* », objet de sa prédilection.

Perdue, bercée, Ludivine écoutait. Parfois, l'enfant levait les yeux vers sa mère, en quête d'une explication. Interdite, elle considérait cette dormeuse éveillée.

« Continue », disait machinalement la jeune femme.

C'était là, chaque jour, qu'Hubert venait la retrouver. Il s'asseyait assez loin, prenait Isabelle sur ses genoux... Encouragé par un sourire d'accueil, il racontait la chasse, la campagne courbée, bousculée dans les rafales cinglantes du mistral, l'eau bourbeuse de l'étang, les dernières feuilles rousses sur le ceps de vigne, l'envol des pies dans les sillons, la noblesse, l'intelligence d'*Obéron*, le fils alezan de *Miranda*.

« Quel beau nom vous lui avez donné, Ludivine. C'est vraiment un cheval-fée, je vous assure... »

Ou bien, à la nuit tombante, les yeux fixés sur les flammes prisonnières derrière le garde-feu de la cheminée, il se risquait à réciter, à voix plus basse, quelque poème qu'il aimait :

... L'hyacinthe, le myrte à l'adorable éclair,
Et, pareille à la chair de la femme, la rose,
Cruelle, Hérodiade en fleur du jardin clair...

ou bien :

En m'en venant au tard de nuit
Se sont éteintes les ételles :
Ah ! que les roses ne sont-elles
Tard au rosier de mon ennui
Et mon amante, que n'est-elle
Morte en m'aimant dans un minuit.

Ludivine, étonnée, se laissait envelopper de cet étrange feu d'artifice, éblouissant ou mélancolique, dont elle eût ri, peu de temps auparavant, et découvrait Gustave Kahn, Laforgue, Mallarmé... Revanche magnifique, pour Hubert. La famille avait toujours traité avec une indulgence nuancée de mépris, son admiration pour « cette poésie nouvelle ». Certes, Mogador s'intéressait à « la littérature ». Julia, Adrienne, commandaient chaque mois, en Avignon, chez Roumanille, les romans récent prônés par les *Annales*. On suivait dans *Le Gaulois*, *Le Figaro* et *La Revue des Deux Mondes*, les comptes rendus des pièces de théâtre. Le soir, après le dîner, Frédéric aimait à relire Vigny ou Baudelaire, parfois Verlaine, Gérard de Nerval, ou encore Alfred de Musset. Entre deux bouffées de sa pipe, il lisait tout haut quelques vers, rêvait dessus, les répétait à satiété, faisant, bon gré mal gré, partager son plaisir aux autres, parfaitement insoucieux de leurs occupations personnelles.

Son enthousiasme avait d'ailleurs quelque chose de si vrai, si entier, presque enfantin, qu'on ne pouvait s'empêcher d'être entraîné, à son tour. Du moins le semblait-il à Ludivine, heureuse d'aimer ce qu'il aimait. Mais « les jongleries de mots de la poésie à la mode » le laissaient sceptique, assez railleur.

Pour Hubert, ce fut donc une période merveilleuse que celle où il obtint l'audience de sa belle-sœur. Isabelle, vaguement charmée par l'harmonie des sons, demeurait attentive. Anne mettait à profit cet état de grâce de ses aînés pour monter dans l'ombre quelque piraterie malicieuse sur les jouets favoris de sa sœur. Cela se résoudrait plus tard, en colères et larmes. Pour l'instant, tout était paix et tiédeur dans la grande chambre où la lueur du feu gagnait peu à peu sur celle du jour gris, refoulé derrière les fenêtres.

Cependant, Frédéric, piqué au vif par ce qu'il baptisait « les bouderies de Ludivine », multipliait ses randonnées à travers la propriété, et, s'attardant chez les fermiers, ne rentrait guère à la maison que pour les repas et le sommeil.

Ludivine s'en inquiétait. Incapable de surmonter l'amertume de ses griefs en présence de son mari, elle souffrait à le sentir loin d'elle et souhaitait son retour. Lorsque

Hubert, répondant à l'invitation de Léon Vernet, s'en fut allé passer quelque temps à *La Sarrazine*, tout empire sur elle-même l'abandonna.

Le tapage des enfants, l'incessant babil, le rire d'Anne lui devenaient insupportables. L'atmosphère lourde, l'odeur de médicaments, qui emplissaient la chambre de sa belle-mère, lui soulevaient le cœur. Elle ne réagissait même plus aux sarcasmes de la vieille dame. Par contre la sérénité perpétuelle d'Adrienne, l'œil de Philo posé sur elle comme une critique muette, horripilaient ses nerfs.

Le temps était triste. Après une période de mistral, le calme avait ramené les nuages. Ils passaient dans le ciel bas, à une vitesse incroyable, se dissolvaient en fumées grises et noires, se succédaient, se mélangeaient, se poursuivaient, sans qu'éclatât enfin l'orage attendu.

Ludivine prit son mantelet, et sortit. Il faisait presque chaud dans le parc. L'après-midi était à son début. Une tristesse lourde imbibait le paysage. Il n'y aurait plus jamais de soleil, plus d'été, plus de lumière bleue et dorée, plus de jours de joie...

Elle s'aperçut qu'elle avait pris le chemin habituel, tant de fois parcouru à deux. — Frédéric montait *Phœbus*, elle *Miranda*. Insoucieux, ils conversaient, rendant la main aux

bêtes qui, d'elles-mêmes, trouvaient leur voie
entre racines et cailloux. — A pied, comme
l'allée des pins paraissait longue ! En bordure,
le verger dépouillé par le vent, alignait ses
amandiers, ses pêchers, ses abricotiers aux
branches nues où la gomme attachait des
nœuds jaunes translucides. Elle en arracha
un morceau avec peine, et mordit dedans. La
coulée, sèche depuis longtemps, résistait sous
ses dents. Elle mâcha un moment ce goût
poisseux de résine et d'écorce. Toute la vie
devant elle avait ce goût-là...

Les champs atteints, elle tomba en pleine
olivade. Les hommes la reconnaissaient,
saluaient familièrement. Elle échangea quelques mots, à contrecœur. « Que l'année fût
bonne ou non, qu'est-ce que cela pouvait
lui faire ? Il s'agissait bien d'oliviers, de
récoltes... »

Tout de même, des branches cassés, une
panière renversée, lui mirent une ride au front.
La femme de Ranguis, qui olivait avec ses
filles, dans un carré tout proche, se hâta vers
elle :

« Ces jeunes, ça n'a pas de soin au travail ! »

La maigre créature noiraude riait à pleines
dents, en ramassant les fruits éparpillés.

« Il y avait bien longtemps qu'on n'avait vu
madame Frédéric. Et ce petit, il poussait ? »

Elle désignait la taille de Ludivine.

« C'était le maître qui serait heureux. Un garçon, ça lui manquait. Mais quand même les petites demoiselles étaient bien jolies et bravettes. La grosse Mathilde les amenait, des fois, jusqu'à la ferme... »

« Et vous ? demanda Ludivine.

— Oh ! moi... »

Elle recommençait son grand rire blanc, ouvert dans la figure recuite de soleil.

« ... Tout à l'heure, je suis grand-mère. La Célina « fréquente » déjà. Il va falloir songer à la noce.

— Vraiment ? Déjà ? Mais c'est une petite fille, encore !

— Eh ! non, madame. Quinze ans, qui font comme dix-huit. Ah ! ça nous pousse ! »

Ludivine hochait la tête : « Dans quelques années, onze, douze ans, qu'était-ce ? ce serait au tour d'Isabelle... »

Elle tendit la main, sourit avec effort, et reprit sa promenade... « Isabelle, grande jeune fille grave, des voiles de tulle, un mari, des enfants... Est-ce qu'elle-même, alors, ressemblerait à sa belle-mère ? Est-ce que, déjà, son temps à elle, son temps mesuré si court, serait fini ? Est-ce qu'il lui faudrait assister aux rires, aux chansons des autres ? Voir, de loin, danser les jeunes filles en robes fraîches, qui

se cacheraient d'elle pour chuchoter leurs
secrets dans les coins et rejoindre leurs amoureux au jardin ?... »

Absorbée dans ses pensées, elle était parvenue à la roubine. Un moment, elle longea la
tamarissière, puis s'assit, et contempla sans
la voir l'eau terreuse qui coulait avec des
bouillonnements, des remous, entraînant des
branches, des paquets d'herbe pourrie, et des
feuilles mortes.

« ... Et lui, Frédéric, comment serait-il ? Peut-
être... » Elle imagina un Frédéric vieilli, assagi,
repenti, qu'elle n'aimerait plus, enfin... Un
visage qui n'aurait plus cette cruelle attirance...
Mais non, ce n'était pas possible, il ne changerait pas, lui. Il ne changerait jamais... Cette
bouche... cette bouche aux lèvres fortement
dessinées, cette bouche sensuelle et moqueuse,
entrouverte sur l'éclair des dents, qu'elle avait
vu sourire à une autre. Oh ! Dieu !

D'ici deux mois, il y aurait un enfant de
plus à la maison, un fils qui lui ressemblerait...
Mais on dit que les fils ressemblent toujours
à leur mère... Bah ! celui d'Elise était tout
le portrait du docteur Royer. Un drôle de
bébé ! Déjà trois semaines qu'elle était allée
le voir à Barbegal, avec Isabelle. Un petit
paquet rouge, fripé, plissé, vieux de quatre
jours... »

« Oh ! Maman, qu'il est laid, il pèle ! » s'était écrié la terrible jeune personne.

Elles avaient bien ri.

« C'est vrai qu'il n'est pas très joli. Mais Vincent était comme ça, aussi. Ma belle-sœur me l'a dit. On change, n'est-ce pas ? » avait remarqué Elise, gaiement.

Ludivine trouvait qu'on ne change pas tant que cela... Jamais Vincent Royer ne passerait pour un joli garçon. Il fallait tout l'amour d'Elise...

L'amour d'Elise, ce cœur clair... Son air de plénitude, cette confiance qui semblait forcer le bonheur, doucement, avec la puissance fabuleuse des faibles.

Mais aussi, ce garçon dégingandé, un peu comique, savait se pencher sur elle et l'embrasser sans vergogne, la couvrir de mots caressants, devant n'importe qui. Dès qu'il se tournait vers sa femme, la tendresse resplendissait derrière les verres de ses lorgnons qu'il ôtait et remettait sans cesse.

Jamais elle n'avait connu chez Frédéric, pareil abandon, en présence de témoins. Comme elle eût adoré, pourtant, le voir proclamer ainsi, à la face de la terre : « Celle-ci est la femme que j'aime... je n'ai pas de honte à ce que vous le sachiez... » Mais on ne pouvait pas attendre cela de Frédéric. Jamais, jamais...

Même aux jours où il l'avait le plus aimée, toujours il avait paru se jouer d'elle, ne laissant percer que rarement un peu de son amour. « Et maintenant... Ah ! qu'importait ?... Maintenant, tout était irrémédiablement gâché... Y aurait-il encore de ces moments pleins et parfaits ?... Un fruit taché, si petite que soit la tache, on en garde ce goût... »

Quelqu'un venait sur le chemin. Elle se retourna. Une grande silhouette aux larges épaules, extraordinairement dégagée, se découpait dans le jour sombre... Il arrivait du côté de l'étang. Sa démarche souple, balancée, rapide sans hâte... « Frédéric ! » Il lui semblait le sentir s'imprimer en elle jusqu'au fond de ses yeux, entrer jusqu'au creux de sa poitrine, comme une brûlure ; et la douleur était aiguë et exquise.

Surpris, en la voyant, il s'arrêta.

« Tu es venue te promener jusqu'ici ? Qu'est-ce que diable... ? »

Et lui, d'où arrivait-il, par là, seul, à pied ? Etait-il allé rêver à sa Laure ? au bord de la roselière, là-bas où ils s'asseyaient jadis, tous deux, pour laisser reposer leurs chevaux ?...

Patience ! Dans quelques semaines, elle serait belle, à nouveau ! Ce ne serait qu'un jeu de le reprendre. Et cette fois, oh ! cette fois, elle saurait veiller sur son bien.

« Il ne fait pas froid... J'en avais assez de la maison. »

Tant de jours de rancœur avaient dressé entre eux leur barrière... Maladroits, ils se regardaient, pris d'une gêne à se retrouver l'un en face de l'autre. Ludivine se sentait laide ; la tristesse ne lui allait pas, elle le savait.

« Je rentre, d'ailleurs.

— Si tu veux, je t'accompagne. Il faut que je passe à la ferme, chez Ranguis.

— J'ai vu sa femme tout à l'heure. » Elle se relevait avec difficulté, lourde.

« Attends, donne-moi la main.

— Ce n'est pas la peine », dit-elle, humiliée.

Ils se mirent à marcher côte à côte.

« Veux-tu mon bras ? »

La crainte d'un refus mettait de la sécheresse dans son intonation.

« Oh ! je ne suis pas fatiguée.

— A ton aise, ma chère. »

« Frédéric... »

N'entendait-il donc pas cette voix qui, en elle, le priait ? Pouvait-il suivre ce chemin sans que le remords lui fît mal ? Leurs promenades, leurs baisers, leur accord profond... « S'il faut que tout finisse, que ce soit ailleurs, mon Dieu, ailleurs où je n'ai jamais été heureuse. Mais pas ici, ah, pas ici !... »

Elle se laissait distancer. Frédéric n'y prit pas garde.

Ce qu'elle endurait était intolérable. Elle était une torche de poix. Ce n'était plus possible. Un instant, dans un instant, il allait arriver quelque chose... Mais rien... « Et après tout, je vais me rapprocher. Lui prendre le bras. Je dirai que je suis lasse. » Elle imagina sa surprise. Et puis, il ne pourrait pas, non bien sûr, il ne pourrait pas la repousser... « Qu'importe ce qu'il pense ? Même s'il n'est plus à moi, rien qu'à moi... Seulement ses bras !... Ne pas s'en passer une minute de plus... »

Elle pressa le pas pour le rejoindre, buta durement sur une grosse pierre, et faillit tomber. Absorbé dans ses réflexions moroses, son mari ne s'en aperçut même pas.

Elle demeurait là, au milieu du sentier, dans un sentiment d'abandon presque insoutenable. Cette eau sale qui coulait, et ce bruit dans sa tête... Elle sentait le sang se retirer de son cœur : « ... Si je mourais... » Est-ce qu'alors il continuerait à marcher indéfiniment, avec cette tranquillité implacable, sans paraître souffrir de quoi que ce fût ?...

Une sursaut de rage folle la redressa. Eh bien, on allait voir !

Ramassant son élan, elle prit sa course,

passa comme une flèche devant Frédéric
stupéfait...

« Bon Dieu, Ludivine, qu'est-ce que... Ah ! »

Une seconde, foudroyé, il regarda le bord où
elle avait disparu. Puis, brusquement, la présence d'esprit lui revenant, hurla : « Nom de
Dieu ! », bondit, vit ce paquet noirâtre malmené
par le courant, accroché à une branche flot-
tante de tamaris, et se lança en criant :

« Tiens bon ! »

Le talus était abrupt. Nageant, agrippant
branches ou racines à sa portée, traînant,
tirant, hissant Ludivine, il parvint à remonter,
vingt mètres plus loin.

A bout de souffle, il la déposa sur l'herbe
rare. Dégouttante d'eau et de boue, parcourue
de longs tremblements, elle ne disait rien. Ses
dents serrées s'entrechoquaient. Sa peau avait
pris une teinte grise comme celle de la rivière.
Une mèche de cheveux collée lui cachait la
joue... L'expression de ses yeux alluma la
colère de Frédéric.

« Nom de Dieu de nom de Dieu ! »

Jamais de sa vie, elle ne l'avait entendu jurer
si grossièrement...

Elle garda le silence avec délices.

« ... Tu as fait ça... tu as fais ça ! Idiote !
Folle ! Mais pourquoi ? Qu'est-ce qui t'a pris ?...
Tu mériterais... Bon Dieu ! »

Il la secouait, la frictionnait, la serrait contre lui, la rudoyait, l'embrassait, l'injuriait...

Toujours muette, elle se laissait aller. La poigne de Frédéric lui meurtrissait le bras. Renversée, elle but l'angoisse, la fureur, la passion de ce visage qu'il lui livrait, larmes aux yeux, mâchoires contractées...

Il la souleva dans ses bras et se mit en marche. La figure enfouie contre sa poitrine, Ludivine fermait les yeux.

« Ludivine, tu m'entends ? Réponds-moi, mais réponds-moi donc, dis quelque chose, bon sang ! Pourquoi ?... Pourquoi ?... »

Voilà, elle était arrivée, après tout cet affreux voyage. Enfin !... Le port, le quai, le repos... Tout était bien.

« Pour voir si tu m'aimes. »

L'étreinte de Frédéric paraissait vouloir l'incruster contre lui.

« Tête dure ! Tu ne le sais pas ?... »

Leurs vêtements ruisselants faisaient autour d'eux des rigoles sinueuses qui s'écoulaient dans la poussière...

Cette courte journée de novembre se repliait déjà. Les buées du crépuscule enveloppaient l'olivette où les femmes avaient déserté le travail.

A la ferme, l'apparition du chef de Mogador portant dans ses bras, madame Vernet, tous deux trempés, boueux, hâves, lamentables, fit sensation.

« Un accident. Ma femme est tombée », dit-il brièvement.

Son aspect rébarbatif arrêta un flux d'exclamations. L'état de Mme Frédéric, d'ailleurs. « Pauvrette, de sûr, elle s'est sentie faible », détourna de lui les curieuses apitoyées. Empruntant des vêtements à Ranguis, il put se laver et se changer à l'écart.

Dans la grande salle, devant un feu de sarments allumé à la hâte, la femme et les filles du baïle déshabillaient Ludivine, lui faisaient avaler de la liqueur d'arquebuse, bassinaient des draps, des couvertures...

Un journalier fut expédié à la maison, tandis que Ranguis, attelant la carriole, y plaçait un matelas.

Une heure après, la jeune femme était couchée dans sa chambre, entourée d'un rempart de bouillottes, badigeonnée d'un révulsif, les cheveux frottés de serviettes chaudes, peignés et nattés avec soin, revêtue d'une chemise et d'une camisole douillettement tiédies devant la flambée de bûches qui ronflait dans l'âtre. On pouvait compter sur Adrienne, dans ces moments-là. Sans demander beaucoup d'explications, elle avait fait ce qu'il y avait à faire. Gustave, le rousseau des écuries, était déjà parti pour Fontfresque, prévenir le docteur Lapierre.

Ludivine grelottait d'un froid dont les couvertures piquées et les édredons gonflés de duvet empilés sur elle, ne parvenaient pas à triompher.

Partagé entre l'inquiétude et la colère, son mari la couvait d'un regard sombre, allait et venait dans la pièce, s'arrêtait à nouveau devant elle, s'essuyait le front d'un geste machinal, et, muet, recommençait sa promenade.

« Monsieur fait peine », déclara Eugénie, descendue à l'office chercher un pot de tisane.

« Il a l'air d'un canon chargé qui ne peut pas partir », se disait Ludivine, l'observant derrière ses cils, avec une tendre, délectable pitié. Elle se sentait curieusement allégée, en même temps qu'anéantie. Quelque chose d'elle flottait au-dessus de ce corps tremblant, meurtri, las, comme si on l'eût roué de coups... Quelque chose qui n'avait rien à voir avec la fièvre et la souffrance, qui était libéré, apaisé à l'extrême, et planait avec une aisance parfaite.

« Frédéric, appela-t-elle, doucement.

— Oui ? »

Il vint jusqu'à son chevet, le visage rogue. Mais Ludivine en avait fini, de se tourmenter à son sujet. Dolente, elle lui prit la main.

« Mon chéri... »

Sans répondre, il serra les doigts glacés, et se mit à les réchauffer entre les siens.

Le docteur vint assez tard dans la soirée. Il fut évasif, et rédigea une longue ordonnance.

Les jours suivants, la fièvre persista. Rien ne put juguler la congestion pulmonaire qui s'était déclarée : potions douceâtres, enveloppements de moutarde, sangsues aux pieds, Ludivine payait sa victoire. Abattue, brûlante et frissonnante, tantôt pâle, tantôt très rouge, les traits amaigris, épuisée par des quintes d'une petite toux sèche, elle acceptait tout avec une longanimité bien éloignée de son caractère ; Philo même devait le reconnaître, dans le communiqué qu'elle faisait chaque jour à sa maîtresse.

Malgré tous les soins, la maladie empira. Frédéric ne quitta plus guère la maison. Au sortir de la chambre où il se penchait sur sa femme, épiant un mieux qui ne se produisait pas, il rôdait d'une pièce à l'autre, sans desserrer les dents, incapable de prendre un peu de repos.

Pendant quelques jours, Ludivine délira sans le reconnaître. Un délire calme, où, déjà, elle ne se ressemblait plus. Devant cette forme inerte, absente, enfoncée loin dans une contrée inextricable, il cherchait en vain le petit personnage ombrageux, plein de caprices, de rire, de câlineries, de brusques colères, qui lui appartenait si bien... et se découvrait vertigineusement abandonné.

Les femmes avaient pris le pas sur lui. Dans cette chambre — la leur — Adrienne, Philo, et jusqu'à Eugénie, toutes le bousculaient, le traitaient soudain comme un enfant dont la gaucherie embarrasse.

« C'est pour le cataplasme... Si Monsieur voulait bien permettre...

— Donnez, intervenait Adrienne. Et toi, laisse-moi faire. Pousse-toi, veux-tu ? tu te mets juste devant la lampe. »

A regret, il s'écartait.

« Allez vous étendre un peu, monsieur Frédéric », conseillait Philo.

Des nuits durant, Julia entendit le grand pas de son fils emplir le couloir de craquements irréguliers qu'elle essayait de déchiffrer :

« ... Il s'est arrêté près de la fenêtre... Ah ! il repart. On dirait qu'il monte chez les petites... On ne l'entend plus... S'il pouvait... Non, le voilà revenu... »

Elle savait bien qu'elle-même n'avait, pour cette fois, aucun secours à lui porter, qu'il

fallait se contraindre à l'écouter sans rien dire,
et laisser cette angoisse s'épuiser dans la
solitude.

Rappelé de *La Sarrazine*, Hubert se tenait
aux aguets, mortellement anxieux. Sur la
grande maison, pesait un silence consterné.
Seuls, de temps à autre, quelques cris, un éclat
de rire, traversaient l'étage des enfants.

Les premières gelées étaient venues. Un
beau froid brillant et sec habitait le ciel pur.
Mais dans la chambre où semblait battre le
cœur de la demeure, la buée ruisselait aux
vitres, noyant le monde, plus sûrement que de
longues ténèbres. Dans ces journées si courtes,
à peine éteignait-on quelques heures la veilleuse, pour entrouvrir à la lumière les épais
rideaux d'imberline.

Peu à peu, cependant, la fièvre baissa. Au
bout d'une quinzaine, un matin, le docteur
Lapierre déclara la malade tirée d'affaire.
Mogador respira. Le patient visage d'Adrienne
s'éclairait à nouveau du sourire familier. Frédéric, délivré, descendit aux écuries, porter la
nouvelle à *Phœbus* et à *Miranda*. Si longtemps
négligé, *David*, son vieux chien, fou de joie,
délira en retrouvant son maître... Hubert fut
autorisé à rendre visite à sa belle-sœur, et Julia
obtint enfin que l'on transportât son fauteuil
auprès du lit de la jeune femme.

Ludivine commençait sa convalescence. Emaciée et pâle, elle émergeait à la vie avec la figure d'une étrangère au milieu de tous. Cependant, ses accès de toux continuaient, aussi fréquents, aussi longs...

Elise et son mari vinrent la voir. Vincent Royer, l'air soucieux, s'informa auprès d'Adrienne des progrès de la guérison. Ils étaient lents à se manifester. La température n'était toujours pas redevenue normale. Quelque temps stationnaire, sournoisement, elle se mit à remonter. Le docteur Lapierre, qui avait espacé ses visites, revint, matin et soir. Il finit par s'ouvrir à Julia de ses inquiétudes :

« Voyez-vous, je crains fort... La secousse, peut-être, et puis ces quintes incessantes... Il faut s'attendre... »

Une nuit, les cris de Ludivine éveillèrent la maison. Les hurlements du mistral déchaîné au-dehors comme une bête folle lâchée dans le ciel, ne parvenaient pas à atténuer l'horreur de cette plainte. A travers les rafales glacées qui menaient leur assaut dans la campagne nue, Frédéric galopa jusqu'à Fontfresque, ramena le docteur, repartit au village, chercher la sage-femme en renfort...

Ce fut une nuit de bataille. A l'aube, une petite vie toute neuve commençait sa course à Mogador. L'émotion était telle, autour de

Ludivine, exsangue, exténuée, que nul ne prêta grande attention à cette présence survenue un mois plus tôt qu'on ne l'espérait. L'enfant était encore une fille.

« ... Et point trop belle !... » marmonnait Philo, prise entre le dédain et l'apitoiement envers cette créature chiffonnée, fluette, vagissante, et triste, et pourtant bien vivante, qui occupait le vieux moïse d'Anne descendu précipitamment du grenier, en attendant que le nouveau fût prêt.

XVII

« Pauvre Christine, elle n'est pas ce qu'on peut appeler un beau bébé », songeait Adrienne, berçant sa dernière nièce.

L'enfant était maigre, avec un teint blafard, une bouche trop grande pour sa figure creuse... Quant au caractère, il laissait fortement à désirer, même pour une jeune personne de cinq mois.

On eût dit que les orages qui avaient présidé à sa naissance, avaient laissé leur empreinte sur elle. Les petites filles étaient franchement hostiles à cette sœur désagréable, dont il leur avait fallu apprendre à tolérer la présence. Anne surtout, la favorite, se trouvait lésée, car Frédéric et Ludivine acceptaient avec indulgence les caprices de ce nourrisson déshérité. Peut-être se sentaient-ils vaguement coupables envers la pauvre petite, venue au monde en de si mauvaises conditions.

Tous deux se penchaient sur les mousse-lines roses enrubannées du moïse commandé pour le fils vainement attendu, à la place duquel, chétive, Christine trônait à présent.

« Elle a repris, disait Ludivine. Evidemment, elle n'est pas aussi grosse que l'était Anne à son âge... Mais après tout, elle ne se porte pas mal. »

Et Frédéric :

« Tu vas voir, elle finira même par être jolie. Elle a déjà de beaux cheveux bien noirs, comme les tiens, avec de longs cils... En tout cas, c'est une Vernet, elle a ma bouche... »

« ... Et tes yeux, mon amour », ajoutait en elle-même Ludivine, contemplant avec ten-dresse le sourire de son mari incliné sur leur petite fille.

Se redressant, il rencontra son regard, la prit par la taille :

« Allons, viens... Descendons.

— Je t'envoie Nounou tout de suite, promit Ludivine à sa belle-sœur.

— Oh ! ça ne presse pas. »

Ils sortirent. Dans le couloir, la jeune femme s'accrocha au cou de son mari :

« Frédéric, écoute, dans quelque temps, l'an prochain, si tu veux... »

Il la serrait contre lui, ému, un peu honteux.

« Bien sûr, chérie, nous finirons bien par « l' » avoir. »

Ils ont l'air heureux, se disait Adrienne, demeurée seule. Un mari... des enfants bien à soi... Elle regardait la petite fille s'endormir, apaisée.

Pour Anne, pour Isabelle, pour celle-ci, que serait-elle d'autre qu'une tante, après tant de soucis et de peines ? Les petites l'aimaient bien, certes... N'empêche qu'elles n'obéissaient qu'à leur mère... Cette mère élégante, belle, pleine d'autorité, qui apparaissait de temps à autre, dispensant baisers ou châtiments, comme un personnage de l'Olympe, Anne la révérait avec passion.

« Isabelle... » Qui pouvait dire ce que pensait Isabelle ?... L'enfant repoussait généralement les caresses. Mais quelquefois, au sortir d'une longue rêverie toute grise, on découvrait soudain cette petite présence, nichée contre soi, attentive, avec un regard qui semblait s'offrir... « Peut-être, oui, peut-être Isabelle... Dieu ! s'il fallait un jour quitter ces petites !... » Même la dernière venue, déjà, sa place était marquée...

Pourtant, un mari... un homme que l'on aime, avec qui l'on partage tout, depuis la lueur rose derrière les persiennes et la gourmandise du petit déjeuner... et les menues joies, et les charges de chaque heure... et comme alors, toute joie doit être plus exquise, et toute charge plus légère !... Un homme qui vous tient par la taille, comme, tout à l'heure, Frédéric... Une épaule pour poser sa tête...

Elle alla vers la glace de l'armoire, et, doucement, appuya sa joue contre la joue froide de son reflet. La buée de son souffle brouilla tout. Elle s'écarta, et sourit avec gêne à l'image qui se recomposait, puis s'examina timidement.

« Je pourrais peut-être... Comme ça... faire gonfler mes cheveux. Ludivine dit toujours que je me coiffe si mal... Voyons... Des yeux qui ne sont pas laids, non, vraiment. Et après tout... »

Seule, devant son miroir, elle y puisait un peu d'assurance. Mais... que quelqu'un entrât, fût-ce sa belle-sœur... A cette seule pensée, elle alla se rasseoir. « Seigneur, on me trouverait ridicule. A vingt-neuf ans, presque trente... D'ailleurs, il n'est pas question d'amour... Du moins... »

Elle se rappelait cette visite. Depuis la veille, elle n'avait guère pensé qu'à cela. Cette brève conversation dans le parc... « Si je n'étais pas

allée le reconduire jusqu'à la grille... » Quand
Victor avait annoncé : « Monsieur Guillermin »,
elle avait souri : « Tiens, le voisin qui vient
faire sa cour à Maman. » Depuis quelques mois,
en effet, Charles Guillermin fréquentait les
Vernet. Il habitait le Cigalier, à une lieue et
demie de Mogador. Une sœur beaucoup plus
âgée qui tenait sa maison, était morte récem-
ment. Sans doute s'ennuyait-il dans sa solitude.

Julia Vernet, privée de son partenaire aux
échecs depuis la brouille avec le curé, accueillait volontiers le petit homme jovial qui jouait
passablement au tric-trac, et ne s'apercevait
jamais de ses légères tricheries.

On taquinait la vieille dame : « Votre soupirant, Mère... Peut-on vraiment vous laisser
seuls ensemble ?... Pensez-vous que ce soit
convenable ?

— Allons, allons, riait Julia. Je ne sais
laquelle est le moins en péril, de sa vertu ou
de la mienne. »

Adrienne avait horreur de ces façons cava-
lières. « ... Mère exagérait, parfois... » Mais les
garçons et Ludivine s'amusaient beaucoup.

En réalité, Charles Guillermin n'avait guère
que la quarantaine. Il paraissait d'ailleurs
l'avoir toujours eue. Sans doute aussi n'en
porterait-il pas davantage dans dix ou quinze
ans...

« Mademoiselle, je suis heureux de pouvoir vous entretenir seul à seule, quelques instants. »

Ce bon visage bruni, large, déjà touché de rides. Cet exorde volubile et cérémonieux... Qu'avait-il donc à lui dire ? Adrienne revoit tout cela comme une de ces histoires en imageries d'Epinal dont Isabelle se délecte.

La robe qu'elle portait, cette petite robe de drap rayé gros bleu, avec ses manchettes et son bouffant de corsage en batiste blanche, dont Ludivine dit qu'elle lui va bien...

« ... Voulez-vous... Pardonnez mon audace... Voulez-vous que nous nous asseyions ? »

« Bonne Vierge ! comme il avait l'air intimidé !... Et moi... » Elle se souvient qu'elle tapotait sa jupe, son chignon.

« Mon Dieu, cher monsieur, qu'y a-t-il ? »

Elle commençait à deviner confusément, sans y croire.

Pour la faire asseoir, il avait épousseté soigneusement le banc, de son mouchoir propre ; et maintenant, sans y penser, il s'en épongeait les tempes, avec une conviction que ne justifiait pas ce joli soleil tout frais d'un été qui s'annonçait à peine.

« Chère mademoiselle Adrienne... me permettre de vous dire... peut-être déjà deviné... l'attachement respectueux que j'éprouve... la

joie que j'aurais... le grand honneur... prier
Mme Vernet de m'accorder votre main. »

Eh bien, voilà. C'était une déclaration.
Jamais, non, jamais Adrienne n'eût imaginé...
Etourdie, brûlante, elle avait balbutié Dieu
savait quoi.

Gauchement, on prenait sa main qu'elle retirait, honteuse, le cœur battant. On se disait
trop heureux de n'être pas repoussé, de pouvoir espérer que, peut-être...

Il était reparti à bicyclette.

Julia avait été choquée. A Mogador, on
montait à cheval. « ... Mais après tout, cela
n'a rien de ridicule. Tout le monde fait de la
bicyclette. Maman a des principes si absurdement conservateurs... »

Déjà, sans en avoir conscience, elle se dres-
sait contre son clan, au secours de celui qui
n'était pas des leurs.

Ainsi, c'était arrivé : un homme l'avait
demandée, l'avait choisie. Etre la compagne de
cet homme, aller s'asseoir au foyer de ce
Cigalier... Devenir une femme. Dire : « Mon
mari », en parlant de lui ; avoir des enfants
qui lui ressemblent. S'avancer à son bras...
« Il n'est pas très grand, non. Mais juste de ma
taille. Quelqu'un à qui l'on n'a jamais pensé, et
soudain, il faut imaginer qu'on pourrait le
tutoyer, lui donner son prénom... Charles,

ce n'est pas mal. Charles... Il y a ce bon regard de ses yeux bleus. Bleus ? ou verts ? ou gris ? »

Au fond, Adrienne n'en sait rien. Clairs, à coup sûr. Elle pense « bleus » à cause, peut-être, de cette sorte de candeur qui en émane. Sans doute saurait-il la rendre heureuse. Heureuse ? Il y a dix ans, le bonheur, c'était cet inconnu que l'on espérait follement, qui eût été beau, grand, svelte, le modèle de toutes les séductions. Celui qui sait dire : « Je vous aime » et, du premier coup d'œil, déjà, on l'a aimé... Enfantillages !... Adrienne se força pauvrement à sourire. Peut-être y avait-il eu jusque-là, en elle, quelque chose qui s'y rattachait, qui ne renonçait pas, qui n'avait pas encore renoncé. Maintenant... Etait-ce pour cela qu'elle se sentait triste ?

Incertaine, elle cherchait, au fond de sa mémoire, les mots qu'avait dits le prétendant, en retrouvait l'accent... « En tout cas, il m'aime. » Quelqu'un au monde qui éprouvait de l'amour pour elle, qui souhaitait l'avoir pour femme...

« Au Cigalier, il y a un banc derrière la maison, il y fait bon, même en plein mois d'août, sous la treille. Et l'on a toute l'Alpille devant soi, jusqu'à la plaine d'Arles. Le soir, on en voit les lumières. »

Bizarrement elle se rappela cette phrase qu'ils avaient eu, un jour, longtemps auparavant.

« Si je pouvais, j'y viendrais, avait dit Julia, songeuse. Il y a des années que je n'ai pas revu la montagne, et pourtant, il me semble que j'en respire encore l'odeur... »

La montagne... Parmi les amandiers, à l'ombre des pins, ce mas bousculé par les vents, craquelé de soleil, bas contre le ciel, dans le thym et la rocaille, était-ce là qu'elle irait, en quittant les siens ?

On frappait doucement. La nourrice entra.

« Elle dort ? C'est dommage de la réveiller. Ça va pourtant être son heure. »

Christine devait rêver. Sa figure étroite reflétait un vague rire détendu. Adrienne la contempla un instant, puis se leva.

« Je descends, Nounou, puisque vous êtes là. »

La porte ouverte, une bouffée de chant lui parvint du premier étage. Frédéric exécutait en fantaisie le grand air des *Huguenots*, avec l'impitoyable, la sereine inconscience d'un cœur pur.

Chacun, dans la maison, connaissait le rite : « Il se rase », pensa-t-elle. Sainte Vierge, qu'il chante mal... Elle écoutait, attendrie.

Brusquement, elle imagina monsieur Guillermin dans son cabinet de toilette, les joues barbouillées de savon à barbe, chantant faux à pleine voix, lui aussi. Il y avait dans cette évocation quelque chose d'inacceptable. « Que je suis sotte ! »

Elle haussa les épaules, avec colère. La vie ne posait pas uniquement des problèmes d'un ordre raffiné. Sans doute, alors, eût-il été plus simple de les résoudre. Titus et Bérénice, oui. Mais si Titus était sujet aux rhumes de cerveau, si Bérénice avait l'estomac fragile ?... Toute la vulgarité quotidienne à regarder en face...

Hubert qui sortait de sa chambre, dévisageant sa sœur figée sur l'escalier, s'informa, avec commisération :

« Qu'est-ce qu'il y a, ma pauvre fille ? C'est cette musique des anges, qui te dérobe à la terre ? »

Dérangée dans ses spéculations, Adrienne jeta sur son cadet un coup d'œil absent qui ne tarda pas à se fixer :

« Ta cravate ! Voyons, comment peux-tu si mal... ? »

Hubert s'échappa avec une grimace.

Elle le regarda descendre les marches quatre à quatre. Une chaleur lui gonflait la poitrine. Ses frères, ces deux magnifiques garçons, et les enfants, et Mogador et tous... Ah ! rien n'était simple... — Avec un grand soupir, elle décida :

« J'en parlerai à Ludivine. »

« Mère est au courant ?

— Dieu, non ! Tu crois que ?... »

Ludivine prit un air réfléchi. Intérieurement, elle éclatait d'importance et d'excitation dans ce rôle, nouveau pour elle, de confidente.

« ... Non, vois-tu, continuait Adrienne. Je n'en ai parlé à personne. Je préférais, au moins pour le moment... tu comprends ?... C'est-à-dire... Je me demande comme elle le prendrait.

— Et comment le prendra-t-elle, si tu commences par lui faire des cachotteries ? »

Adrienne devint écarlate :

« Sainte Vierge ! Ludivine !... tu ne veux pas que j'aille lui dire...

— Si, justement : « Ma Mère, cet honorable « partenaire, à qui l'on aurait donné le Bon « Dieu sans confession, a jeté un regard de « concupiscence sur votre fille, et lui a déclaré « sa flamme en catimini, sur un...

— Oh ! Ludivine !

— Allons, préfères-tu que je m'en charge ? offrit Ludivine, avec générosité. Tiens, rentrons, si tu veux, j'irai la trouver. »

Il faisait un air délicieusement frais, sous les

chênes. Un silence musical enveloppait les deux jeunes femmes, tout bourdonnant d'insectes, et de ces mille rumeurs imperceptibles de la graine qui germe, de l'herbe qui pousse, de la feuille qui se déplie...

Pourtant, la traversée du vaste espace soleilleux autour de la maison ne rebuta pas Ludivine. Elle mourait d'envie d'argumenter avec sa belle-mère, sur un événement aussi sensationnel.

Observant à la dérobée Adrienne qui se levait, secouait sa jupe, ouvrait posément son ombrelle... « Comment peut-elle être aussi apathique ? se dit-elle. Moi, à sa place, je serais dans tous mes états ! »

« Tu peux compter sur moi, ma chère... Mais quelle histoire, vraiment, quelle histoire ! » répéta-t-elle, reprise de gaieté.

Le lendemain, tout Mogador était au courant.

« Qu'en pensez-vous, Maman ? » demanda Frédéric, venu aux nouvelles dans la chambre de la vieille dame.

Assise dans son fauteuil auprès de la fenêtre ouverte, Julia s'éventait. Elle le regarda fixement, et s'interrompit, l'éventail en l'air :

« De toi à moi, je pense que si ta sœur avait pour deux sous de bon sens, elle dirait : « oui » sans barguigner. Les Guillermin sont une famille très convenable. D'autre part, ce garçon me paraît plein des qualités mêmes qui font le mari parfait pour une fille comme elle. »

Frédéric éclata de rire.

« Mère, Mère, que vous êtes mordante !

— Allons, dit-elle, agacée. Je parle sérieusement. Pourquoi ne pas voir les choses en face ? Ta sœur est une bonne fille, pas plus sotte que bien d'autres...

— Beaucoup moins, même.

— Je t'en prie, laisse-moi parler !... Pas plus sotte. Bon ! Pas plus laide, non plus... Il n'en est pas moins vrai que quelqu'un ayant un peu de sang vif dans les veines frémirait à l'idée de passer sa vie à côté d'elle.

— C'est injuste, Mère. Ne dites pas ça... Vous la tarabustez tant et si bien...

— Exactement ce que je te démontre, coupa Julia, imperturbable. Mais Charles Guillermin possède, comme pas un, la vertu de patience...

— Vous avez pu observer cela, Maman ?

— Parfaitement. »

Elle écrasa l'ironie de son fils sous un mépris délibéré.

« ... C'est un brave garçon. Il a un bon mas, si j'en crois les Arnal qui le connaissent bien. Une terre dure au labour, mais qui donne sa vigne et son blé, au bout du compte. Et le plus beau bétail de la montagne. Ce n'est pas un homme de cheval ; mais Dieu sait que, sous ce rapport, Adrienne, la pauvre... »

Gagné par la force du raisonnement, Frédéric hochait la tête.

« ... Eh bien, conclut la vieille dame, je les trouve assortis. La vie, pour les filles, c'est de se marier, et d'être mères. Ta sœur ne vit pas, ici. Je suis toute prête à donner ma bénédiction, si elle me la demande. Cependant, je ne dirai rien, ni pour ni contre. Elle a dépassé l'âge de raison, la chose la concerne seule... Mais si tu veux ma pensée : elle ne se décidera pas, j'en jurerais.

— Pourquoi ? » Frédéric ne comprenait plus.

« Pourquoi ? explosa Julia. Parce que, depuis que je l'ai mise au monde, elle dort les yeux ouverts ! A croire que ton père me l'a faite dans un songe... Et que, depuis tout à l'heure trente ans que je m'époumonne pour rien à la réveiller, je commence à le savoir, peut-être, qu'elle est, devant l'existence, juste comme un santon de la crèche !... Et après tout, si ça l'amuse, de continuer à faire la garde-malade, et la bonne d'enfants !... »

C'était exactement l'opinion de Ludivine.

« D'ailleurs, comme disait Hubert, Charles Guillermin n'avait rien d'un don Juan. Il était impossible qu'Adrienne en fût un tant soit peu éprise. Dès lors, comment eût-elle pu... Enfin, pardonnez-moi, il est de ces choses que la délicatesse... Vous comprenez, ma chère ?... »

Ludivine comprenait parfaitement et tombait d'accord volontiers que l'hésitation n'était guère permise. Quitter une vie familiale fort agréable, somme toute, des enfants auxquelles Adrienne s'était attachée, et qui tenaient à elle ; un domaine comme il s'en trouvait peu... Et pourquoi, grand Dieu ? Pour s'en aller habiter là-haut, dans la pierraille, en tête à tête, au long des jours, avec ce compagnon sans prestige...

« Tu pourras toujours fréquenter les moutons, quand la distraction te fera faute », disait-elle à sa belle-sœur.

Hésitante, désemparée, passant de l'un à l'autre, Adrienne se sentait prise de rébellion. Ils étaient là, tous, avec leurs railleries, leur caractère entier... Elle étouffait au milieu d'eux. Il leur fallait toujours toute la place... Et ces deux-là, Frédéric et Ludivine, de bonne foi, ils se prenaient pour un couple modèle... Mais si l'on y regardait d'un peu près : des heurts continuels, des querelles, des violences, des réconciliations... voilà de quoi était faite leur vie. Et ils se trouvaient heureux... et ils jugeaient avec arrogance de celle des autres, et prétendaient la régenter !

Et Mère, de tous la plus redoutable, qui l'observait avec cet air narquois...

Elle en avait assez... — Les traits effacés de Charles Guillermin apparaissaient à son imagination comme une promesse de tendresse raisonnable, et de paix... d'une immense, incomparable paix, par contraste avec cette maisonnée bruyante...

« Alors ? A quand, ce mariage ? demandait Frédéric, bon enfant, en la voyant plongée dans ses pensées.

— Laisse-la, voyons ! » le tançait sa femme, avec affectation.

Mais elle-même, à d'autres moments, n'épargnait pas la pauvre Adrienne.

« Il te faudra apprendre à monter à bicyclette... »

« Poseuse, petite poseuse ! grondait l'esprit de révolte au tréfonds de la victime... » « Comme si elle s'était jamais tenu sur un cheval, avant de venir ici !... »

« Avec un époux de ce genre, tu peux être tranquille, ma bonne, continuait la jeune femme, jamais à court de persiflage, il ne t'exposera pas à des scènes de ménage. Je gage que tu porteras la culotte. Ah ! évidemment, ce n'est pas lui qui t'enlèvera sur son cheval, le jour de vos noces !... »

Il y avait eu un temps, se disait Adrienne, en proie à l'exaspération, où le seul souvenir de cette épopée faisait monter aux joues de Ludivine, le sang de la colère humiliée... Mais à présent, elle s'en glorifiait sans retenue, comme d'un témoignage de passion romanesque.

Adrienne contenait à grand-peine un flot de remarques propres à ramener la tortionnaire au sentiment de son impudence.

Pourtant, la moquerie creusait son chemin en elle, élevait sa barrière invisible contre le soupirant balbutiant, inquiet, et toujours si gêné, si peu semblable au tenace idéal de ses rêves, avec lequel elle ne pouvait s'empêcher de le confronter sans cesse...

Isabelle eut la rougeole. On l'isola dans la chambre de sa tante. Ce petit corps souffrant confié à sa garde, cette voix transformée par la fièvre qui appelait : « Tatie, j'ai trop chaud, Tatie, j'ai soif... Tatie, j'ai mal... »

Tatie, toujours Tatie, et nulle autre...

Non, ce n'était pas possible ! elle sentit qu'elle ne pourrait pas se délier de ces chaînes-là. Il eût fallu y employer tout l'élan d'un amour...

Quand la guérison de la fillette l'eut rendue

à la vie quotidienne, elle - donna enfin sa
réponse. A peine eut-elle le temps d'éprouver
un regret navré devant la tristesse du regard
bleu attaché sur elle. Charles Guillermin
espaça ses visites. Julia haussa les épaules, et
ne fit pas de commentaires. Mogador, tacitement, enterra l'affaire.

Tous trouvaient, d'ailleurs, tacitement qu'elle
avait fait long feu. Les garçons se passion-
naient, depuis peu, contre Cecil Rhodes, pour
le président Krüger. On était habitué à les
voir s'enflammer et prendre fait et cause, à
tous les événements des quatre coins du
monde, sans compter les questions électorales
et les changements de ministères... L'année précédente, ç'avait été, surtout, la guerre d'Erythrée. Puis Madagascar. Les noms de Majunga,
Diégo-Suarez, Tamatave, avaient succédé,
durant de nombreux repas, à ceux de Makallé,
Amba-Alaghi, Adagama... Quand le poulain noir
était né, Hubert l'avait baptisé *Ménélik*... Et
maintenant, ils se lançaient à corps perdu dans
toutes ces histoires d'Afrique du Sud, com-
mentaient l'intervention du parti libéral
anglais, l'attitude de Chamberlain à l'égard de
la Chartered...

Ludivine, que les répercussions du complot
Jameson intéressaient fort peu, puisait des
idées de toilette dans les comptes rendus du

couronnement du tsar Nicolas II, se coiffait comme la tsarine, et chantait le duo de *Xavière*, avec Alfred Raynal, l'ami d'Hubert, qui prétendait lui découvrir une jolie voix.

Ils se rendirent à Paris, pour assister à la visite des souverains russes. Ce furent quelques jours remplis d'amusements incessants, de spectacles, de fêtes, de promenades. La ville étalait son enthousiasme parmi les ors somptueux d'un bel automne commençant. Frédéric prit plaisir à voir son frère en faire la découverte. Quant à Ludivine, elle entraînait Adrienne dans une tourbillonnante et méthodique exploration des magasins, l'éblouissant de toute l'expérience parisienne acquise lors de son voyage de noces. Ils rentrèrent à Mogador enchantés, traînant avec eux un appréciable excédent de bagages.

La mauvaise saison revint. Ludivine s'était commandé une pelisse en vigogne, doublée d'un beau surah vert changeant, et de nouvelles robes pourvues de ces volumineuses manches dites à « gigots » dont la mode commençait à faire fureur.

Elle recevait et rendait plus de visites que jamais. Mieux portante que de coutume, sa belle-mère s'amusait du caquetage emplissant le salon, chaque semaine.

« Je ne sais comment, disait-elle, dans une

assemblée de jeunes femmes, la sottise se multiplie au carré de leur nombre. Parmi toutes ces pécores, il n'y a guère que la petite Royer qui ait un peu de tête. »

Ludivine en convenait facilement : Elise exceptée — Elise qui ne se souciait pas de pérorer, et venait rarement, prise par les soins de son fils et de sa maison — pour aucune, elle n'éprouvait une once d'intérêt ou de tendresse.

« Mais il faut bien mener le train de tout le monde. D'ailleurs, Mère, on fait de si jolis chapeaux, cette année. Avez-vous vu le dernier qu'on m'a livré ?... Vous pensez bien que je ne peux pas le mettre pour aller de ferme en ferme, ou à travers Mogador. S'il n'y avait pas ces occasions, Frédéric ne me verrait jamais qu'en Cendrillon, toute la semaine. »

C'étaient là des arguments indiscutables.

Un événement imprévu vint brutalement mettre fin à ces mondanités. Peu avant la Noël, deux jours après le premier anniversaire de Christine, un télégramme arriva de Tourvieille : tante Lucie était au plus mal.

Hubert et Adrienne partirent sur-le-champ. Frédéric et Ludivine les suivirent, le lendemain. Ludivine devait se souvenir longtemps de ce voyage.

Le froid était extrême. Le Rhône charriait des glaçons sous le pont de Trinquetaille. Il

avait neigé, dans la nuit. Les toits d'Arles et
ses clochers restaient fondus dans une brume
opaque, au travers de laquelle le soleil levant
luttait pour percer. En arrivant aux Plaines de
Meyran, ils virent, devant eux, l'immense étendue camarguaise, scintillante d'un blanc intact,
sur le ciel couleur de perle.

« Oh ! Frédéric !... » Comme toujours, sous
l'empire d'une sensation, quelle qu'elle fût, elle
se rapprochait de son mari.

Il lui sourit avec gravité et dit, d'une voix
un peu sourde :

« C'est beau, n'est-ce pas ? »

En réponse, son bras passé sous le sien, elle
se pressa contre lui.

Partout, en ville et sur la route, piétons et
voitures avaient transformé en boue cette neige
légère. Mais ici, elle demeurait précieusement
posée, recouvrant les terres et les « drailles ».
De temps à autre, l'éclair d'une roubine gelée
miroitait entre l'étrange et merveilleuse dentelle d'une tamarissière, blanche, elle aussi.
Blanc sur blanc, seul, un trait précis, aérien,
ciselait les saladelles et les engagnes. Le long
du fossé, penchées, les « chandelles de Jésus »
s'effilaient en lances féeriques sous leurs gaines
givrées.

L'air, le silence, tout avait acquis une trans-
parence immobile où les paroles semblaient

jeter un heurt, puis, s'éteignaient soudain, sans vibrations. Le bruit même des fers des chevaux, doux et régulier, était peu à peu rentré dans le néant.

« Nous sommes partis... partis... » chuchotait une voix, en Ludivine.

Ils étaient partis, tous deux... ils avaient quitté les chemins où le temps passe, et le pays où ils allaient arriver n'était pas de ce monde...

Tourvieille, délicatement silhouetté dans la blancheur de ses arbres, apparaissait au loin, château au bois dormant.

Ils entrèrent.

Tante Lucie était étendue, frêle et paisible, dans la petite clarté clignotante des cierges, habillée d'une large robe de satin blanc un peu jaunie, un peu fripée. Etalée, la jupe plaquait sur ses jambes qu'une cage avait dû, jadis, dissimuler sous les jupons. Un voile de tulle posait une ombre immatérielle sur ses traits lisses, miraculeusement rajeunis. Soudain, on s'apercevait qu'elle avait été jolie.

Curieuse, Ludivine contempla cette morte qui ressemblait si peu à la mort.

Tante Lucie, façonnière, bavarde, cordiale et encombrante, avait disparu avec ses manies, ses exclamations. Ceux qui l'avaient aimée pouvaient brûler de regrets et de larmes, comme cette Caroline, rouge, la figure boursouflée, pitoyable, toute étroite au pied du lit.

« Elle n'a pas souffert... Elle ne s'est pas vu... » articulait-elle, et sa voix se cassait...

Mais celle qui demeurait étendue, dans ses parures démodées, avait affaire ailleurs, glissait hors de la chambre... Sans doute était-il là pour elle, ce long paysage blanc mystérieux dont la lumière passait, aveuglante, entre les lattes des volets clos. Et déjà, seule, elle entreprenait le voyage...

L'enterrement eut lieu le surlendemain. Le dégel commençait. La berline emmena Ludivine, morose, avec ses cousines, au long de la route redevenue familière. Toutes les routes conduisent quelque part. Celle-là menait tout simplement vers Arles. La morte l'avait suivie bien des fois. Maintenant, c'était la dernière... — et l'on arriverait toujours assez tôt, pour voir se dérouler ces assommantes cérémonies funèbres. — La couturières d'Arles avait raté la robe de deuil, faite en hâte. En outre, Ludivine constatait que le noir, cet épais noir mat, de rigueur, lui allait horriblement mal.

« J'ai l'air d'un coing, dans tout ce crêpe », se disait-elle, furieuse.

Il y avait beaucoup de monde, à Saint-Trophime. Il y en eut encore au cimetière. Cette humidité glaciale de la cathédrale, puis le lent piétinement par les allées... Et des mains à serrer, des baisers à subir... « Dieu merci, c'était fini ! »

Ils retournèrent à Mogador le soir même. On était à la veille de Noël. Il n'y eut pas de fête, sauf pour les petites filles.

Julia était stricte sur la question des convenances. Ludivine dut cesser ses réceptions, et se « terrer à la maison », comme elle disait Elle subissait impatiemment les contraintes de la période du grand deuil.

« ... Au printemps, je pourrai recommencer à sortir un peu. Et porter de l'écossais. Un joli taffetas noir et blanc, bien net ; avec un col et des manchettes de toile. Et ensuite, du mauve... Heureusement, le mauve est ma couleur. »

Vers le milieu d'avril, plus subitement encore que n'était morte sa femme, l'oncle Antoine mourut à son tour, après une brève crise d'angine de poitrine.

« Père ne pouvait pas se consoler, confia Caroline à Blanche. Cela faisait mal de le voir errer dans la maison, sans rien dire, avec un air perdu... Je sais bien qu'il était malade depuis longtemps, mais ce n'est pas cela qui... J'espère qu'il a retrouvé maman, et qu'ils sont de nouveau, heureux ensemble. »

Blanche lui caressait les cheveux, doucement,

et regardait vers Léon, comme si elle eût craint qu'il ne lui fût enlevé.

Amaigrie et triste, la pauvre Caroline était méconnaissable. Julia qui l'aimait avec prédilection, l'invita à Mogador, pour quelque temps. Tous s'empressèrent autour d'elle. Mais la jeune fille paraissait profondément atteinte.

« Ce qu'il lui faudrait, voyez-vous, c'est un mari. »

Hubert se piquait-il là d'une découverte ? Tant de sagacité laissait Ludivine sarcastique.

« Epousez-la, mon cher », suggéra-t-elle, abruptement.

Il lui jeta un coup d'œil plein de reproches. Les manières de sa belle-sœur étaient parfois bien déconcertantes.

Ludivine perçut le blâme discret, et se radoucit.

« Allons, Hubert, ne me faites pas ces yeux-là. Grand Dieu ! que pouvez-vous attendre d'une malheureuse créature vouée au cachemire noir et au crêpe anglais ? Je me sens si laide que j'en deviens bête...

— Laide ?... Vous ?... »

Son élan ramena un sourire sur les lèvres maussades.

Reprise de l'envie de plaire, Ludivine posa sa main sur la manche du jeune homme.

« Cher Hubert, que vous êtes gentil !... J'aime

infiniment à me regarder dans vos yeux, vous savez ? Ils m'offrent toujours une si flatteuse image... »

Hubert frémissait au contact léger de ces doigts.

« Ludivine... murmura-t-il. Vous êtes terrible.

— Moi ? » Elle riait.

Terrible, ingénument terrible. Si coquette, si sûre et si dédaigneuse de son pouvoir... Amour cruel et doux qui jamais, jamais...

Ravalant un soupir, il se leva, tandis qu'elle secouait sa jupe de laine où le blanc poussiéreux avait laissé des traces blanches.

« Voyons, Hubert, si terrible, vraiment ?

— Mais oui, et vous le savez bien, sorcière... » dit-il en se forçant à rire aussi.

Il s'éloignait. Ludivine rassembla son sac, son éventail, son ombrelle, ses gants, et s'en alla par le sous-bois.

Sorcière... « Sorcière » était un mot de Frédéric ! « Frédéric... » Le vent faisait bruire la cime des pins avec un friselis d'étoffes remuées. Les taillis étaient pleins de ronds dansants de soleil. Il faisait bon. Le chœur des cigales chantait la venue de l'été.

« ... Quel cheval monte-t-il ? Peut-être *Obéron*. » Il reviendrait, la chemise ouverte sur sa poitrine dure, déjà brunie. Ludivine frissonna, traversée du désir de sentir contre sa

joue cette peau chaude, un peu moite... « Aller
à sa rencontre... Nous rentrerons ensemble. Il
descendra, pour marcher tout près, en me
tenant par le bras... Cet air attentif qu'il a,
depuis... Ah ! que ce soit un fils, cette fois,
enfin !... Le lui donner, ce garçon qu'il souhaite
tellement... Sainte Vierge, faites que ce soit un
fils !... Je vous promets, j'irai à Frigolet... »

Encore une fois, Mogador vécut dans l'espérance. Les mois s'écoulèrent. Après une grossesse particulièrement pénible, Ludivine mit
au monde une nouvelle fille, durant la première nuit de février. Depuis la veille au soir,
on savait qu'elle portait des jumeaux. Fou
d'inquiétude et d'impatience, Frédéric arpen-
tait la chambre de sa mère. Immobile par un
effort de volonté, Julia le suivait des yeux sans
mot dire, plus anxieuse à mesure que l'attente
se prolongeait, devenait anormale. Trois heures
plus tard, enfin, le docteur Lapierre déposait
avec soulagement François Vernet sur les
genoux de sa grand-mère, au milieu d'une assistance en liesse. Riant, pleurant, étranglé de
joie, le maître de Mogador se précipita chez
sa femme.

Seule dans le berceau, après avoir un peu
pleuré, laissant ce frère triomphal accaparer
l'attention de la famille, Dominique, discrète,
s'était endormie.

XVIII

DANS le monde, les événements se bousculaient, s'enchevêtraient. L'empereur Guillaume vociférait des discours et ses troupes occupaient Kiaô, Tchéou. Le tsar envoyait les siennes s'emparer de Port-Arthur. Les Espagnols vidaient leur querelle avec l'Amérique : la flotte de l'amiral Cervera bloquée à Santiago-de-Cuba, ils se défendaient encore avec l'énergie du désespoir, avant d'accepter la défaite. La Hollande acclamait une jeune reine. La cour d'Autriche prenait le deuil de l'impératrice Elisabeth que le petit couteau d'un Luigi Luccheni venait de délivrer d'elle-même, au bord du lac de Genève... Aux sources du Nil,

l'armée du général Kitchener complétait **sa**
victoire d'Omburman sur les forces du sultan,
par celle de Fachoda sur le capitaine
Marchand...

Pendant ce temps, à travers élections géné-
rales, grèves, démissions et changements de
ministères, la France, obnubilés par l'affaire
Dreyfus, se passionnait pour le procès en
Cassation. C'était un palmarès d'interventions
parlementaires, une hécatombe d'officiers supé-
rieurs, une procession de ministres de la
Guerre, un embouteillage des cours de Justice...
On avait bien autre chose à faire qu'à soutenir
nos droits sur le Bahr-el-Ghazal. M. Delcassé
publiait un Livre Jaune. Lord Salisbury ripos-
tait par deux Livres Bleus. Sur quoi, l'honneur
étant plus ou moins sauf, on envoyait Paul
Cambon signer un protocole... et l'on en revenait à l'Affaire.

A Mogador, le cycle des saisons suivait son
cours, avec ses travaux toujours semblables, parmi la grande paix des champs alignés,
bien nets, riches du soin et de la peine des
hommes, sous l'immuable bénédiction du
soleil.

Ce matin-là, Hubert rentrait à la maison,
tout mélancolique, malgré la pureté étincelante
du jour. Son cheval, la bride sur le cou, allait
au pas, le long d'une haie fleurie de cognassiers,

Les semailles étaient faites pour le maïs et l'œillette. Plus de gelées à redouter. L'année s'annonçait bonne. Les fruits donneraient. On avait hersé, sarclé les avoines et les orges. Le blé sortait dru. Les oliviers étaient taillés. On achevait le greffage des vignes. La propriété respirait l'ordre. Evidemment, Frédéric pouvait être content.

Mais cet ordre auquel Hubert n'avait aucune part n'était pas un réconfort pour lui, loin de là. Cette terre qu'il aimait, comme elle se passait bien de lui... comme il lui était inutile, comme jamais elle ne lui appartiendrait véritablement !... Frédéric coupait, tranchait et, parce que l'argent rentrait, que chacun avait sa belle part et pouvait dépenser à sa guise, il se figurait que tout était pour le mieux et tout le monde content.

Toute la vie, faudrait-il n'être que ce pauvre, derrière la vitre ? Un autre est né avant nous, et il a le domaine, il a...

« ... Eh bien, oui : il a la femme !... Et n'importe qui paraît le trouver naturel. Il est installé dans sa possession insolente. Aux autres, que reste-t-il ? Respirer un parfum, guetter une inflexion de voix, une parole... Etre celui qui distrait un instant, à qui l'on se confie parfois... Et les voir, chaque soir, refermer leur porte. »

« ... Cette femme que j'aurais tellement aimée... Celle-là et nulle autre. Ah ! Dieu ! parmi tant de visages de jeunes filles, tant de sourires offerts, s'en aller en aveugle, à cause d'un profil bohémien et de ces yeux violets... »

Anne avait hérité ces yeux-là. « Coquette et capricieuse, elle aussi... »

Il demeura interdit devant ce qu'il avait osé penser. « Mais non, Ludivine n'était pas... ou enfin, toutes les jeunes femmes le sont... Et elle, elle adorait son mari, elle ne voyait, et ne verrait jamais que lui au monde. Un soulagement de se rappeler cela ; de savoir, avec cette certitude, que jamais ne se présenterait le plus petit espoir, par où pût se glisser la tentation.

« Que faisait-elle, en ce moment ? Sans doute était-elle chez les enfants. Ses filles lui ressembleraient-elles ? Sabel, peut-être ? Ou Anne ?... Ah ! il ne fallait pas oublier l'anniversaire d'Anne. Dans moins d'une semaine... Toujours des anniversaires, dans cette maison... C'était épuisant, l'imagination qu'il fallait prodiguer. — Qu'est-ce que je vais bien trouver à lui donner ? C'est commode, un enfant de cet âge ! Et une fille encore... Et au fait, quel âge ? six ans... Six ans déjà ! Et Sabel qui en a huit, dans quelques mois. »

Des voix le hélèrent. Il émergea de ses réflexions. *Ménélik* l'avait mené en vue du grenier à fourrage où les hommes achevaient de rentrer le trèfle.

« La dernière balle, et on déjeune... » lui cria Frédéric. Tu arrives à point.

Son frère aimait ces solides déjeuners « à la fourchette » pris en plein air, sur la table de pierre, au milieu du travail, avec les fermiers.

Hubert attacha son cheval près de l'abreuvoir et vint les rejoindre. On lui fit place.

Tous mangeaient soigneusement, en silence, taillant, bouchée par bouchée, des morceaux de pain sur lesquels ils posaient à mesure, des carrés de jambon...

« Tiens, bois. »

Bourru et fraternel, l'aîné versait du vin, lui tendait son verre...

Une bouffée de tendresse et de honte envahit Hubert : « Bon Dieu, qu'il ne sache jamais quel sale bougre je suis ! »

Il releva la tête.

Adossé à la table, Frédéric, ses longues jambes étalées, confectionnait amoureusement une pipe. La blague à tabac passait de mains en mains...

« Tu veux mon briquet ? »

Le Seigneur de Mogador allongea le bras.

La vieille veste de velours côtelé bâillait tout grand à l'emmanchure.

« ... Tu as fait craquer ta manche. »

Frédéric cligna de l'œil.

En un éclair : « Comme il ressemble à Maman ! » découvrit le jeune homme.

Les deux frères tiraient sur leur pipe, à petits coups, presque simultanément.

« On est rudement bien, de temps en temps, sans les femmes, dit Frédéric.

— Ah ! oui... » soupira Hubert, plein d'une conviction sincère.

Le soleil gagnait sur l'aire. La chaleur montait doucement. Un petit lézard gris apparut, grimpa le long de la banquette, tout près d'eux.

« Tiens, une anglore.

— L'été est là. »

Ils s'attardaient. Les hommes, un à un, retournaient à leur travail.

« Tu viens jusqu'à la bergerie ?

— Allons-y. »

Tous deux furent debout ensemble.

*
**

Chaque matin, Ludivine écoutait le rapport quotidien de Mlle Louise, l'institutrice des fillettes. Depuis deux ans, cette replète personne sans grâce ni beauté — figure couperosée, cheveu rare, démarche lourde — présidait avec une patience et une bonne humeur inépuisables, à l'éducation d'Isabelle ; et l'on venait de lui confier Anne.

Dans son royaume dépeuplé, Adrienne se raccrochait aux trois petits, les rassemblait autour d'elle, comme une poule sa couvée.

Oublieuses, déjà, les petites filles lui préféraient la grasse Mlle Louise qui, les traitant systématiquement en jeunes demoiselles, les rehaussait à leurs propres yeux. L'autorité suprême demeurait d'ailleurs l'apanage de leur mère. On pouvait faire damner Tatie, lui refuser l'obéissance, lui faire sentir, avec la cruauté enfantine, qu'elle ne détenait aucun droit sur ses nièces, bref, abuser sans vergogne de sa tendresse que l'on retrouverait intacte et toute prête lorsqu'on la désirerait... On pouvait, un rien d'astuce aidant, en ayant l'air de céder poliment, prendre le dessus sur Mademoiselle, dans ces négociations de puissance à puissance... Question de diplomatie, — et Anne, précoce, surclassait son aînée, dans cet art... On pouvait même, assez facilement, tenir tête à « Mamé », une fois découvert le secret : que cela la faisait rire. Quant à Papa et oncle

Hubert, c'étaient généralement des alliés fidèles, plus précieux encore que Philo, et le gros Victor, qui vous ouvraient l'attirant royaume de la cuisine, mais grognaient parfois sans rime ni raison.

Mais Maman était sans faiblesse. Ruses, pleurs, entêtements, la laissaient, le cas échéant, impavide. Elle appréciait les actes, et dédaignait les intentions ; celles-ci étant, dans la plupart des cas, nettement répréhensibles, il résultait des punitions mêmes, octroyées par Ludivine, une sorte de justice plus juste qui s'accordait en fin de compte, chez la coupable, avec un sens tout fataliste de l'équité régissant l'univers des gens sérieux.

Cette inflexibilité rehaussait le prix des caresses et des récompenses qu'elle accordait, par ailleurs. Récompenses étonnantes, paradisiaques : on était admise à respirer le contenu des flacons de la coiffeuse, à choisir avec elle la robe qu'elle mettrait, à cueillir la rose qui compléterait sa toilette, ou même, à composer pour elle un bouquet de corsage, et la petite figure d'Isabelle paraissait devoir éclater de fierté, lorsque le sien était jugé le plus digne...

Aussi Ludivine était-elle placée au faîte de cette hiérarchie de droit divin avec laquelle ses filles admettaient qu'il y avait lieu de compter.

La jeune femme trouvait dans cette vénération naïve un certain dérivatif à son ennui.
Cette année-là, les distractions s'étaient faites
rares. De toute évidence, le voisinage les
boudait. La faute en était à son mari et à
Hubert.

Depuis la découverte du « bordereau » et le
rebondissement de l'Affaire, les deux frères
étaient passés avec armes et bagages dans le
camp dreyfusard. Ç'avait été un beau petit
scandale, dans la région. Chez tous les grands
propriétaires, on avait sonné le tocsin. Ludivine aurait longtemps sur le cœur les inter-
rogations doucereuses, les allusions pleines
d'un fiel déguisé, qu'elle avait dû subir dans
les salons.

« Chère amie, on a voulu prétendre devant
moi (bien entendu, je n'y ai pas ajouté foi),
que ces messieurs soutiendraient le parti des
juifs contre la nation...

— Disons seulement, ma chère, celui d'un
innocent contre l'acharnement de ses compa-
triotes. C'est, je crois, le seul point de vue
qu'envisagent mon mari et mon beau-frère. »

Face à l'ennemi, force lui était de faire bloc
avec le clan : Ludivine Peyrissac n'était pas
née lâche. Mais elle écumait intérieurement,
tandis que les sourires se pinçaient, s'éteignaient autour d'elle.

Une réprobation unanime montait dans la fumée des tasses de thé, à peine contenue devant l'air de défi qu'elle arborait en croquant un macaron. Et la maîtresse de maison amenait sur le terrain un autre sujet de conversation moins bourré d'explosifs, avec des efforts comparables à ceux d'un bœuf de labour.

Au diable Scheurer-Kestner ! Au diable Walsin-Esterhazy ! Au diable le colonel Henry, et Zola, et Déroulède, et ces idiots du Fort Chabrol et leur héroïsme de carton-pâte qui faisait pâmer d'admiration les dames bien-pensantes ! Au diable tous... et avec eux, ces deux énergumènes qui soulevaient contre Mogador le pays entier !...

Elle imaginait les commentaires, sitôt la porte refermée sur son dos.

« ... *Ces Vernet, croyez-vous ?... Ils se donnent les gants d'encourager la canaille... Oser se mettre du côté des traîtres, au ban de la France... Ils se croient tout permis, avec leur fortune... Mais ils ont toujours aimé se singulariser, provoquer les gens...* » Aucun doute, on avait dû ressortir toutes les vieilles lunes, répéter les griefs, rappeler l'histoire de leurs noces... « *Pensez donc, ma chère, le cortège désorganisé, les invités en plan... J'y étais... Si vous aviez vu l'effet...* » ; juger l'arrogance sar-

castique de sa belle-mère ; la fantaisie, la désinvolture de Frédéric ; la fougue d'Hubert ; son
propre orgueil... — Sans compter que je suis
beaucoup mieux mise et dix fois plus courtisée
que n'importe laquelle et que la jalousie les
dévore.

Il n'en résulta pas moins que, lasse de
soutenir des escarmouches répétées, devant
la froideur croissante, elle prit le parti de
rester chez elle. Non sans humiliation, ni
colère.

Durant plusieurs jours, elle avait obstinément présenté aux habitants de Mogador un
visage amer et fermé, dans l'espoir de susciter
une explication où, du moins, elle eût dit leur
fait aux deux hommes. Peine perdue.

« Ils ne s'en sont même pas aperçus, ma
pauvre amie, tant ils étaient occupés de leurs
sornettes !... dit-elle à Elise, lorsqu'elle fut
venue à Barbegal, déverser le trop-plein de la
rage qui l'étouffait. Et maintenant, je reste
toute seule. Avec tous ces gens agréables que
nous fréquentions... Enfin, pas les femmes,
bien sûr ; vous les connaissez, ces péronnelles.
Mais beaucoup ont des maris très bien. Eh
bien, pas un, vous m'entendez ? pas un, avec
qui ils ne se soient pour ainsi dire brouillés.
Tenez, il n'y a pas un mois, chez les du Roveret,
Frédéric a dit « que la France se couvrait d'un

« ridicule odieux à se montrer pointilleuse si
« mal à propos, sur l'honneur de son armée,
« après avoir piétiné le sien propre à Fa-
« choda... » Lucile ne m'a pas rendu ma visite,
après cela. Et même Alfred Raynal, vous
savez ? le meilleur ami d'Hubert ? Il est si
charmant... Le voilà qui s'est barricadé dans
son Saint-Ange, depuis qu'Hubert a traité
devant lui Déroulède de vieux cocardier, et
Jules Guérin de polichinelle. »

Elise rit doucement et caressa le bras de
son amie.

« Pauvre chérie... »

On arrivait à la fin d'août. L'été demeurait
torride. Le ciel était immobile et pesant. Même
sous l'ombre épaisse des platanes du jardin
d'Elise, l'air brûlait. Les jeunes femmes s'éven-
taient et buvaient de l'orgeat coupé d'eau
fraîche.

« Comme s'ils ne pouvaient pas se tenir tranquilles... » se plaignit Ludivine, avec accable-
ment. Et, l'exaspération la reprenant : « Mais
en quoi est-ce que ça les regarde ? Ce maudit
Dreyfus !...

— Mais Ludivine, s'il est innocent ?... et
Vincent aussi le croit, vous savez... »

Ludivine la regarda, bouche bée.

« Innocent ? Et après ?... Mais qu'est-ce que
ça peut faire ? Elise, voyons, vous ne compre-

nez pas ? Innocent ou pas, est-ce que tout ce vacarme y changera quelque chose ? On dirait qu'ils découvrent le premier innocent depuis le commencement des siècles ! Et ce n'est pas eux, ni vous, ni moi, ni les imbéciles d'en face qui l'avons condamnée, n'est-ce pas ?

— Oh ! chérie... Mais vous parlez exactement comme Ponce-Pilate... reprocha Elise.

— Comme... Ponce-Pilate ?... »

Elle considéra l'argument une seconde, et le balaya.

« ... Eh bien, après tout, je n'ai jamais compris ce qu'on avait tant contre ce Ponce-Pilate. Il faisait son métier de gouverneur, et ce n'était pas écrit sur le nez de Jésus qu'il était de fils de Dieu.

— Ludivine ! »

Elise bondit sur son fauteuil.

« Ludivine ! Je ne peux pas vous entendre dire des choses pareilles. Et juste en ce moment où l'on insulte la religion, où l'on pille les églises, où... »

Elle suffoquait.

« ... Ce n'est pas possible, vous ne le pensez pas !...

— Enfin... peut-être pas tout à fait... Non, bien sûr », admit Ludivine décontenancée.

Il n'était guère habituel de voir Elise se

transformer en une manière de chatte soufflant du feu.

Le petit Maurice qui jouait devant elles, avec Christine, tomba sur le gravier et se mit à hurler.

Sa mère se précipita, lava l'écorchure avec de l'eau fraîche.

« Là, là, ce n'est rien... Mais rien du tout. Un homme ne pleurniche pas...

« ... C'est cette chaleur, dit-elle, en venant se rasseoir auprès de Ludivine. Nous sommes tous nerveux, fatigués... Il faudrait une bonne pluie... Voyez-vous, chérie, je comprends que tout cela vous déprime, c'est si pénible, pour vous. Mais il me semble que vous pouvez être fière de Frédéric. Lui et son frère disent ce qu'ils pensent, en face d'une injustice. Vous ne voudriez pas les voir se conduire autrement, le monde entier fût-il ameuté contre eux. »

Le pire était qu'elle avait raison. Il fallait bien s'en apercevoir. Les Vernet étaient de la race qui se bat, comme Ludivine, comme Elise elle-même, avec sa manière imprévue, déconcertante, qui ne ressemblait pas à la leur, mais qui, en tout cas, était du courage. « Et sans doute est-ce pour ça que je l'aime, bien que nous ne nous comprenions guère.

— C'est une triste époque. Tout va si mal, partout ! »

Elle était là, sa broderie posée sur ses genoux, l'aiguille en l'air, avec sa voix timide, souvent un peu hésitante.

« ... Pensez à ces pauvres gens, aussi, là-bas, au Transvaal. Vincent dit que l'Angleterre veut la guerre et que c'est inévitable. Et personne pour leur venir en aide... »

« Allons bon ! la voilà qui va pleurer sur le sort des Boers, à présent, se dit Ludivine, un peu agacée. Eh bien, au moins, ceux-là sont loin. Pas de danger qu'ils viennent nous compliquer l'existence. Et si la guerre éclate, peut-être... peut-être cela fera-t-il une diversion. »

« Bah ! éluda-t-elle, depuis le temps qu'on en parle... Ne vous tracassez pas pour eux. Leur Krüger est un vieux malin. »

Mais Elise secouait la tête.

« ... Elise, ma chère, j'ai toujours pensé que vous aviez la vocation des saints et des martyrs. Au temps des premiers chrétiens, vous seriez sûrement descendue dans l'arène.

— Oh ! je crois que non. J'aurais eu bien trop peur. Je suis si douillette ! A la naissance de Maurice, je poussais des cris lamentables... Et au couvent, vous souvenez-vous ? Le jour où je me suis pris les doigts dans la porte... »

Le soir descendait. La réverbération devenait moins intense. Un peu de fraîcheur s'insinuait sous les feuilles. Le jardin se balan-
ça dans un souffle léger qui passait et s'en
fut.

« ... et lorsque Marthe Dervillers faisait la
somnambule au dortoir, afin de pouvoir dire
des sottises à la Mère ?

— Et chez nous, le jour où vous vouliez
pêcher les poissons rouges du bassin ?... Et
quand vous disiez à Papa : « Non, Monsieur,
« c'est inutile, je ne retournerai pas en classe ! »
Je vous revois, tapant du pied... et Maman
qui m'a fait sortir à cause du mauvais exemple... Je m'en souviens, vous n'aviez pas
dix ans. C'était l'année de ma première
communion. »

Toutes deux riaient de tout leur cœur.

« ... A propos de Papa, vous a-t-il écrit ? Non,
pas encore ? C'est au sujet de *La Gloriette*. Il
m'en a parlé dimanche à Tarascon. Le bail
finit la Saint-Michel, je crois. Vous en rede-
venez maîtresse, n'est-ce pas ?

— *La Gloriette*... murmura Ludivine, pensive. C'est là que je suis née, figurez-vous, et
je ne me rappelle absolument rien de la maison... Mais ma belle-mère m'en parle quelquefois. Elle y allait, dans sa jeunesse. Elle
y rencontrait son futur mari. Chez mes

grands-parents... C'est étrange, quand on y pense...

— Oui... Et nos enfants à nous, qui épouse-ront-ils ? Où rencontreront-ils...

— Bonté divine, Elise, ne parlez pas de ça ! Vous me glacez... Est-ce que nous n'avons pas le temps ?... »

Elle se leva.

. « ... Il faut que je rentre, ma chérie. Chris-tine, fais tes adieux... Demain, j'irai voir votre père. J'emmènerai cette jeune infante, si Adrienne veut bien me la confier. Votre mère ne l'a pas revue depuis la naissance des jumeaux. Elle a changé, qu'en pensez-vous ?

— Elle est belle. »

Elise se pencha pour embrasser le bébé.

« Oh ! belle... N'exagérons pas. Mais enfin, elle ne sera pas si mal... Je crains que votre filleule ne soit la moins réussie des quatre. Elle est assez insignifiante. Mais François ! Ah ! François, lui, est magnifique, dit-elle orgueil-leusement.

— Comme je vous envie toute cette nichée... »

Ludivine hissait sa fille sur la banquette du cabriolet qu'elle conduisait seule, depuis peu. Elle éclata de rire.

« Vous ne pensez pas que je l'ai voulue ? Je me serais volontiers arrêtée avant, si

le Bon Dieu ne s'était pas amusé à me remplir d'abord la maison de filles ! Vous avez
eu de la chance, d'avoir Maurice tout de
suite. »

Elise flattait le col du petit cheval impatient. Elle leva vers son amie une figure
empourprée.

« J'espère... Oh ! chérie, ne le dites pas, mais
j'espère qu'il aura bientôt une petite sœur
ou un...

— Non ? Pas possible ? Quand cela ?... Et
c'est maintenant que vous me l'annoncez ?

— Oh ! il n'y a pas tout à fait trois mois...
Je n'étais pas sûre. Je n'osais pas y croire...
Je vous en prie, n'en parlez à personne.

— Bien sûr que non, nigaude. Je suis
contente pour vous puisque vous l'êtes. »

Attendrie, elle la prit par la taille.

« ...Allons, embrassez-moi, que je me
sauve... »

Elle sauta en voiture et saisit les rênes.
Christine adressait des signes d'adieu condes-
cendants à Maurice, cramponné aux jupes de
sa mère.

« Bon courage, ma chère », dit Ludivine.

Elle avait cette même petite grimace taquine, qu'elle avait vue souvent à Frédéric.
« Dieu merci, moi j'en ai fini avec ces plaisanteries !... »

*
**

Quelques semaines plus tard, au début de l'après-midi, le cabriolet quittait Mogador et s'engageait bon train dans la direction de Boulbon. Ludivine s'en allait visiter l'héritage de sa famille. Son beau-frère l'accompagnait.

Après des journées de pluies torrentielles, l'été qui paraissait déjà loin, était revenu, miraculeusement délivré des masses de nuages voilées d'une brume d'eau noire et grise derrière lesquelles on l'avait cru enseveli. Chaque feuille, chaque brin d'herbe, chaque caillou de la route, lavés, brillaient aux reflets d'un frais soleil, sous la clarté extraordinairement pure du ciel. Le trot vif du cheval ne soulevait pas de poussière. La terre sentait bon.

« Quel temps délicieux, on se croirait en mai... »

Ludivine tournait vers le jeune homme un visage radieux sous le chapeau à grandes ailes.

« Quel dommage que Frédéric n'ait pas pu venir aussi !... Mais, n'importe, ajouta-t-elle avec un sourire captivant, je suis ravie d'aller là-bas avec vous. »

Nul besoin de déployer tant de grâces. Hubert était, dans ses mains, plus prisonnier

que ne le fut jamais le chevalier Renaud sous
les sortilèges d'Armide. Il n'étáit que de le
regarder un instant pour s'en assurer.

La jeune femme respira longuement. Chaque
parcelle d'elle-même, pétrie de vie, gonflée de
plaisir, se dilatait dans le vent de la course.

Hubert la buvait des yeux, incapable de trouver une réponse. Lui si brillant, si sûr de lui,
si plein de ressources auprès des femmes...
pourquoi fallait-il qu'il se sentît toujours si
gauche, envers la seule... ?

« Vous êtes bien silencieux, se moqua-t-elle.
Est-ce toujours votre chère politique qui vous
préoccupe ?... Seigneur ! si vous pouviez vous
rendre compte à quel point c'est ridicule !...
Mais voyez donc ce ciel, et cette campagne...
Tout a reverdi, ces jours-ci. Sentez-vous l'odeur
de l'herbe ? Je ne sais pas comment vous
pouvez demeurer avec cet air concentré...
A moins que vous ne méditiez ces vers ?...
Allons, c'est cela ? Avouez que je vous
dérange. !... »

Il hocha la tête.

« Ne plaisantez pas. Autrefois, je rêvais
d'écrire sur vous un poème.

— Ah ? Ludivine attendait, alléchée.

— J'avais dix-huit ans... » expliqua-t-il, d'un
ton désenchanté.

Elle se mit à rire. Frédéric aimait ce rire.

« Il dit toujours que ça me va si bien... » Elle en usait volontiers.

« C'est votre façon de tourner un compliment ? Je ne m'étonne plus que vous soyez célibataire... Ainsi, maintenant... ? »

La lumière jouait avec ses cheveux, ses yeux, et ses dents, tandis qu'elle le guettait, la tête un peu penchée, pareille, songeait-il, à une huppe, couleur du Paradis...

« Maintenant, je sais que c'est impossible et inutile. Vous êtes la poésie même. »

Ludivine baissa ses cils noirs avec une confusion bien dosée, et parut reporter son attention sur l'attelage. Intérieurement, elle se délectait. Quel triomphe d'amener un homme à vous débiter des choses aussi agréables... et d'être jeune, belle, élégante, et de sentir l'amour autour de soi !

Pour Hubert, c'était vrai, en effet. Les défauts mêmes de sa bien-aimée : son front bombé, ses pommettes un peu mongoles, son petit nez légèrement busqué, aussi bien que son caractère impétueux et son goût de l'autorité... tout contribuait à la perfection qu'elle représentait pour lui.

Ils arrivèrent à *La Gloriette* vers quatre heures. Une vieille femme les attendait. Elle les précéda vers la maison, une longue bâtisse assez basse, coiffée de tuiles rondes, doucement roses, flanquées d'un cyprès bleu d'ombre, immense, jailli droit contre le ciel. Une haie de lauriers, donnant de la fraîcheur, abritait une banquette de pierre, au coin de la terrasse.

« On se sent bien ici. Il me semble que l'on doit aimer à y vivre, dit Hubert.

— Peuh ! juste un mas. Bien loin de valoir Mogador. Mes grands-parents ne l'habitaient qu'en été, d'ailleurs. »

La vieille introduisit une clef massive dans la serrure. Elle se retourna :

« Un beau mas, madame. Vous auriez dû le voir sous votre pauvre grand-père. Tout ce qui s'en allait d'ici comme banastes de pommes de terre, et cageots de fruits ou de légumes... Et le miel qu'on faisait, et les jarrons d'olives cassées... sans compter les estagnons d'huile, que celle de Salon, elle est pas aussi fruitée...

— Eh bien, à présent ?

— Oh ! à présent... »

Tout l'esprit pratique de Ludivine s'éveillait.

« Nous allons voir ça... », dit-elle avec décision.

Ils parcoururent les vastes salles vides où leurs pas se répercutaient en sonorités brutales. Le jeune homme se précipitait vers les fenêtres, emplissait ses yeux de cette « monta-

gnette » aride descendue autour des champs,
les serrant de près.

« Venez voir, Ludivine ! »

Ludivine examinait, questionnait, supputait,
très affairée.

Son beau-frère la regardait, avec un tendre
amusement, prendre ce qu'il appelait : « Son
air de ménagère... » Il souriait : « La reine à
Trianon... » Que la reine connût admirablement
le prix des moutons, et le rendement que l'on
peut obtenir d'une terre, n'entachait en rien le
prestige de sa majesté.

« Eh bien, Hubert ? »

La voix était impatiente.

Arraché à sa contemplation, il se sentit
rougir et s'en voulut. Une fois de plus, il était
pris, en train de se conduire comme un gamin :
« Comme elle doit rire de moi... »

Déjà elle était passée dans la pièce suivante. Il
la rejoignit. C'était une salle tendue d'un vieux
lampas vert d'eau, entre des boiseries blanches,
Louis XVI. La tapisserie fanée gardait encore
sa teinte primitive aux endroits où les meubles
s'étaient jadis appuyés. Une profonde alcôve,
encadrée de portes à petits carreaux de glace,
en occupait le fond.

Cessant d'interroger son guide, Ludivine
dirigea vers Hubert un regard songeur.

« C'est là que je suis venue au monde. Dans

un lit qui est au grenier, avec tout le reste du mobilier. »

Il y avait en elle quelque chose comme du recueillement. Hubert sourit.

« Pensez-vous quelquefois, quand vous entrez chez Maman pour une petite parlote, que les murs et les meubles ont assisté à notre naissance à tous ? »

Non, en vérité, elle n'y avait jamais pensé. Frédéric était né, pour elle, le jour où, chez les Daubenois...

« ... Vous savez, continua Hubert, depuis le temps qu'il y a des maisons, avec des lits, et des gens qui naissent dedans..., la solennité de ce genre d'événement, revue à distance, s'est quelque peu émoussée... Il est vrai que lorsqu'il s'agit de « votre » naissance, on ne... »

— Allons, coupa Ludivine, pointue, je ne vois pas pourquoi vous vous amusez à imiter Frédéric. Je vous jure que le genre taquin vous va mal. Exactement comme si vous mettiez sa veste. »

Il lui jeta un coup d'œil aigu.

« ... Et je n'ai pas sa taille, n'est-ce pas ? »

Chacun, à Mogador, savait que c'était là le regret un peu puéril d'Hubert.

Devant le silence hargneux de la jeune femme, il siffla entre ses dents :

« ... Doucement, ma chère, ne chargez pas les pistolets !

— Alors, ne me provoquez pas !... Voyons, ajouta-t-elle, en riant, vous connaissez bien mon caractère irascible ? »

Il se tut. La corde sur laquelle il marchait était tendue, raide. Incertain devant l'attitude à adopter, il allait gauchement de la passion mal contenue à la désinvolture affectée. Une telle détresse passa sur ses traits, qu'un instant, Ludivine se sentit coupable.

« Ce plaisir de la conquête, si fort, en elle... Et la partie n'était pas égale. Mais que faire ? S'il m'aime, est-ce ma faute ? »

Maintenant, il ne restait plus qu'à panser la blessure.

Machinalement, le jeune homme était retourné à la fenêtre. Accoudé, il regardait au loin, vers la montagne, au-delà des champs.

« Hubert ! appela-t-elle avec douceur.

— Oui ?...

— Si nous descendions ? L'heure s'avance. Il nous faut encore voir les bâtiments de ferme et les terres. Et j'aimerais bien me reposer un peu dans le jardin, ensuite, avant de rentrer. »

Dehors, elle lui prit le bras.

« ... Venez vite ! Je veux votre avis sur tout. »

Quelque chose se dénouait dans la poitrine d'Hubert.

« Eh bien, ce n'est pas si mal, déclara Ludivine, lorsqu'ils eurent terminé.

— Certes non ! »

Le jeune homme était enthousiasmé.

« Tout doit pousser dans ce terrain. Il vous faut l'exploiter, Ludivine. Je vous aiderai, si vous voulez. A moins que mon frère...

— Oh ! Frédéric n'a pas trop de son temps pour Mogador. Sûrement, j'aimerais essayer avec vous. Nous y réfléchirons. Mais venez au jardin, à présent. Allons faire un tour vers les figuiers de Mère. Ces fameux figuiers... »

Ils explorèrent le verger. De figuiers, point. Ludivine s'obstinait, cherchait l'endroit...

« ... Au fond, contre le petit mur... Mère m'en a parlé si souvent...

— Sans doute sont-ils morts. Il est passé près d'un demi-siècle, depuis, songez-y... Je crois qu'il faut y renoncer. »

Le jardin offrait un aspect misérable. Probablement ne s'était-on soucié que du rapport, depuis longtemps. Pas une fleur, dans les parterres à l'abandon... Les bordures de buis avaient poussé sans ordre. Çà et là, des feuilles

mortes pourrissaient en tas ramassés par le
vent, humides des pluies récentes. Des capu-
cines et des œillets d'Inde avaient germé au
hasard. Des roses trémières en touffe, se dressaient au milieu d'une allée. Quelques rosiers,
qui paraissaient redevenus à demi sauvages,
portaient leurs dernières fleurs. Hubert les
cueillit :

« Il faut que vous les emportiez. Allons nous
asseoir là-bas, voulez-vous ? »

Au bout de l'allée, quelques marches usées,
dont la rampe avait disparu, conduisaient
à un petit pavillon adossé à la murette,
dominant la route. Le treillis de bois,
desséché, s'était écroulé par endroits, sous
la vigne-vierge. La balustrade menaçait
ruine.

Ludivine s'assit sur un vieux banc de pierre
couvert d'une mousse grise et jaune. A côté
d'elle, Hubert, ouvrant son couteau, se mit à
écorcer les tiges des roses. De temps à autre,
il se piquait. Des gouttelettes de sang tachaient
ses mains.

« Pauvre Hubert, vous vous faites mal pour
moi... »

Il leva les yeux, et la considéra un instant,
extraordinairement jolie et jeune, dans l'ombre
délicate du berceau : « Neuf ans, déjà, qu'elle
était venue prendre sa place dans leur vie à

tous... Neuf ans que ce visage, entré en lui, l'habitait pour sa joie et sa peine. Merveilleuse Ludivine, si douce, si violente... Personne ne l'eût aimée comme lui... Et jamais, pourtant, il ne serait plus près d'elle que dans ce coin d'un jardin oublié où sa capeline, posée sur le banc, mettait entre eux la plus fragile, la plus infranchissable des barrières. »

« Je voudrais toujours enlever pour vous les épines... » murmura-t-il, ardemment.

Contrariée, elle détourna la tête.

« Il ne va tout de même pas... Une déclaration... Ce serait du joli ! Les hommes sont insupportables... Toujours en train de tout gâcher. »

Le jeune homme liait les roses avec son mouchoir.

« Allons, donnez-moi ce bouquet », dit-elle, une pointe de sécheresse dans la voix.

La bouche d'Hubert se contracta imperceptiblement :

« Voilà, ma chère. Souvenir de *La Gloriette*. »

L'alerte était passée. Ludivine respira.

« Je n'aurais pas osé rentrer à Mogador avec ces fleurs, si Juste était encore là. Pauvre Juste, il eût regardé ça comme une trahison.

— C'est vrai. Il était si fier de ses roses... Et il aimait tellement à les cueillir pour vous... »

L'année précédente, un matin de mai, on avait retrouvé le vieux jardinier étendu, la face contre terre, dans une de ses plates-bandes, le sécateur échappé de sa main. Ludivine, en larmes, avait voulu choisir et couper elle-même les dernières fleurs qu'il pût emporter.

Tous deux se turent. Ils songeaient à cette vieille âme enfantine, à la silhouette grise, maigre comme un sarment, que l'on ne verrait plus se profiler, comme durant tant de saisons innombrables, sur les massifs du parc, ou au détour d'une allée. Oui, le vieux Juste avait aimé ses roses. Maintenant, sans doute, il soignait, avec le même amour patient, des fleurs inconnues et plus belles, parmi ces grands jardins qui commencent de l'autre côté de la nuit.

Ludivine soupira légèrement. Autour d'eux, l'air était si calme, que le temps semblait être rentré dans l'éternité. Une feuille, se détachant du mûrier d'Espagne tomba, avec une irréelle lenteur. Une sorte de malaise envahissait la jeune femme.

« Qu'y a-t-il, Ludivine ? »

Lorsqu'il s'agissait d'elle, la pénétration d'Hubert prenait toujours une acuité anxieuse.

« Oh ! je... Rien. Une idée. Tout d'un coup, j'ai imaginé toutes les femmes qui sont venues

ici, qui se sont assises à cette place, et qui
sont mortes. Je voudrais les connaître, savoir
si elles ont été heureuses, comment elles s'y
sont prises pour vivre, ce qui leur est arrivé,
et ce que ça leur a fait de mourir. Mourir,
qu'est-ce que ça signifie ? On dit : « Un tel est
mort. » Mais après ? Ma mère, ma grand-mère,
et toutes les autres, où sont-elles allées ? Pourquoi leur a-t-il fallu tout laisser ? A présent,
c'est comme si elles n'avaient pas vécu. Alors,
à quoi bon ?... Et puis, ce jardin, qui n'a jamais
dû être le même pour aucune... comment vous
expliquer ? Mère qui m'en avait tant et tant
parlé... mais le sien, ce n'est pas ça, c'est un
jardin d'été !... Vous comprenez ? Il n'a jamais
existé autrement qu'un jour d'été. Celui-ci n'est
pas ressemblant ! Et... et maintenant, rien n'a
plus l'air vrai... acheva-t-elle, d'une voix tremblante. Est-ce que les choses ne sont jamais
vraies qu'une fois ? Est-ce que moi, alors,
moi...

— Grand Dieu, Ludivine !... Qu'allez-vous
chercher là ? Mon petit, mon tout petit... »

Bousculant la capeline, il mit un bras protec-
teur autour des épaules de la jeune femme.

Les yeux fermés, la tête rejetée en arrière,
elle semblait porter un poids trop lourd.

Vertigineuse, la tentation fondit sur lui. Follement, il parcourut de son désir le petit front

têtu, l'ombre bleutée de la temps près des
cheveux lisses, les paupières brunes, la courbe
de la joue, la bouche, rouge, à peine entrouverte sur l'éclair liquide des dents.

Insensiblement, comme envoûté, il s'inclinait.

« Ludivine !... gémit-il.

— C'est absurde. Je ne sais vraiment pas ce
qui m'arrive », soupira Ludivine, avec lassitude. Elle rouvrit les yeux et vit, toute proche,
la figure décomposée de son beau-frère. D'un
bond, elle fut debout.

« ... Allons, mon cher, il faut rentrer. »

Hubert émergeait d'une asphyxiante plongée
d'angoisse.

« Oui, articula-t-il, vous avez raison.

— Mon chapeau ? »

Il avait glissé derrière le banc. Le jeune
homme le lui tendit. Elle le prit, sans remercier, le mit sur sa tête, noua nerveusement les
brides, et descendit vers l'allée. Il la suivit. Le
bouquet, oublié, gisait sous la tonnelle.

Le retour fut peu loquace. Ludivine, furieuse
contre elle-même et contre son beau-frère,
menait le cabriolet à un train dangereux.
Accablé, Hubert ne songeait pas à réagir. A la
fin, cependant, la voyant se détendre, il fit un
effort. Une conversation banale s'établit. Peu
à peu, le souvenir de la minute gênante vécue

là-bas s'estompait entre eux. Sans doute Ludivine l'aurait-elle bientôt effacé. Cela comptait si peu, pour elle, se disait Hubert, amèrement.

La nuit tombait lorsqu'ils atteignirent le portail de Mogador. Au bruit de la voiture, Frédéric surgit sur le perron. Surexcité, il se précipita vers eux :

« La guerre ! c'est la guerre !... Le Transvaal a pris l'offensive, les Anglais se font battre... »

Il embrassa distraitement sa femme et envoya une bourrade à son frère.

« ... Hein, ces sacrés Boers !... »

Ludivine haussa les épaules.

« Tu as les journaux ? demandait Hubert, déjà. »

Outrée, elle gagna sa chambre. — Ridicules, voilà ce qu'ils étaient... Les hommes se conduisaient toujours comme des imbéciles. Avec eux, il fallait être constamment sur ses gardes, et puis, quand ils avaient presque réussi à vous mettre dans une situation impossible, ils vous laissaient dévorer votre honte, et, cessant de roucouler, s'en allaient faire de la politique.

Que dirait Frédéric, s'il savait, pourtant ? se demanda-t-elle. Bah ! il était bien capable d'en rire. Il y avait longtemps qu'il ne se montrait plus jaloux. « J'ai confiance », disait-il... Si béatement confiance que c'en devenait presque

injurieux... Et le pire, c'était qu'il avait raison !
Jamais en effet, fût-ce un instant, elle n'avait
été tentée... — Il n'y a que lui, Frédéric, que
lui... se disait-elle, rageuse, avec une espèce de
rancune... Mais aussi pourquoi avait-il l'air
d'en être tellement sûr ?

Recoiffée, ayant changé de robe, elle passa
chez les enfants. Sa belle-mère s'y trouvait.
« Mademoiselle » présidait au repas, aidée de
Mathilde, la bonne des trois petits. Ludivine
fit rapidement le tour de la table, distribua
quelques observations, et vint s'asseoir auprès
de Julia, devant la « travailleuse ». La vieille
dame défaisait un écheveau de laine.

« Tu arrives à propos, dit-elle. Tiens, aide-
moi. »

Ludivine tendit les bras.

« ... Alors, bonne promenade ? Tu as eu beau
temps.

— Très...

— Et comment as-tu trouvé ta propriété ?
Raconte un peu. Sapristi, tu n'es pas bavarde.
ce soir.

— Sapristi ! cria François, tapant sur son
assiette, et l'institutrice, rougissante, le
réprimanda, avec un regard de biais sur
Mme Vernet.

— Je suis fatiguée, Mère. Nous avons tout
parcouru de fond en comble. Les terres sont

bonnes. Il y aurait à faire, avec. La maison
n'est pas mal. On pourrait très bien la remeu-
bler telle qu'elle était je crois. Il y a la mère
Drevons qui se souvient encore...

— Et le jardin ? L'as-tu bien visité ? Es-tu
montée jusqu'à *La Gloriette* ? La perspective
est unique, de là-haut, n'est-ce pas ? Que de
fois, accoudée, j'ai regardé partir Rodolphe...
Il passait en bas, sur le chemin, le long du
mur. Nous échangions encore un adieu, et je
le voyais longtemps descendre dans les pierres,
jusqu'à la route qui borde le Rhône... Et la
balançoire, derrière les lilas, y est-elle encore ?
Et les figuiers ? Et les corbeilles de roses,
près du bassin ? Et la treille du raisin-miel ?...
Qu'est-ce que tout ça est devenu ?... Allons,
donne-moi des détails... »

Son peloton posé sur les genoux, la vieille
Julia attendait. Une petite clarté brillante au
fond de ses yeux irradia doucement les traits
marqués par l'âge et la maladie.

Penchée sur l'écheveau qu'elle venait d'em-
brouiller, la jeune femme commença :

« Eh bien, Mère, rien ne paraît avoir beaucoup changé. Nous avions cueilli pour vous
quelques roses, et puis, en partant, je les ai
oubliées. Les figuiers...

— Que tu es sotte, ma petite. J'en aurais eu
tant de plaisir ! Enfin... Continue. »

Sans relever la tête, avalant sa salive, Ludivine continua :

« J'ai vu les figuiers. Ils sont magnifiques.
La tonnelle... »

Les mains jointes sur sa jupe, Julia Angellier
souriait en dedans.

XIX

LE dimanche suivant, les deux belles-sœurs revenaient de la messe. Elles avaient laissé la voiture à la grille du parc, et rentraient à petits pas, tenant par la main Isabelle et Anne, très demoiselles, dans leurs costumes de velours écossais que gonflaient les « robes de dessous » en percale festonnée.

Devant la maison, elles aperçurent Hubert qui se dirigeait vers les serres. Adrienne le héla. Il vint à elles sans empressement.

Les jeunes femmes le regardaient approcher.

« Tu ne trouves pas qu'il a mauvaise mine ? Il me semble qu'il maigrit.

— Je parie que c'est le jugement de Rennes, dit Ludivine. Leur Dreyfus, pense donc ! Ils ne peuvent pas digérer ça. Frédéric en a été comme un crin pendant deux jours, tu sais bien...

— Le malheureux... C'est si injuste !...

— Injuste ou pas, maintenant on va peut-être pouvoir enfin parler d'autre chose, et recommencer à fréquenter les gens cet hiver. »

Adrienne hocha le menton avec tristesse. Jamais elle ne s'habituerait à cette façon toute personnelle d'envisager les événements...

Hubert les rejoignait. Les petites filles se précipitèrent sur leur jeune oncle, et le saisirent par ses vêtements. Se baissant, il les embrassa.

« Dire que ces jeunes élégantes sont mes nièces !... Quelles nouvelles, au village ?

— Pas grand-chose. Nous avons vu Léontine Arnal, avec les Béraud et Irène Lallier. Les garçons de Lucile ont les oreillons. Le mari de Mme Pouzol...

— Et vous, Hubert, où alliez-vous ? interrompit Ludivine.

— *Fédora* a eu ses petits. Mathieu a découvert la nichée ce matin, dans un coin de la serre. Il vient de me le dire.

— Oh ! je vais avec vous !

— Moi aussi ! Moi aussi ! supplièrent les fillettes.

— Non, non, mes petites, pas maintenant. Mademoiselle doit vous attendre. Il va être l'heure de vous mettre à table. Tu les emmènes, Adrienne ?

— Maman...

— C'est inutile. Anne. Cesse de te tortiller. Allons, montez déjeuner sans faire d'histoires. Les petits chiens ne s'envoleront pas. Vous pourrez aller les voir cet après-midi, avec Christine. »

Isabelle se taisait. Anne reniflait ostensiblement. Leur tante entraîna, mal résignées, ces deux victimes du pouvoir absolu.

Maîtresse de la place, Ludivine se retourna vers son beau-frère.

« Allons-y vite. Savez-vous combien il y en a ? S'il s'en trouve un tout noir, je le veux pour moi.

— Vous le verrez, dit le jeune homme, brièvement. Je n'en sais pas davantage. »

Pour la première fois, depuis le jour de *La Gloriette*, ils se retrouvaient seuls ensemble. Hubert était parvenu à éviter toutes les occasions... Au prix de quels combats intérieurs !... Ses traits creusés en portaient la trace.

Ludivine marchait devant lui. Il admirait sa taille moulée dans une longue jaquette de drap vert bouteille, le mouvement souple et lourd de ses cheveux ramassés au-dessus de la nuque sous la toque en plumes de grèbe, assortie au boa qu'elle portait.

Ils atteignirent la serre : « Non, cela n'était plus possible, il fallait en finir ! »

Soudain, Hubert en eût crié. Appuyé au vitrage, il collait sa joue contre le carreau, cherchant cette illusoire fraîcheur...

« Allons, Hubert, dépêchez-vous ! Ou sont-ils ? »

Enfouies dans un recoin où s'entassaient de vieux paillassons, ils découvrirent quatre petites créatures sans poils, sans yeux, tremblantes et gémissantes...

« Dieu, qu'ils sont laids ! s'exclama Ludivine, en riant.

— Laids ? Mais ce sont les chiots les plus magnifiques...

— Bon, bon, dit Ludivine, conciliante pour une fois. Je veux bien vous croire. Mais j'attendrais qu'ils aient un peu grandi pour choisir. Venez dehors, allons nous asseoir au soleil. Nous avons encore le temps jusqu'au déjeuner. Et... j'ai besoin de vous parler. Depuis l'autre jour, j'ai beaucoup réfléchi... »

Lui parler... Elle voulait lui parler ! Qu'allait-elle lui dire ? Hubert posa sur la jeune femme un regard ravagé. Pourquoi n'avoir pas parlé le premier ? Quel que fût son mépris, après cela elle n'eût pas... Il enfonça les ongles dans ses paumes.

« Ecoutez, Ludivine...

— Ici, tenez, nous serons très bien. »

Elle s'installait, ouvrait son ombrelle... A cinquante pas, Mathieu pinçait les chrysan-thèmes.

« ... Naturellement, elle ne veut pas courir le risque... Bon Dieu ! » Cette seule pensée le brûlait comme un tison d'enfer.

« Mais asseyez-vous donc ! Je n'ai pas envie que l'on m'entende à l'autre bout de Mogador », dit-elle, mi-agacée, mi-souriante.

Tous ses réflexes abolis, il s'assit.

« ... Voilà, c'est au sujet de *La Gloriette*. Vous rappelez-vous que vous avez promis de m'aider ? Mais si je me mets à l'exploiter, je ne suis pas sûre du tout de m'en tirer. Il faut avoir le temps, et Frédéric est habitué à ce que je le seconde ici. Alors, j'ai pensé... comme vous paraissiez intéressé... et vous m'avez telle-ment dit que le mas vous plaisait... Est-ce que vous n'aimeriez pas le prendre ? Pour vous en occuper vous-même ?... »

Hubert tombait des nues. Effaré, il la regarda sans rien trouver à lui répondre.

Elle continuait, pleine de son sujet :

« ... Vous comprenez, François sera un jour le maître, ici. Quand son père et moi... Je déteste me représenter cela, mais parfois, il faut bien... Et avec toutes ces filles à doter... Ce serait plus commode, déjà, si vous vouliez prendre *La Gloriette* en compensation de vos droits sur Mogador. »

La stupeur arracha à Hubert un mouvement involontaire. Elle se méprit :

« ... Bien entendu, on ferait une estimation ; si vous trouvez que ce n'est pas suffisant, rien n'empêcherait de convenir d'une soulte — c'est le terme, n'est-ce pas ? Pourtant, au jugé, je ne crois pas vous proposer une mauvaise affaire. Pensez donc, Hubert, le mas vaut largement le tiers de Mogador. Vous pourriez y aller chaque jour, au besoin, ce n'est pas si loin... Cela arrangerait si bien les choses. Il n'y aurait plus à s'occuper que de la part d'Adrienne... Vous savez, un gros roulement d'argent est nécessaire, ici, pour la marche de la propriété. S'il fallait un jour réaliser vos deux parts... Nous en avons parlé vaguement, Frédéric et moi, il y a trois ans, quand il était question pour elle de ce mariage... j'ai bien vu qu'il s'en inquiétait. »

Fou ! Fou qu'il avait été d'imaginer Ludivine capable d'attacher longtemps une importance véritable à quelque chose venu d'un autre que Frédéric ! — Hubert pouvait sans trêve retourner en pensée à cet instant sous la tonnelle, s'en désespérer, se sentir calciné d'un feu où remords, désir, honte et regret, se mélangeaient étrangement. Tout cela n'existait guère pour elle...

... Cette femme dont il n'aurait rien eu... Ah ! que, du moins, il eût osé ce jour-là... qu'il eût serré ce corps contre lui, écrasé cette bouche sous la sienne, dût ce souvenir le rendre fou pour le reste de son existence !... Même alors, en eût-elle été, à présent, moins lointaine, assise près de lui ?...

« Voyez-vous, Hubert, c'est la meilleure solution pour nous tous. Il faut que vous acceptiez ! Je suis sûre que vous allez le faire, dites ? »

Elle lui souriait, persuasive, toute à son projet.

« ... Seulement... Il y a encore une chose que je veux vous demander : c'est de ne rien révéler à Frédéric de notre accord. Je sais qu'il préférera si... Il faudrait que l'idée parût venir de vous seul. Vous pourriez très bien lui dire que *La Gloriette* vous plaît, que vous aimeriez l'avoir... que vous avez pensé, puisqu'il ne peut pas lui-même... Enfin, vous voyez... Présentez cela de façon qu'il ne sache pas que c'est moi... Ce sera un secret entre nous deux, vous voulez bien ? »

Dieu, qu'elle était enjôleuse, tournée vers lui, la tête inclinée dans son attitude familière !

De cette heure-là, aussi, il se souviendrait, et de sa toilette, et de ces sons de cloche qui traversaient l'air à longs coups espacés et calmes, tandis qu'elle parlait.

Mais il fallait répondre. Sa réponse... tout ce qu'elle attendait de lui.

« Je le regrette, Ludivine, ce n'est pas possible.

— Mais...

— Non, dit-il doucement. Vous ne m'avez pas laissé parler, tout à l'heure. Moi aussi, j'avais quelque chose à vous dire : je m'en vais.

— Quoi ? Qu'est-ce que vous dites ?

— Dans quelques jours, j'aurai quitté Mogador.

— Hubert !... Qu'est-ce qui vous prend ?... Mais ce n'est pas vrai ?... Où allez-vous ?... »

Elle criait presque.

« Vous plaisantez ! Non, non, Hubert ! »

Allait-elle le regretter ? Alors ce baume sur sa blessure, il l'emporterait aussi.

« Ludivine, ma chère, je m'en vais très loin. Tout au bout de l'Afrique. Le vieux Krüger aura besoin d'un coup de main, là-bas.

— Vous... vous allez vous battre ?... Pour les Boers ? »

Il inclina la tête.

« ... Mais, voyons, ils sont perdus d'avance !

L'Angleterre y mettra le prix qu'il faudra, elle finira par gagner. »

Cela sautait aux yeux.

« C'est probable. Mais qu'est-ce que ça fait ? » Comment, il... ?

« Hubert ? Vous n'êtes pas dans votre bon sens ! » Véhémente, elle lui avait pris les mains et les secouait.

« ... Mais pourquoi ? Oh ! Hubert, pourquoi ? »

Sans brusquerie, il se dégagea, lui saisit le poignet à son tour, y mit un baiser léger.

« Les « immortels principes », ma chère, n'oubliez pas. C'est encore pour eux qu'un Français se bat le mieux. On nous l'apprenait en classe, vous savez bien ?

— Non, non, vous n'allez pas... Je ne peux pas vous croire aussi bête. C'est pour vous amuser, sûrement, que vous me racontez de pareilles... »

Sa voix s'étrangla. Elle le dévisageait avec anxiété.

Hubert était à elle, au même titre que Mogador. Il ne pouvait pas la déposséder comme cela, tout d'un coup ! Et qui avait jamais entendu parler d'une extravagance aussi monstrueuse ?

« Quand les hommes font la guerre, c'est généralement un peu pour s'amuser, aussi. Par

bonheur, les femmes ne s'en doutent pas.
Gardez-moi le secret, je vous en prie, au moins
jusqu'à la fin du déjeuner.

— Quant à cela, vous pouvez être tranquille ! explosa-t-elle, avec fureur. Je suis trop
curieuse de voir comment vous vous y prendrez, pour annoncer ça à Mère. Ça vous est
probablement égal, de courir le risque de la
tuer !... »

Il eut une rapide contraction des mâchoires.

« Mère a le cœur plus solide qu'il n'y paraît.
Pardonnez-moi, Ludivine. Je désire seulement
qu'elle ne sache pas que c'est à vous la première que j'aurai fait mes adieux. »

**
*

Il s'embarqua le 26 octobre, à Marseille, à
destination de Lourenço-Marquez.

Ses préparatifs s'étaient faits dans une
atmosphère de surexcitation. Sitôt son projet
divulgué, le ban et l'arrière-ban des amis
avaient défilé à Mogador. Les premières nouvelles de la guerre échauffaient les esprits. Les
Boers avaient envahi le Natal. A l'ouest, ils
menaçaient Kimberley. Ils avaient mis en fuite
les troupes de Sir Redvers Buller, et assié-
geaient le colonel Baden-Powell dans Mafeking.

On rappelait l'ascendance française du général Joubert. On épiloguait sur les armes employées par les Anglais à Elandslaagte : contre ces paysans armés de Mausers, qui défaisaient les vieilles troupes de l'Empire, les ministres de la reine Victoria envoyaient de la lyddite et des balles dum-dum... Toute la France, soulevée d'enthousiasme, regardait cette poignée d'hommes, là-bas, qui la vengeaient de Fachoda. L'opinion eût souhaité bousculer la neutralité gouvernementale. On savait que les Chargeurs Réunis embarquaient les canons commandés pour le Transvaal, chez Canet. On se répétait le refus du Creusot de travailler pour le War Office. On se passait les noms d'officiers français qui s'enrôlaient au service des Républiques...

L'annonce du départ d'Hubert fit de lui le héros de tout le pays entre Avignon et Arles. Les jeunes filles et les dames apportaient leur cadeau d'adieu. Dans ses cantines s'entassèrent plus de pipes, d'écharpes, de gilets, de blagues à tabac, de gants tricotés et de mouchoirs brodés qu'il n'eût pu raisonnablement en user, toute une vie durant. Ludivine, elle-même, une fois admise la défection de son beau-frère, lui avait fait don d'un couvert pliant dans son étui, et d'un couteau perfectionné, comprenant, outre de multiples lames, un ouvre-boîtes et un tire-bouchon. Adrienne lui avait apporté d'Avignon deux couvertures chaudes, d'une laine souple et légère, qui ne prenaient pas de place dans son bagage. De Frédéric, il tenait une selle magnifique.

Il semblait que l'on eût le temps devant soi ; et tout d'un coup, la date fut là. Le dernier soir, Julia sortit pour lui, d'un grand coffre qu'on n'ouvrait jamais, la cartouchière de Rodolphe Vernet. Dans leur chambre, les fillettes s'étaient endormies à grand-peine, après avoir beaucoup parlé du voyage de leur oncle. Maintenant, réunis dans le salon, tous se taisaient, prisonniers dans cet empois du silence qui glaçait le temps autour d'eux.

Ceux qui restaient se sentait déjà séparés du voyageur. Les mers à traverser, les pays lointains, l'aventure promise, dressaient leurs mirages entre eux et lui, s'en emparaient, en faisaient un inconnu.

Pour Hubert, le moindre de leurs gestes était comme un adieu. Des soirs et des soirs, où qu'il se trouvât, il se rappellerait cette soirée : chacun assis à sa place accoutumée... l'attitude d'Adrienne, baissant la mèche de la lampe qui filait... la gamme craquante du feu au long d'une bûche de liège.. le sommeil coupé de gémissements du chien de Frédéric, que Victor avait oublié de chasser... et l'éclat pénétrant du regard que sa mère atta-

chait sur lui : « Pauvre Mère... » Il s'était préparé à livrer bataille, il avait fourbi ses arguments, accumulé des prétextes... et, presque aux
premiers mots, elle, si autoritaire, pourtant,
avait cédé, avec une facilité incroyable... —
comme si... Mais comment eût-elle pu deviner ?
Jamais, en sa présence... — Tourmenté, il leva
les yeux vers elle, et soudain, Julia eut pour
lui un de ces sourires de jeune fille, miraculeusement clairs, qui parfois, un instant, la
transfiguraient. Tout l'amour du monde n'eût
pas suffi à payer ce sourire-là. Et même Ludivine, à cet instant, ne comptait plus...

Le lendemain, il partit pour Marseille. Son
frère et sa sœur l'accompagnaient jusqu'au
bateau.

Dans la maison désertée, Julia et sa bru
furent seules pour la veillée.

Ludivine prit un recueil de Maupassant que
Frédéric avait commencé, les jours précédents.

« Si je vous faisais la lecture, Mère... ?

— Volontiers. Tiens, passe-moi mon tricot,
d'abord... »

Ludivine se mit à lire à haute voix. Au bout
de quelques pages, étouffant un bâillement,
elle jeta un regard à la dérobée vers sa belle-
mère.

Son ouvrage posé sur les genoux, Julia, les mains inertes, gardait les yeux fixés droit devant elle, sur un invisible ailleurs. Un rictus désolé tirait le coin de sa bouche. Ludivine voyait pour la première fois cette femme âgée aux prises avec un désespoir solitaire.

Un remous de pitié la souleva. D'un bond, elle fut auprès du fauteuil, agenouillée.

« Mère... Mère, je suis là... »

La vieille Julia abaissa son menton vers cette tête encore si jeune... Du doigt, elle caressa les bandeaux luisants.

« ... Mère, ne vous faites pas de souci. Il reviendra vite. Cette guerre ne peut pas durer... »

Julia fit un signe d'acquiescement vague.

Mais aussi, pourquoi l'avoir laissé partir ? — Il semblait à Ludivine que c'eût été si simple de l'en empêcher. A la place de sa belle-mère, elle eût crié, pleuré, menacé, joué de sa mauvaise santé... n'importe quoi... tout lui eût été bon.

Julia semblait lire sur le visage expressif. Elle dit, d'une voix unie :

« Il faut le laisser mener sa vie à son idée. Jusqu'ici, il n'avait guère fait autre chose que de vous regarder, vous autres. On ne peut pas attendre d'un garçon... »

Comprendrait-elle cela, cette petite qu'on

avait vue prête à engager toutes ses forces
pour couvrir son enjeu ?

« Mais qu'est-ce qui l'empêchait ?... Oh !
Mère... il avait toujours prétendu qu'il était
un paysan et qu'il aimait la terre... et qu'il
préférait la maison à tout... »

Elle éclatait de ressentiment.

« ... Et quand je lui ai offert *La Gloriette,*
où il aurait pu s'occuper à sa guise, il a
refusé !

— *La Gloriette ?...* Et il a... »

Julia médita un moment.

« Raison de plus, alors, ma fille. »

Elle se tut à nouveau. Bizarrement, le souvenir lui traversa l'esprit du tout petit garçon
en jupes qu'avait été son fils, bien des années
auparavant. — Comme, alors, tout était plus
facile... Cet énorme singe noir, en peluche,
que Rodolphe lui avait un jour rapporté d'un
voyage à Marseille... Pendant des mois, il s'en
était amusé... Probablement le retrouverait-on
dans un coin du grenier. Philo devait savoir
où...

Mais à présent, ce que son garçon eût voulu
recevoir, comment le lui donner ? On pouvait
si peu de chose, sur le cœur des siens...

« ... Vois-tu, petite... »

Elle s'arrêta.

« ... Il avait ses raisons, il nous faut l'admettre. S'il a eu envie de voir du pays... s'il a voulu s'éloigner... Enfin, je suppose qu'il n'était pas heureux... »

Choquée, Ludivine écoutait ce langage étonnant. Pas heureux ! Qu'est-ce que Mère allait lui chanter là ?

« Mais il faisait tout ce qui lui plaisait, et il avait une si bonne vie, bien tranquille avec nous tous !... » — Et il l'aimait... et il était près d'elle... Il y avait cela aussi, qu'on ne pouvait pas dire, mais qui pourtant... — La pensée ne l'effleurait même pas qu'auprès d'elle, justement, Hubert eût pu se trouver malheureux. « Comment Mère pouvait-elle parler d'une façon aussi stupide, et accepter, tout bonnement... ? En serait-il plus heureux, s'il allait se faire tuer sans savoir pourquoi, ni comment, dans quelque affreux trou, au milieu des nègres ? »

Julia posa sur sa bru un regard chargé d'une indulgence indéfinissable.

« Evidemment, les « délices de Capoue », dit-elle, avec son petit rire habituel. Il faut croire que ça ne lui a pas suffi, n'est-ce pas ?

— Oh ! s'exclama Ludivine, vexée... Et moi, pensez-vous que cela me suffise toujours ? Dieu merci, les soucis ne manquent pas, entre le domaine et les enfants... Sans compter Frédéric. Fantasque comme il l'est, avec ses railleries et son air indifférent... Insaisissable, les trois quarts du temps... L'existence auprès de lui n'est pas absolument un chemin de roses ! »

La vieille dame sourit longuement. — C'était vrai : les Angellier, les Vernet..., race difficile.

« Tu ne le voudrais pas, ma belle.

— Peut-être que si, après tout. Vous n'en savez rien, Mère. Seulement, je prends ce que j'ai, et je bataille avec, pour m'en arranger. Mais si je pouvais... »

Ah ! Dieu, à quoi bon parler de ces choses-là ?... Ce désir, cet affreux désir irrassasiable que l'on porte en soi comme une plaie secrète, contre tout espoir, contre toute attente... désir d'une joie, enfin, qui n'aurait pas cet arrière-goût âcre, d'un bonheur que l'on tiendrait solidement entre ses doigts, d'un amour exactement partagé, au-delà de tout mal, et de toute inquiétude... Ce désir qui, soudain, vous met des larmes dans le cœur, et le regret corrosif de ne pouvoir ressaisir le temps qui passe, afin de tout recommencer encore une fois !... et, cette fois, l'on saurait mieux...

Julia hochait la tête.

« Oui bien, ma petite, tu es née avec les dents longues. Et je ne peux pas dire que je te donne tort... quoique, à la vérité, rien ne nous ait été promis en ce monde. »

La jeune femme fit une grimace entendue

et posa sa tête contre les genoux de sa belle-
mère.

« C'est bien pour ça, Mère. Je me fie au Bon
Dieu pour faire mon salut dans l'autre. Mais,
dans celui-ci, il n'y a guère que moi toute seule
pour m'en occuper.

— Ça n'est pas déjà si mal », conclut Julia,
égayée.

**
*

Au mois de décembre, arriva la première
longue lettre d'Hubert. Lue et relue en famille,
elle apportait avec elle un sauvage parfum
d'aventure.

Le jeune homme avait retrouvé à bord le
colonel de Villebois-Mareuil. Ensemble, ils
avaient franchi la frontière, malgré les défenses établies par l'Etat portugais, ensemble ils
étaient arrivés à Pretoria. Et maintenant,
Hubert combattait sous ses ordres. Il s'était
trouvé devant l'ennemi, pour la première fois,
à Nooitgedacht, puis à Lombard O'Kopje : là,
l'escarmouche avait été chaude ! Tout récem-
ment enfin, il y avait eu une grande bataille...
« *à huit cents hommes contre vingt mille...
les Irlandais de Buller... un endroit appelé
Colenso... Nous en avons tué ou fait prisonniers plusieurs milliers et pris onze canons* ».

On pourchassait l'ennemi sur la Tugela.
Ménélik se comportait à merveille, dans cette
vie de chevauchée : « ... *une bonne et belle
bête*... » Le Veld, avec ses kopjes, rappelait
un peu la Camargue et les dunes, entre la
Gachole et les Saintes-Maries... Le général
Botha était un vrai chef, et un rude malin...

A Mogador, on fêtait la Noël selon les rites
accoutumés. Moins nombreux que jadis, les
convives se resserraient autour de la table.
Blanche attendait un bébé d'un jour à l'autre ;
elle et Léon n'avaient pu quitter *La Sarrazine*.
Tante Sophie demeurait auprès de sa nièce.
Emilie et son mari étaient retenus à Versailles
qu'ils habitaient depuis peu. Seul, l'oncle
Constant était venu avec Edmond, en compagnie de Georges et Caroline Vernet. Les trois
jeunes gens arrivaient ensemble de Paris.
Depuis la mort de leurs parents, Caroline
avait rejoint là-bas son frère, dont elle gou-
vernait l'intérieur : Tourvieille n'était plus
Tourvieille. Laure y tenait à présent le sceptre.
Les traditions se dénouaient. Dans la demeure,
l'écho des réunions bruyantes s'était tu. Une
mélancolie traînait au long des couloirs et
dans les chambres closes. En bas, on ne se
reconnaissait plus. Disparus, les meubles que

l'on avait toujours vus... Dans le salon, l'Art
nouveau triomphait sans discrétion, comme
une revanche de Laure sur les capitons fanés,
les lourds crapauds et les sophas sans grâce,
datant du règne de sa belle-mère.

« Si Papa revenait... » soupirait tristement
Caroline, accrochée à un passé auquel tous
ses espoirs appartenaient déjà.

Evidemment, l'oncle Antoine n'eût jamais pu
fumer sa pipe au milieu de tous ces nénu-
phars étirés en grêles volutes, qui faisaient de
la moindre chaise un inquiétant objet de
vitrine. Frédéric en tombait d'accord. Lui-
même ne s'y sentait pas à son aise. Peu à
peu, ceux de Mogador espacèrent les visites.
De leur côté, Raoul et Laure s'étaient liés
avec une famille étrangère à la région, fixée
depuis quelques années en Arles. Ils ne
venaient plus guère. Ludivine se passait volontiers de leur présence. Le temps n'avait fait
qu'accentuer la haine sournoise entre les deux
jeunes femmes. Désinvolte, Frédéric, lui,
paraissait bien avoir tout oublié de « cette
histoire »...

Il était doux et confortable de le tenir
auprès de soi, cette veille de Noël, amusé,
attentif, dressé de toute sa haute taille pour
allumer au sommet de la crèche, les minus-
cules bougies de cire multicolores étoilant ce

Bethléem familier où ils avaient disposé ensemble parmi les monts et les chemins, un petit peuple naïf et gai, en costume arlaten[1], qui marchait vers l'étable à côté des rois mages.

« Attention ! avertit Ludivine, tu viens de faire tomber le chasseur.

— Bigre ! et sa tête que j'avais recollée !... Non, il n'y a pas de mal. »

Il tourna un instant le santon entre ses doigts, avant de le remettre à sa place, et soupira : « ... Pauvre Hubert, je me demande quel réveillon il va faire... Il doit penser à nous, ce soir... »

Que celui qui n'avait pu trouver sa paix auprès d'elle courût le désert sud-africain sur un petit cheval noir, son compagnon d'exil, ou qu'à cette heure, en cette nuit de Noël solitaire, roulé dans une couverture, entouré d'étrangers endormis, il appelât désespérément à son secours le chaud souvenir de la maison perdue, Ludivine s'en souciait peu.

« Il n'avait qu'à rester tranquille », dit-elle en s'approchant d'une glace. La coiffure haute et les longues « dormeuses » en brillants accentuaient l'ovale de son visage, doré du reflet des bougies. Sa robe de moire jonquille, gansée

---

1. Arlaten : du pays d'Arles.

de noir, épousait les lignes de son corps robuste et fin que les maternités n'avaient pas alourdi. L'expression de Frédéric dans le miroir était éloquente... Satisfaite, elle lui sourit.

« Allons, vite, mon chéri. Il se fait tard pour les enfants. »

Sans répondre, Frédéric s'avançait vers elle, avec, dans son regard, cette menace délicieuse qu'elle connaissait bien : « Qu'il était beau !... Personne ne portait la redingote comme lui. Il avait ce « chic », cette élégance négligente... Et cette tête durement modelée, ces yeux fiers, ce rire gourmand... »

Dans ses bras, déjà faiblissante, elle protestait :

« Non, non, je t'en prie... Tout le monde attend... le dîner... Tu finiras par nous mettre en retard pour la messe de minuit...

— Bon Dieu, mon cœur, j'ai fait du joli », confessa-t-il, un peu après en la relâchant.

Déjà Ludivine, le sang aux joues, constatait le dégât, se mettait à l'œuvre...

« Tu peux le dire, bandit ! »

Nullement déplaisant de s'entendre appeler « bandit » de cette façon-là. Balayant une inutile contrition, il s'empara du peigne de nuque de sa femme pour se recoiffer.

« Bah ! une épingle ou deux à repiquer par-ci

par-là... Tu es belle. Mais dépêche-toi, mon amour, je meurs de faim. Sans compter que les petites doivent être impatientes, et Maman... »

Janvier, février, s'écoulèrent. Les nouvelles leur parvenaient assez régulièrement.

... Cette fois-là, nous étions sur une colline qu'on appelle Spion-Kop, bien abrités derrière les rochers et les broussailles, nos canons dissimulés sous des touffes de chardons. Il fallait voir comme nous les avons reçus. Ils dégringolaient la pente à la renverse, les uns sur les autres... Ordre de viser les officiers à la tête. J'en ai tiré trois. Et l'autre jour, à Vaal-Krans, un groupe de fermes où nous nous tenions en embuscade, j'en ai mis cinq à mon tableau... Les Afrikanders viennent à la rescousse... Tout va bien. Ladysmith tombera bientôt, nous encerclons White et ses dix mille hommes.

A l'ouest, l'armée Kronjé avait taillé en pièces tout un régiment d'Highlanders, à Maggersfontein.

Le vieux Kronjé veut sûrement enlever Kimberley, il a demandé des renforts. Mon commando est désigné. Nous partons demain pour l'Orange, avec De la Rey.

Il ne fallait surtout pas que Mère s'inquiétât Lui, Hubert, ne risquait absolument rien. Utilisant leur connaissance du pays, les Boers pouvaient tenir sans perte à un contre vingt...

Une vie magnifique. Rien au monde qui vaille cela... Les camarades sont à toute épreuve...

Mogador avait peine à se représenter ces étrangers dont les noms baroques s'imposaient à chaque page. Plus que tout le reste, ils marquaient l'absence et l'éloignement, ces compagnons du fils prodigue qui s'appelaient *Serwas Kronberg*, *Piet Koch*, et *Willie Blignant*, et *Lepeltakheeft (Jacobus)*...

Frédéric s'était procuré une grande carte de l'Afrique australe qui occupait tout un panneau de son bureau. Souvent, au retour d'une course à *La Gloriette*, Ludivine le trouvait là, au sein d'une invraisemblable tabagie, silencieux, l'air vague.

Ses terres donnaient du tracas à la jeune femme. Elle rentrait lasse, absorbée par mille problèmes, quêtant des conseils... Le mutisme de son mari l'irritait au plus haut point.

« Je me demande à quoi riment ces airs détachés, confia-t-elle à Julia. On dirait qu'il vit sur un nuage. Je ne l'ai jamais vu comme ça. »

Chaque lettre de son cadet amenait un redoublement de cette humeur rêveuse et taciturne. L'une et l'autre n'avaient pas manqué d'en faire l'observation. Quelque chose qui n'était pas encore de l'inquiétude s'insinuait entre les deux femmes, repoussé obstinément, comme si le fait de l'admettre eût été capable de lui donner un aliment.

Brusquement, les derniers jours de février, la face des choses changea.

Au moment même où leur parvenait un de ces bulletins de victoire, les journaux annoncèrent que le nouveau général anglais, Lord Roberts, venait de débloquer Kimberley où French et sa garnison tenaient toujours. L'armée des Boers se retirait vers Bloemfontein. Hubert faisait partie de cette armée.

Une inquiétude, à chaque heure plus lourde, s'étendit comme une chape sur la maison. Sombre, impatient, Frédéric allait et venait. Adrienne s'enfermait chez elle et en ressortait avec des yeux « comme des coquilles de noix », disait Philo, accablée, une aiguille à tricoter plantée dans son chignon, les doigts noués sur son ventre. Ludivine passait sa nervosité sur les domestiques.

Tous affectaient, devant Julia, une tranquillité qui eût risqué de lui paraître indécente, si la vieille dame avait pu s'y tromper. Elle ne disait rien, et sa belle-fille qui lui tenait compagnie se demandait avec une compassion mêlée de terreur, si ce que sa propre vie gardait en réserve lui ferait un jour, à elle aussi, ce visage rigide et ce regard insoutenable.

L'Orange était envahi à l'ouest. Abandonnant Ladysmith, Joubert évacuait le Natal pour se porter à la rescousse. En vain. Le 27 février, les soldats de Kronjé étaient cernés à Paardeberg, sur la Modder.

Des jours, des nuits, à imaginer Hubert, pris dans cet ouragan de feu, parmi les explosions et les cris de mort.

« ... Mais qu'ils se rendent ! disait Ludivine, les dents serrées. Qu'on les fasse prisonniers, que ça finisse !... »

L'angoisse le disputait en elle au ressentiment :

« ... Quel besoin d'être allé se fourrer là-dedans, quand rien ne l'y obligeait ?... Juste pour leur donner ce souci... juste pour empoisonner leur vie à tous ! C'était odieux, cet égoïsme !... Pas une minute, Hubert n'avait pensé à eux. Et maintenant, s'il allait... Oh ! Dieu... s'il allait mourir ?... »

Hubert, le timbre de sa voix, ses inflexions si particulières, ses manières, ses élans, sa tendresse cachée... Le temps où il lui lisait des poèmes, l'adoration dont il l'entourait... Et ses chiens qui continuaient à l'attendre, dans la cuisine ; son fusil de chasse pendu, bien graissé, bien entretenu par Victor ; sa chambre où tout était en ordre, avec ce recueil de Stuart Merril encore posé sur la table, ouvert à la page préférée :

Je suis ce roi des anciens temps
Dont la cité dort sous la mer...

et son Laforgue usé, dépenaillé, à force d'avoir été relu... On ne pouvait imaginer — l'idée était intolérable — que déjà, peut-être, dans cet instant où tout cela demeurait encore, leur possesseur fût quelque part, si loin, étendu sur la terre des autres, un corps qui plus jamais n'aurait besoin de rien.

Ludivine eut envie de revoir cette chambre. Là plus que partout ailleurs, il semblait improbable à l'esprit que le néant eût pu prendre le jeune homme.

La porte était entrebâillée. L'ayant poussée, elle s'arrêta sur le seuil. Quelqu'un était là, entré avant elle. Le soleil, filtrant à travers les persiennes jointes, silhouettait, assise devant la table à écrire, une petite ombre noire si menue que, soudain, Ludivine en eut le cœur déchiré. Les mains posées à plat sur le buvard faisaient deux taches blanches. Elle se rendit compte que la vieille femme gardait les yeux fermés. Des épaules courbées dans une position immobile, se dégageait une lassitude affreuse. On pressentait une détresse au-delà des consolations. Ludivine sentit ses paupières lui brûler. Doucement, avec des précautions infinies, elle referma la porte. Julia n'avait pas entendu.

Le 6 mars, enfin, on annonça la reddition de l'armée Kronjé. Dès lors, il ne restait plus qu'à patienter. On allait savoir.

Mais au lieu de cela, le silence s'établit. Vainement, les courriers se succédèrent. Vers le milieu d'avril, la nouvelle se répandit de la mort du colonel de Villebois. Les alternatives d'espoir et de désespoir secouaient la maison. Frédéric obtint qu'on lui communiquât les listes de prisonniers du War Office. Il fit des démarches auprès de la Croix-Rouge. Nulle trace d'Hubert.

Le mois de mai amena l'avance sur Bloemfontein et Pretoria. Le 5 juin, dans la capitale abandonnée par les Boers, Lord Roberts faisait son entrée après avoir occupé Johannesburg. « La guerre était finie. » Le monde s'en désintéressait. La gravité des affaires de Chine détournait l'attention du Transvaal.

Ce fut vers la fin juin que la lettre arriva. Elle était datée du 10 avril. Blessé le 18 février, au cours d'un engagement à cheval au bord de la Modder, Hubert avait été évacué sur l'hôpital de Pretoria. — La blessure n'était rien du tout. On l'avait admirablement soigné. Il entrait en convalescence et pensait être rapidement sur pied.

Deux jours après, Frédéric reçut un courrier d'Angleterre... le lieutenant O'Donnel, rapatrié du Cap, avait été à Pretoria, le voisin de lit de son frère. Vingt-quatre heures avant l'arrivée des troupes anglaises, Hubert, complètement remis, était parti dans le Veld, avec un commando sur les ordres de Dewett, en le priant d'en informer les siens. Le lieutenant se disait heureux de pouvoir s'acquitter du message.

« M. Vernet était un sportsman avec qui il avait eu beaucoup de plaisir à causer. Il garderait de lui le plus excellent souvenir et regrettait de n'avoir pu venir en personne saluer sa famille et lui porter ces nouvelles étant encore un blessé militaire. Il espérait, après la guerre, revenir dans cette belle Provence qu'il connaissait déjà. Il userait de l'occasion pour rencontrer M. Vernet, et monter à cheval et chasser en sa compagnie... »

Une joie folle, insoucieuse des dangers que le jeune homme continuait à courir, s'empara de ceux de Mogador. Julia retrouva ses sarcasmes. Adrienne chanta comme une toute jeune fille. Les enfants obtinrent que Victor leur tirât un feu d'artifice. Ils raflèrent à Berthe une provision de gâteaux en vue d'un festin arrosé de sirop, et se livrèrent durant tout un jour à une orgie de mains poisseuses, de tabliers sales et d'estomacs barbouillés, sans que personne, pas même leur mère ou leur institutrice, s'avisât de le leur reprocher.

Au mépris du blé et des foins, confiant la régence à Ranguis, Frédéric boucla les malles, et emmena sa femme et sa sœur à Paris, pour visiter l'Exposition.

Ils furent absents durant deux semaines. Au cours de leur séjour, eut lieu la visite des délégués Boers. Une réception fut organisée à l'hôtel de ville, en l'honneur du docteur Fisher et de ses compagnons. Malgré l'accueil chaleureux et les acclamations de la foule parisienne, ils n'emportèrent aucune promesse. Tour à tour, les gouvernements d'Amérique et d'Europe se retranchaient derrière leur neutralité. Les trois Burghers continuèrent leur quête décevante d'une capitale à l'autre.

« On les enterrera sous les fleurs et les couronnes ! » grondait Frédéric, haussant les épaules avec fureur.

Devant la ténacité sans espoir de ces hommes, on se sentait soudain écrasé de la honte d'être un grand peuple, riche et fort, et d'assister passivement au meurtre qui se commettait...

Tout le voyage en fut gâché. Qu'importaient les palais de l'Exposition, la ville féerique surgie dans la ville, de chaque côté de la Seine ; les fêtes, les illuminations, et toutes les nouveautés étonnantes ; cette voiture sans chevaux qui pouvait atteindre des vitesses incroyables... et cette autre curiosité, le cinématographe ?... si tous ces spectacles ne déridaient Frédéric que momentanément... si Ludivine devait s'en amuser seule... si, chaque soir, de retour dans leur chambre d'hôtel, elle voyait renaître sur le visage de son mari le reflet de cette rêverie obstinée, qui l'avait si souvent mise en alerte, l'hiver précédent...

Ne goûterait-elle donc jamais un peu de calme ? Un obstacle n'est pas plutôt franchi... déjà, avant d'avoir repris haleine, il faut se battre contre un autre.

Elle rentrait à Mogador sans regret. Il serait bon que Frédéric reprît au plus vite contact avec l'existence quotidienne. Là-bas, tout s'allierait à elle, contre ce désir d'action qu'il laissait percer. — Il y aurait les enfants, Mère, le travail, les soucis, les ennuis...

Durant quelques semaines, Ludivine put croire au succès de ses prévisions.

Puis, un soir, comme ils regardaient, tous deux, un long crépuscule empourpré traîner sur la canalette, — Il y aura du mistral, demain, venait-elle de remarquer à mi-voix — brusquement, Frédéric posa sa pipe dans l'herbe sans même l'éteindre.

« Ludivine..., commença-t-il, baissant la tête — et elle sentit que quelque chose allait arriver — Ludivine, écoute. Je voudrais te parler. Il faut que je te dise... »

Quoi, qu'allait-il dire ? Jamais il n'avait eu cet air embarrassé... « Ce n'est pas cela, non, non, ce n'est pas... » Déjà elle savait que ce serait « cela ».

« ...Mon cœur, reprit-il, lui caressant l'épaule, avec ce geste lent de possesseur, plus puissant qu'un baiser, — il me faut faire quelque chose. Je... vois-tu, c'est inacceptable de rester ici, comme un rat dans son fromage, pendant que mon frère me donne l'exemple en risquant sa peau. On ne peut pas asperger les gens avec un peu d'eau bénite, quand leur maison brûle, et les laisser se débrouiller ensuite...

— Eh bien, dit-elle d'une voix glacée, je ne vois pas ce que tu pourrais faire d'autre. Où veux-tu en venir ? Tu ne vas tout de même pas me dire...

— Ludivine... sois raisonnable, essaie de comprendre les choses. Si tu avais seulement une miette d'imagination...

— Mais je comprends fort bien, interrompit-elle. C'est simple. Tu ne m'aimes plus.

— Bon Dieu ! J'en étais sûr ! »

Il éclata :

« ... Ne dis pas cela. Tu le sais bien que je t'aime ! Et qu'est-ce que ça à voir ?... Il n'est pas question d'amour. Si tu essayais, rien qu'une fois, une malheureuse fois, de te mettre à la place des autres !... »

Leurs voix résonnaient dans la pureté légère du soir, brisant autour d'eux cette douce chanson du silence qui monte des terres en rumeur et du clapotement de l'eau.

Ludivine dépouillait avec une cruauté machinale la tige fleurie d'un rameau de tamaris.

« Et toi ? demanda-t-elle âprement. L'as-tu jamais fait ? T'es-tu, par hasard, inquiété de savoir si tu me faisais mal ?

— Mais oui ! Crois-tu que, sans cela, je serais encore... »

Ludivine n'écoutait pas.

« ... Ta fantaisie voilà ce qui compte ! C'est passionnant, bien sûr, d'aller dynamiter des trains, attaquer des convois... de jouer à cache-cache en se tirant des coups de fusil... La guerre du *Petit Journal Amusant*... Une belle distraction, pour les hommes ! Mais si tu crois...

— Assez ! trancha Frédéric, brutalement. Nous n'allons pas nous disputer ici, n'est-ce pas ? Rentrons. Je connais tes arguments. Et je te préviens, ajouta-t-il, sardonique, ce soir, je n'ai pas envie d'aller barboter dans la roubine.

— Moi non plus », dit-elle, d'un ton las, en se relevant.

Une sorte d'écœurement l'envahissait. — Il était vain de se défendre, vain d'avoir attendu sa joie d'un seul être, d'avoir entrelacé si follement sa propre vie à la sienne pour que tout craquât si vite, avec une si horrible facilité...

Dans l'allée des pins, il faisait nuit noire. Elle en fut heureuse. Ce n'était plus supportable, de voir son visage.

Repentant, il lui prit le bras, sans rencontrer de résistance. D'un accord tacite, ils se taisaient, enveloppés du frémissement des branches. Au loin s'était levé un chœur de crapauds, dominé par les chanterelles de grillons.

Le pas de Frédéric faisait rouler des cailloux. Appuyée à lui, Ludivine avançait comme dans un tunnel.

Que cela durât, cette marche aveugle, où la complicité dérisoire de l'ombre lui donnait pourtant un répit !...

XX

De retour à la maison, sans s'être consultés,
ils composèrent leur attitude. Le repas, la
soirée, se passèrent comme à l'ordinaire. L'un
et l'autre semblaient d'accord pour prolonger
la veillée, s'ingéniant à retenir Adrienne entre
eux. Ludivine monta la première, seule, derrière sa belle-sœur. Frédéric s'attardait à fumer
une pipe dans le salon. Il se sentait peu enclin
à reprendre, le soir même, une discussion qui
se révélait encore plus ardue qu'il ne l'eût
craint.

La jeune femme expédia fébrilement sa toilette de nuit, houspillant la placide Eugénie
que dix années de service auprès d'elle avaient
dotée d'une philosophie désormais capable
d'affronter vents et tempêtes.

« Ma chemise, vite !... mais dépêche-toi donc, maladroite. Maintenant, file et emporte la lampe ! »

Frédéric trouva la chambre plongée dans une pénombre où le lumignon de la veilleuse faisait danser sa petite flamme jaune au courant d'air léger qui passait entre les rideaux tirés. Arrêté sur le seuil, il écouta. Nul bruit ne venait de l'alcôve. Le souffle de sa femme était imperceptible. Il traversa la pièce sur la pointe des pieds, s'enferma dans le cabinet de toilette, versa son eau avec précaution, revint se glisser dans le grand lit, au bord du large espace que lui cédait Ludivine pelotonnée à l'autre bout, vers la ruelle, et, soulagé, éteignit la veilleuse. Quelques minutes après, il dormait.

Ludivine écouta longtemps sa respiration régulière. Il avait toujours eu cette faculté de couler dans le sommeil, avec une soudaineté qui, parfois, la laissait interdite. Une phrase commencée, déjà il n'était plus là pour recevoir la réponse. « Comme cela lui ressemble bien, cette fuite. » Elle se retourna doucement, étendit la main dans le noir, vers la tiédeur rassurante de sa poitrine. Il était là, malgré tout, avec sa peau chaude, lisse... à la fois absent de lui-même, et emprisonné dans son repos. Pour quelques heures, il cessait de dresser ses plans contre elle, de calculer les coups qu'il allait lui porter. « Je suis tranquille, pensa-t-elle, jusqu'à demain... »

« Demain » était très loin, par-delà les chemins nocturnes.

Elle se rapprocha de lui. A travers son inconscience, Frédéric marmotta quelques mots inintelligibles, remua un peu, lança son bras autour d'elle, la ramenant vers lui, d'instinct. Noyée de douceur, Ludivine enfouit sa tête au creux familier de l'épaule. Demain... qui pouvait savoir ? Il était impossible que tout n'allât pas mieux. « Demain, je trouverai une solution. Ou peut-être qu'il aura renoncé... » A cette heure silencieuse, dans l'abandon et la paix de ce corps contre le sien, Ludivine n'était plus aussi éloignée de le croire.

Deux jours s'écoulèrent. Frédéric sortait, rentrait, recevait les fermiers, faisait ce qu'il y avait à faire, parlait du travail quotidien, se montrait tendre et prévenant.

Tendue, Ludivine avançait le long des heures, du matin à midi, de midi au soir, avec la démarche d'une danseuse de corde devant le public.

Au matin du troisième jour, le courrier apporta un court billet d'Hubert. — Si rares, à présent, il fallait donc précisément... — Griffonné en partie au crayon sur un morceau

de papier douteux, le message portait la date
du 21 août. Hubert avait profité d'une occasion pour le faire passer à la frontière portu-
gaise : « Il était à nouveau sous les ordres
de De la Rey, le bras droit de Dewett, le
fameux Dewett... C'était le comte Jules Fer-
nande qui commandait la légion française,
depuis Boshof où était mort Villebois. Il
y avait eu un coup de main réussi sur
Dewetsdorp, l'avant-veille. Tout allait bien. Il
ne fallait que de la patience. Certains Anglais
raisonnables commençaient à donner des
signes d'écœurement. Même les plus enragés
« jingoes » se lasseraient à la longue, un jour
ou l'autre, de recevoir des raclées... »

Julia et Adrienne écoutaient cette lecture,
illuminées de bonheur. A les regarder, Ludivine se sentait prise d'une rage concentrée :
« Etaient-elles donc si aveugles ? Allaient-elles
demeurer longtemps encore dans leur inconscience qui la laissait seule en face de la
menace suspendue ? »

Le déjeuner s'acheva, pourtant... Frédéric
sortit. Elle respira. A présent, elle ne retrouvait un peu de répit qu'aux heures où il était
loin d'elle. En sa présence, d'instant en instant,
elle guettait, dans une angoisse horrible, dissimulée à force de volonté, chaque parole qu'il
allait prononcer, attentive à ne pas laisser

tomber la conversation, dans la crainte qu'il
ne s'emparât d'un silence pour y glisser la
chose redoutable à entendre.

La veillée lui fut une épreuve harassante
qu'elle soutint, pourtant, avec l'impression que
toute sa vie en dépendait. « S'il ne parle pas
ce soir... si nous montons nous coucher sans
qu'il n'ait rien dit... »

Au lit, Frédéric la prit dans ses bras, avec
une brusque passion. Cette bouche qui s'attardait sur sa gorge, glissait au long de son cou,
de sa joue... atteignit ses lèvres, les enveloppait, les forçait, les faisait siennes, fondue,
humide, fraîche, tantôt brutale et puis douce...
et s'en détachait et les reprenait à nouveau...
cette bouche, allait-elle, tout à l'heure, ah !
maintenant, tout de suite... prononcer les mots
qui déchireraient tout ?...

« ... Mon amour... », dit Frédéric, le souffle
rauque. Et il la noua plus étroitement à
lui.

Ecrasée, haletante, elle eut une sorte de
sanglot court, soudain délivré.

« ... Mon amour... » répétait Frédéric.

Déjà ils étaient ensemble une grande fleur
tournoyante prise dans un vertigineux poudroiement de soleil et d'ombre.

« ... Ma chérie, ma beauté... », murmura-t-il
encore.

Enlacée à lui, les paupières mouillées, Ludivine se taisait, serrée sur sa joie.

Ensuite, ils abordèrent aux vastes plages du sommeil.

Quand Ludivine s'éveilla, le lendemain, Frédéric était parti. Elle ne le revit qu'au repas. Il lui souriait avec une tendresse telle, qu'elle en sentait la chaleur sur son cœur. D'Hubert et de la lettre de la veille, il fut à peine question. Tout à coup, les inquiétudes torturantes des jours précédents paraissaient vaines. Elles s'éloignaient, rapetissaient...

Un sentiment de victoire naquit en Ludivine : ... Il n'avait rien dit. Il ne dirait plus rien. Même cette lettre n'avait pas été assez forte pour le lui arracher. Soudain, il devenait possible de recommencer à vivre.

« Eh bien, quoi donc, tu ne dis pas grandchose, ma fille, remarqua Julia, le soir, à table. Ces jours derniers, pourtant, tu jacassais comme une pie.

— Justement, je me repose.

— Tu es allée à *La Gloriette* ? » demanda Frédéric.

En quelques phrases, elle résuma son aprèsmidi.

« ... Je crois qu'on pourrait acheter de nouvelles ruches », conclut-elle.

Intéressé, Frédéric envisagea la question :
« Oui, le miel de la Montagnette était délicieux.
Bien supérieur à celui que l'on faisait à Mogador. Près de Beaucaire, il y avait un vieux qui
fabriquait des ruches très bien comprises.
Tonin le connaissait. Il serait facile de le
voir... »

Adrienne racontait à sa mère un goûter
auquel elle avait conduit les petites filles.
Christine avait eu des démêlés avec un garçon-
net beaucoup plus âgé. Ses sœurs étaient
intervenues avec promptitude et efficacité. Ces
trois jeunes demoiselles, si différentes de tem-
pérament, toujours en désaccord entre elles,
reformaient le clan au moindre contact avec
les étrangers.

« Et Anne tape aussi volontiers que les deux
autres, malgré son petit air avenant et ses
manières gracieuses. Il a fallu les ramener
à la maison. Mademoiselle était navrée. Elle
trouve que les petites deviennent difficiles et
je suis de son avis. On ne peut les emmener
nulle part sans que cela se termine par une
scène. Christine est un vrai garçon, et elle
a si mauvais caractère... »

Frédéric et Ludivine riaient.

« Bon sang ne peut mentir !... et les
jumeaux ?

— Ils ont passé l'après-midi avec moi,

expliqua Julia, à son fils. François a cassé la poupée de sa sœur. Dominique a beaucoup pleuré. Je crains qu'elle ne soit la sensitive de la famille. Je n'ai jamais vu aucune des autres pleurer comme elle. »

Quittant la table, ils passèrent au salon. Philo apportait le tilleul de sa maîtresse. Au bout d'un instant, Ludivine monta pour assister au coucher des enfants. François n'avait pas sommeil, il refusait d'aller au lit.

« Tu aimerais peut-être avoir une autre poupée pour la casser ? » s'enquit Ludivine, sévère.

Ces allures de Némésis n'impressionnaient guère maître François. Il cligna de l'œil vers sa mère, avec un air qui disait nettement : « Pourquoi pas ? »

« J'ai-z-aussi cassé mes « sordats », la renseigna-t-il, une note de fierté dans la voix.

— Vraiment ?... Et... c'est tout ?

— Oui... », admit-il envahi du regret de n'avoir pu mieux faire.

Quel beau bébé c'était, plein de sève, malicieux et intrépide !... — Ludivine l'embrassa et sortit sur sa défaite, débordante d'un rire intérieur.

Dans le salon, elle retrouva sa belle-mère et son mari. Frédéric tenait *Le Figaro*. Julia somnolait, un ouvrage posé sur ses genoux.

Par les fenêtres entrouvertes, entrait un courant d'air léger. Le coin du rideau se soulevait. Gonflé, balancé, il ressemblait à une voile. Une tiède soirée de septembre.

La jeune femme reprit sa place sous la lampe.

Déposant son journal, Frédéric vida sa pipe, la tapotant à petits coups, et se remit à la bourrer.

Sa femme suivait des yeux la répétition des gestes habituels. Leurs regards se rencontrèrent, se caressèrent. Puis il reprit sa lecture, et Ludivine la sienne.

De temps à autre, relevant la tête, elle lui jetait un coup d'œil à la dérobée. La vue de ce visage, après dix ans, éveillait encore en elle la vibration d'un plaisir presque douloureux.

Frédéric ne la voyait pas. Il avait à nouveau laissé glisser son journal et semblait méditer, le menton durci. L'éclat gris de ses prunelles passait comme une lame entre les cils baissés.

— Il y avait quelque chose, sur ces traits... — quelque chose... ? C'était indéfinissable.

Comme s'il eût senti le poids de cette interrogation, il rouvrit les paupières, et attacha sur sa femme un regard dangereusement vide.

En un éclair, Ludivine aperçut le bord du gouffre. Son cœur bondit, puis s'arrêta. Déjà

Frédéric parlait, avec un détachement extrême, à peine un peu trop accentué :

« Vendredi, j'irai faire un tour à Marseille.

— Non », cria-t-elle, sauvagement.

Les muscles jouèrent sur les mâchoires de Frédéric. Il se leva, enfonçant les mains dans ses poches.

« Tu deviens folle ? » Sa voix était parfaitement tranquille.

Arrachée à sa torpeur, Julia considéra sa belle-fille : une violence éperdue décomposait ces traits où les yeux étincelaient d'un feu noir inquiétant. Les ongles de Ludivine se crispaient sur les accoudoirs du fauteuil.

« Pour Dieu, ma petite, qu'est-ce qui te prend ?

— Mais vous ne voyez pas ? Vous ne comprenez donc pas ? »

Elle haletait, au paroxysme d'une fureur désespérée.

« ... A quoi est-ce que ça vous sert d'être sa mère... ? Mais regardez-le donc ! Il va tout bonnement faire un tour à Marseille !... Regardez la figure qu'il a !

— Assez, Ludivine ! Tu es ridicule... »

A présent, le regard de Julia ne quittait plus le visage de son fils.

« ... Un simple petit voyage à Marseille..., ricanait Ludivine qui ne dominait plus ses nerfs. — Un petit voyage de rien du tout... et il reviendra avec le billet du bateau dans sa poche ! »

Frédéric marcha sur elle et lui saisit brutalement le poignet.

« Vas-tu te taire ?

— ... Mais défends-toi donc ! Dis que je mens ! Répète-le, que je suis folle. Qu'est-ce que tu attends ? Qu'est-ce qui t'en empêche ?...

— Ainsi, c'est vrai... » articula Julia, la voix détimbrée.

Au fond d'elle-même, elle avait toujours su que cela pouvait arriver : « Oui, avec Frédéric... » Elle gardait son calme entre ces deux furieux dressés l'un contre l'autre, se mesurant comme des adversaires. Mais jamais elle n'avait été plus pitoyablement menue, toute ramassée au creux de son fauteuil.

Lâchant sa femme, Frédéric vint auprès d'elle.

« Maman, pardonnez-moi ! Maman chérie, je suis désolé. Vous devez bien comprendre... Pour rien au monde, je n'aurais voulu que vous l'appreniez de cette façon. C'est seulement... Voyez-vous, je ne peux pas laisser Hubert tout seul dans ce pétrin...

— Non, bien sûr ! coupa Ludivine avec un rire âpre. Ni Hubert, ni les Boers. Même si c'est de leur faute... Qui leur a dit de se mettre

en guerre ? Qui a demandé à Hubert d'aller
là-bas faire l'imbécile ?... Personne ? Mais ça
n'est pas une raison. C'est tout de même une
affaire d'hommes... Une bonne guerre, ça fait
tellement plaisir ! Un joli passe-temps qu'on
n'a pas tous les jours... La permission de se
tirer dessus. On n'a même pas besoin de savoir
pourquoi... Hubert, le bon droit, les opprimés,
et Dieu sait quoi ?... Des excuses, il n'y a que
ça. Dix, cent, mille, on peut en trouver !...
L' « Honneur ». Et le « Devoir ».

Elle semblait cracher les mots.

« ... Ils ont inventé ça. Ils en ont fait une
religion. Et les femmes sont assez bêtes pour
y croire. Mais je ne veux pas, moi — sa voix
se cassa — je ne veux pas que tu partes...
Frédéric, écoute-moi, je ne t'ai pas épousé pour
que tu t'en ailles faire la guerre. Je ne veux
pas trembler, je ne veux pas me passer de toi
et compter les jours... je ne veux pas...

— Tais-toi, je t'en prie... » dit Frédéric avec
lassitude.

Julia caressait les cheveux de son fils age-
nouillé contre elle.

« Mon petit, tu ne peux pas faire ça. Ici
aussi, on a besoin de toi.

— Pas si Ludivine veut être raisonnable.
Elle peut faire marcher Mogador, vous le
savez bien. »

Il répondait à sa mère, sans paraître voir Ludivine.

Hors d'elle-même, contournant le fauteuil de la vieille dame, elle marcha vers lui.

« Et me tuer au travail, n'est-ce pas ? »

Une sorte de haine froide l'envahissait. Il était trop cruel, trop égoïste...

« ... Pour que tu puisses aller te distraire à dresser des embuscades, et te cacher, et jouer au soldat... Exactement comme Christine et le petit Royer jouent aux Indiens. Et pendant ce temps, je courrai de Mogador à *La Gloriette*, de *La Gloriette* à Mogador, et il me faudra encore m'occuper de tes enfants et...

— Quant à cela, ma chère, interrompit-il, sarcastique, en se relevant, je ne pense pas que tu aies jamais pris beaucoup de peine pour les élever. On ne peut pas dire que tu sois exactement ce qui s'appelle une tendre mère. Adrienne pourra peut-être continuer à s'en tirer sans toi... »

Il la tenait durement sous le froid de son regard.

« Non ? Tu ne penses pas ? Tu ne...

— Assez ! ordonna Julia, tranchante. Vous avez dit chacun, ce soir, une somme fabuleuse de bêtises. Je trouve que ça suffit comme ça. Quel gâchis ! On se croirait à l'office ! Vraiment, tous deux, vous ne me ménagez guère.

— Je n'en puis plus, Mère, il est odieux...
Je ne...

— Monte chez toi, Ludivine, tu as besoin de
te remettre, ma petite. Je vais t'expédier Philo.
Elle te fera prendre un de mes calmants. Il
faut que tu te reposes. »

Elle se dressa péniblement.

« Où diable est passée Adrienne ?... Toi,
Frédéric, aide-moi à regagner ma chambre. »

Anéantie, Ludivine obéit. Dépassés la colère
et le désespoir, elle entrait dans une sorte
de coma. A travers l'épaisseur opaque et
molle qui l'enveloppait, effondrée devant sa
table à coiffer, elle perçut, comme atténués, les
bruits de la lente ascension de sa belle-mère.
Un dernier instinct lucide, en elle, s'opiniâtrait
à guetter absurdement la résonance des pas,
le craquement des marches et celui de la
rampe, sans que son esprit pût aller au-delà
de ces perceptions.

Au bout d'un moment, Philo entra, suivie
d'Eugénie. La vieille caமériste prit le comman-
dement. Eugénie exécutait ses ordres brefs
avec une célérité qui eût stupéfié sa maîtresse,
eût-elle été en état d'y porter attention.

En quelques minutes, sans savoir comment,
Ludivine se trouva prête pour la nuit, désha-
billée, étendue entre ses draps bien tirés,
bien bordés. La rude face qui se penchait

au-dessus d'elle, ressemblait à l'une de ces pommes jaunes d'hiver, que l'on met en fruitier pour les manger, toutes ratatinées, jusqu'à Pâques.

« Madame a dit de vous en donner deux cuillères. »

Docile, elle avala la potion écœurante et le bol de tisane, à petites gorgées.

« Monsieur est avec elle ?

— Oui. Ils sont en train à parler tous les deux. »

Philo rumina un instant.

« ... Et même, je trouve que ça n'est pas bon du tout pour Madame de se déranger comme ça à cette heure. »

Sa hargne semblait impliquer la culpabilité de tout l'univers responsable. « Si demain elle nous fait une crise... »

Demain... Quelle importance ? Il n'y aurait pas de « demain ». Ce soir, le monde s'était écroulé. Philo pouvait bien déverser son humeur grondeuse. Ludivine avait distancé tout ça. — Qu'ils se débrouillent... — « Ils » englobait jusqu'à Frédéric... Ce qu'il lui fallait, ce dont elle avait besoin, c'était seulement de voir s'obscurcir, s'enfoncer jusqu'aux ténèbres, cette nuit grise où elle avait sombré.

*
**

Frédéric partit pour Marseille.

« J'ai tout essayé, ma fille. Tu le connais : quand il veut quelque chose... Presque toute la nuit, nous l'avons passée à discuter. Il m'a écoutée autant que je l'ai désiré, sans m'interrompre. Il a convenu de tout ce dont j'ai voulu le faire convenir... Il s'est excusé, il m'a cajolée... Enfin, tu sais ce qu'il peut faire. »

Julia soupira :

« ... Un mur. Un mur rembourré. On n'a aucune prise. Il prétend que c'est l'affaire de six mois, peut-être moins... que les gens sont mécontents, en Angleterre ; que l'opinion est contraire à la guerre ; que cette politique fait tous les jours des ennemis à Chamberlain ; qu'il y a eu des interpellations au Parlement ; que, si l'on peut aider les Boers à tenir jusqu'au changement de ministère... A son avis, ça ne peut pas aller plus loin que le printemps. Il pense que, certainement, Hubert et lui seront de retour pour la moisson, et que, jusque-là, tu peux très bien faire face ici, et à *La Gloriette*. »

Ludivine haussa les épaules.

« Je suppose qu'il me garantit tout cela ? Et aussi qu'il passera au travers des balles. Et qu'il ne sera pas pendu, comme tant d'autres, si les Anglais le prennent à se mêler de ce qui ne le regarde pas... Rappelez-vous les semaines que nous avons vécues lorsque... »

Elle se mordit le poing.

« ... Et encore Hubert, lui, ce n'est pas pareil ! — Non, non ! Hubert ? Mais qu'était-ce que la vie d'Hubert, à côté de... — Après tout, qu'il se fasse tuer si ça lui chante, continuat-elle, cruellement. Quand je pense... Tout est de sa faute ! S'il était resté là, jamais l'idée de cette folie ne serait venue à Frédéric. Naturellement, il est seul, Hubert... qu'est-ce que ça lui fait ? Il est libre. Mais Frédéric !... Frédéric est à moi. Il n'a pas le droit... Oh ! Mère, Mère, c'est épouvantable ! Mais il ne pense donc pas un peu, rien qu'un peu, à moi ? Je croyais qu'il m'aimait... Je ne veux pas... Je ne supporterai pas qu'il parte, je ne pourrai pas endurer... »

Il n'y avait rien à répondre. La lèvre de Julia tremblait imperceptiblement. — Cette petite qui disposait ainsi de ses fils à elle... qui disait de l'un : « Il est mien », qui se figurait l'avoir acheté au prix de sa seule passion... Il lui restait à apprendre qu'aucun amour, jamais, ne l'emporte, lorsque s'éveille chez un homme le goût du danger.

Le maître de Mogador revint satisfait de son voyage, et chargé de cadeaux pour toute la maison. A présent que le pas difficile était franchi et qu'il tenait la certitude de s'embar-

quer trois semaines plus tard, il se sentait
enclin à toutes les concessions. Pour Ludivine,
il avait pillé les meilleurs faiseurs de Marseille.
Il lui rapportait un corsage en mousseline des
Indes travaillé de jours et de petits plis, un
grand peigne de nuque orné de cabochons d'or
et d'émaux translucides, une ceinture corselet
en peau verte brodée de chardons en perles,
et, dans un immense carton qui avait dû,
pourtant, lui être un embarras considérable,
un tricorne Louis XV en velours noir, garni
d'une longue « pleureuse » ivoire ; un chapeau
« de Paris » qui portait la griffe de Virot.

Ludivine reçut sans plaisir ces présents
expiatoires. Morne, elle leur jeta un coup
d'œil, remercia, et enjoignit à Eugénie de les
ranger.

« Tu dois être ravissante, avec ce chapeau...
insinua Frédéric, tentateur. Essaie-le, mon
cœur. »

Elle se coiffa du tricorne. Il lui allait, en
effet, à la perfection.

« Je le mettrai pour t'accompagner au quai »,
dit-elle amèrement, à son mari qui l'enlaçait.

Les Royer vinrent passer un dimanche, avec
leurs enfants. Le docteur grisonnait déjà, aux
tempes. Son lorgnon ne le quittait plus guère.
Elise, elle, était toujours aussi fraîche, aussi
rougissante : « Vous êtes une jeune fille

mariée », lui déclarait Frédéric. Elle portait dans ses bras la petite Henriette, née au mois de mars.

« Ma pauvre, pauvre chérie... Si vous saviez comme je pense à vous ! Ce doit être si dur, malgré votre courage. Et Frédéric... Oh ! je l'admire tellement ! Vincent dit que ce sont les hommes comme lui qui sont le sel de notre race. »

Ludivine écoutait et se laissait envelopper par la tendresse de son amie, avec un orgueilleux chagrin sans larmes. « Certes, il était d'une autre trempe... Frédéric, son beau Frédéric... Quel cavalier, quel valseur, possédait son allure ? Quel gandin... même parmi les coureurs de jupons, savait comme lui, d'un regard, effleurer les femmes et leur faire baisser les yeux, sans rien vouloir d'elles ? Qui, de tous ces maris et ces jeunes gens empressés à plastronner autour de Ludivine eût été capable de s'arracher à son amour pour aller se battre ?

« Cette Elise, entre son époux déjà vieux, et ses enfants à moucher, à laver... Que savait-elle de la passion ?... Oui, mais leur visite finie, ils rentreraient ensemble dans leur bourgeoise petite maison, et ils auraient encore bien des soirs et des soirs tous pareils, tous tranquilles. »

« ...Une vie où rien n'arrive... sinon la vieillesse, et ce long sommeil, là-bas, loin... » Il semblait à Ludivine qu'elle eût peut-être aimé ce calme bonheur bien réglé, qui la laissait naguère dédaigneuse...

Les jours s'en allaient, l'un après l'autre.

« De cette façon, tu vois, avait calculé Frédéric, en rentrant, les vendanges seront faites, et le vin en tonneaux ; je pourrai partir bien tranquille. Tu n'auras pas grand mal. »

Maintenant, on mettait en cave les derniers fûts.

Plus qu'une semaine. Plus que six jours. Plus que cinq. Une fausse insouciance animait Mogador, entretenue par les nombreuses visites qu'il fallait bien accepter de recevoir. C'était le même défilé que l'on avait vu, un an auparavant, pour Hubert. Le même... et combien différent, aux yeux de Ludivine !...

Les derniers jours, pourtant, ils se retrouvèrent seuls. Frédéric, au bord de l'arrachement douloureux, se dépouillait subitement de sa réserve, devenait un amoureux expansif, presque soumis, tel qu'elle avait autrefois rêvé de le voir.

« Ma petite reine, souris-moi. Je veux emporter de toi un souvenir si beau qu'il puisse m'accompagner partout, jusqu'à mon retour. »

Assise sur la causeuse, elle le contemplait

ardemment, à genoux contre elle, les bras enserrant sa robe.

« ...Quelle jolie taille tu as ! Juste comme celle d'une jeune fille. Où avez-vous mis vos cinq enfants, madame ? Et tes yeux, laisse-moi bien regarder tes yeux. Aujourd'hui, ils sont d'un beau violet profond... »

Ludivine approchait son visage suppliant.

« Je t'en prie, mon amour, ne pars pas... »

Il embrassait ses mains, ses cheveux, ses paupières.

« Mais je ne pars pas. Je suis là, tu vois bien. Tu me gardes. Tu le sais, que je t'appartiens... Ecoute-moi : chaque nuit, où que je sois, je reviendrai dans notre chambre ; je serai près de toi quand tu t'endormiras, je te le promets. Mais je ne veux pas que tu pleures. »

Se relevant, il la prenait contre sa poitrine, la ployait sous lui, déchirée de douceur et de peine.

Tous deux firent de longues promenades à cheval. Frédéric s'arrangeait pour demeurer auprès de sa femme, presque continuellement. Chaque jour comptait dorénavant. Quatre jours, plus que quatre jours devant soi. Ludivine vivait agrippée au fil du temps. La valise était dans leur chambre. Victor y entassait déjà

« les choses dont Monsieur aura besoin là-bas ».
Frédéric devait emmener avec lui *Obéron*.

« Ce soir, nous sortirons, si tu veux, mon
cœur. Je prendrai *Phœbus*. Il faut le distraire
un peu, avant mon départ. Le pauvre vieux, je
lui dois bien ça... Tu te souviens, quand nous
venions te voir, chez les Daubenois ? Et le jour
du mariage ? Au fond, je me demande si tu
m'as jamais pardonné... Allons, tu peux bien me
le dire, maintenant... Oui ? Non ? »

Ludivine était sur la pente des larmes. Il s'en
aperçut et brusqua sa sortie.

« ...Attends-moi. Deux mots au baïle, et je
reviens te prendre. Je voudrais aller jusqu'au
tombeau du Croisé. Nous rentrerons en faisant
le grand tour, avant le déjeuner. »

Le tombeau du Croisé était une vieille dalle à
demi enfouie sous un massif de lauriers-tins,
tout au fond du parc. La pierre était couverte
d'une inscription latine presque effacée, indéchiffrable. Amélia, la jeune morte qui avait
aimé les contes tristes, avant d'en devenir un,
prétendait autrefois qu'était enterré là un chevalier tombé en chemin, à son retour de Pales-
tine, avant d'avoir revu sa Dame. Elle s'enroulait dans des voiles, se drapait d'un châle : « Je
suis sa Dame et je vais mourir de douleur sur
sa tombe. » Les enfants, subjugués, portaient
sa traîne avec révérence.

« Elle avait douze ans, tu comprends ? Henri, neuf ; et moi quatre. Adrienne était un bébé. » Un jour, Frédéric lui avait raconté tout cela, qui faisait partie de la légende d'Amélia, entretenue par les siens.

Pour des yeux étrangers, l'endroit n'était qu'un coin abandonné, humide, jonché de feuilles pourrissantes. Ludivine ne l'aimait pas.

« Non, refusa-t-elle. Vas-y si tu veux. Tu me retrouveras ici, ensuite.

— Bon. Je ne serai pas long. »

Il n'insistait pas. Manifestement, cela répondait à son désir secret. Elle s'assit près de la fenêtre, et commença d'attendre.

Au-dehors, il faisait un tiède soleil d'automne. A peine jauni çà et là, le parc était d'une exquise mélancolie, si discrète...

Attendre... Dans quelques jours, la vie ne serait plus que cela... — « A chaque minute écoulée, je me demanderai : « Où est-il ? Que fait-il ? Vit-il encore ? » Et peut-être, une fois, il y aura un instant précis où... Dieu !... Est-ce qu'on peut supporter cela ? Est-ce qu'on ne devient pas folle ? Frédéric... Si jamais... » Elle en perdait la respiration. « Je ne peux pas... Je ne peux pas ! A aucun prix... Il ne faut pas qu'il parte ! »

« Qu'est-ce qu'il y a ? s'inquiéta Frédéric

en rentrant. Ça ne va pas ? Tu ne te sens pas bien ? »

S'il croyait cela, est-ce que ça pourrait empêcher... ? Si j'étais malade ? Si je... Mais non, rien. — Il le lui avait dit : le souvenir de la roubine... on ne recommence pas un coup déjà joué.

Se dominant, elle parvint à sourire. Ils s'embrassèrent.

« J'ai demandé les chevaux pour deux heures », dit Frédéric en descendant pour le déjeuner.

Comme Adrienne versait le café, Victor vint prévenir son maître que Ranguis et Tonin étaient dans le bureau, demandant à le voir d'urgence.

Frédéric avala rapidement le contenu de sa tasse, se brûla, grommela quelques récriminations, et sortit en hâte, abandonnant sa blague à tabac, son couteau, et sa pipe qu'il avait commencé de débourrer.

Au bout d'un instant, Ludivine se leva et se mit à marcher à travers le salon. Silencieuse, absorbée dans ses préoccupations, elle prenait un journal, le déposait, maniait un bibelot, inconsciente, en proie à une terrible nervosité.

Julia suivait des yeux avec pitié le manège de sa belle-fille. Une tension brutale contractait ce visage, jusqu'à l'enlaidir. Les os de la mâchoire faisaient une dure saillie... « Comme elle a maigri ! Que va-t-elle devenir sans lui ? » On pouvait tout attendre de Ludivine, le meilleur comme le pire, calculait la vieille dame. Qui savait vers quel parti la rejetterait cette absence ?... Un abandon si stupide, si cruellement impardonnable... Cinq enfants, et cette jeune femme qu'il aimait... « *Ton bonheur, Frédéric, penses-y bien.* »

« *Quelquefois, le bonheur, ça ne suffit pas, vous savez Maman...* » A d'autres, ça aurait suffi. Son père... quand il l'avait fallu, il avait pris son fusil et son sac, avec cette résignation qui, d'avance, semblait prévoir... Mais lui... ce besoin de renverser les dés, avec cette désinvolture de seigneur... — Il y aurait peut-être eu quelque chose à dire... à tenter... autre chose, qui eût pu réussir... Quoi ?

Julia se sentait lasse.

« Je suis trop vieille pour ce qui arrive...

— Tu sors, ma fille ? demanda-t-elle à Ludivine qui se glissait hors de la pièce.

— Je vais un instant dans ma chambre, Mère. Si Frédéric revenait, voulez-vous le prier de m'attendre ici ? Je ne fais que monter et descendre... »

Dans le hall, Ludivine s'arrêta pour écouter. La grande maison était calme. Elle longea le couloir, passa devant le bureau... A travers la porte, lui parvint un bruit de voix. Les trois hommes discutaient avec animation. La jeune femme atteignit la porte du fond qui donnait sur la cour, derrière l'office, et l'ouvrit sans bruit. Dehors, elle prit sa course.

Dix minutes après, elle était de retour dans le salon. Julia se taisait, perdue dans ses pensées, et ne releva même pas la tête. Adrienne avait repris son éternel ouvrage. Ludivine tourna un peu autour du guéridon où demeurait encore le plateau du café, et revint s'asseoir à sa place, près de la fenêtre. Haletante, elle respirait à la dérobée, les yeux fixés désespérément sur la tasse que Frédéric avait laissée sans achever de boire.

« Ma pauvre chérie, je suis navré, c'est comme un fait exprès, s'excusa-t-il, en revenant. Toujours cette vieille rengaine du barrage. Ils ont encore découvert une fissure. Et une belle, paraît-il. Tonin prétend que ça ne résisterait pas à la première neige. Il faut aller voir ça tout de suite. Viens-tu ? Nous déciderons sur place. Tonin et Ranguis sont repartis. Nous les rejoindrons là-bas. Il est presque trois heures. Les chevaux doivent attendre depuis longtemps.

— Non, dit lentement Ludivine. Je crois que je vais rester ici. Tu vois, je ne suis pas prête, je te retarderais... »

Pas prête ! Et il avait été entendu qu'ils sortaient à deux heures... Frédéric la considéra d'un air de reproche. Mais devant sa pâleur, il se sentit inquiet.

« C'est vrai que tu as bien mauvaise mine depuis ce matin. »

Il lui caressa la tempe.

« ...Tant pis, j'y vais seul. Repose-toi. Je vais me dépêcher. Il n'y en a pas pour trois quarts d'heure. Je galoperai à l'aller et au retour. Et après ça, tu me garderas, n'est-ce pas ? Nous ferons ce que tu voudras. Accompagne-moi jusqu'au perron, veux-tu ? »

Elle se leva avec effort. Frédéric glissa le bras autour de sa taille et la soutint, la soulevant presque.

« ...A tout à l'heure, Maman. »

« Bon Dieu, qu'il fait beau ! s'exclama-t-il, dehors. Dommage que tu ne viennes pas. Nous aurions pu pousser ensuite jusqu'au village ou à Barbegal.

— Quel chemin prends-tu ?

— Oh ! je vais couper par les terres, pour aller plus vite. Tu ne veux pas venir jusqu'à l'écurie ? Pour dire bonjour à *Phœbus*... Non, c'est vrai, pas de chapeau, pas d'ombrelle... Nous nous gâterions le teint ! »

Il rit doucement. Ludivine ne broncha pas sur la taquinerie.

« Eh bien, je te laisse. Je serai là vers quatre heures. »

Se penchant, il mit un baiser sur le front posé contre son épaule, et s'éloigna à longues foulées souples, en sifflant un air de chasse.

Ludivine le suivit des yeux jusqu'à ce qu'il eût tourné le coin de la maison.

Lorsqu'elle rentra dans le salon, Julia fut saisie devant l'altération de son visage.

« Tu n'es pas malade ?

— Moi ? »

Ludivine parut se troubler.

« Malade ? Pourquoi... malade ? »

Sans répondre, la vieille dame se mit à examiner sa bru. L'acuité de ce regard brûlait les joues de Ludivine.

« ... Où est Adrienne ? questionna-t-elle, pour rompre les chiens.

— Auprès des jumeaux, je crois. Elle est montée, après toi. Tu lui veux quelque chose ?

— Non, rien. »

Le silence retomba entre les deux femmes.

Ludivine s'assit lourdement. Un tic nerveux crispait le coin de sa bouche.

Sa belle-mère s'éventait à petits coups, sans paraître la surveiller. De minute en minute, l'atmosphère s'épaississait.

« As-tu vu *La Revue des Deux Mondes* ? Le numéro qui est arrivé hier ?

— Quoi donc, Mère ? demanda la jeune femme, avec l'accent de quelqu'un qui rêve.

— ...*La Revue des Deux Mondes* ?...

— Ah ! oui ? Non... » dit Ludivine, vaguement.

Julia n'insista pas. Une inquiétude sournoise grandissait en elle. Quelque chose se passait. Un péril inconnu, redoutable, s'était insinué... il cheminait à présent dans leur vie de tous les jours, déjà si précaire, depuis que le départ de Frédéric était au bout... Quelque chose qu'elle ignorait, et que connaissait sa belle-fille...

Des pas pressés firent crier le gravier devant le perron.

D'un bond, Ludivine fut à la fenêtre, les traits décomposés.

« Eh bien, qu'y a-t-il ? cria presque Julia.

— Rien. C'est Mlle Louise qui rentre. »

A nouveau, ce fut le silence.

La pendule sonna la demie de trois heures.

L'institutrice ressortit, emmenant les petites filles. Toutes trois portaient un mantelet bleu pâle et une charlotte garnie de coques de rubans. Christine donnait la main à sa sœur

aînée. — Un autre monde, où rien ne se passait... où l'on voyait des fillettes sortir en promenade, avec un faux air de sagesse... — Là-
bas, au bout de l'allée d'honneur, le petit
groupe s'éloignait accompagné d'un rai de
soleil.

L'air de la pièce avait la consistance de
l'ouate. Dans ce vide compact, Ludivine
commençait d'avoir froid. Elle se détourna de
la fenêtre et fit quelques pas.

« Où vas-tu ?

— Je ne sais pas. Je sors... »

Elle paraissait égarée.

« Reste ici.

— Mais... »

Cabrée, d'un coup Ludivine se calma : « La
mère de Frédéric... » Un instant, elles se regardèrent. La jeune femme se rassit sans mot
dire.

Une éternité s'écoula. La pendule avait
avancé de cinq minutes... — Il y avait un petit
bruit insupportable. — Les poings serrés sur
son corsage, Ludivine s'acharnait à l'étouffer...
— Il grandissait, il emplissait tout le salon...
N'importe qui devait l'entendre... — La vieille
Julia s'aperçut que sa belle-fille claquait des
dents. Elle-même arrachait machinalement, à
petits coups, les paillettes de jais de son
éventail...

Il était presque quatre heures, lorsqu'on le ramena.

Ludivine et Julia virent, de loin, approcher l'inquiétant cortège. *Phœbus* suivait, attaché par la bride derrière la charrette grinçante entourée d'hommes.

Avec un gémissement de bête, Ludivine s'élança... Un rauque gémissement qu'on eût dit sorti de son ventre...

« Attends-moi ! » appela Julia.

Elle courait et n'entendait plus.

Les cheveux de Frédéric étaient souillés de sang et de terre. On avait lavé son visage où des traînées rouges coulaient à nouveau le long de la tempe. Ce grand corps qu'elle n'avait jamais vu malade, gisait sur un matelas posé à même la paille de la ridelle, avec un aspect abandonné, dans une inertie affreusement sinistre.

« Il a dû perdre les sens en route, madame, expliquait Tonin. On a eu beau faire doucement... C'est quand on l'a mis là-dessus, tout à l'heure, qu'il a gueulé un bon coup ! Faut pas vous chavirer, il va revenir. »

Elle palpait les traits, la poitrine, les flancs du blessé, avec des yeux de folle. A nouveau, elle eut cette plainte animale...

Frédéric ouvrit les yeux.

« Ce n'est rien, chérie, n'aie pas peur. C'est

ma jambe... La gauche... Bon Dieu, que je souffre !... »

Dans son visage, la peau, tirée, semblait s'être subitement plaquée sur les os. Les lèvres étaient d'un blanc violacé.

A son tour, Julia se pencha sur lui, soutenue par Adrienne.

« Mon petit ! »

Il tenta un sourire, vite changé en rictus.

« Une sacrée chute, Maman ! Je ne sais pas comment j'ai fait... Sûrement une jambe cassée... »

« Pour cassée, elle l'est », opinait, une heure plus tard, le docteur Lapierre, maniant avec d'infinies précautions le membre tuméfié où se dessinait une sorte de saillie perceptible au milieu de l'énorme ecchymose.

La palpation soigneuse arrachait au blessé des grondements fauves, mal réprimés. Le médecin acheva de placer deux attelles de fortune.

« Là, ça ira provisoirement. »

Il se redressa, passa une main complaisante sur ses cheveux blancs taillés « à la Bressan », effila les pointes cirées de sa moustache encore grise... « Vous avez l'air d'un demi-solde, docteur, lui avait dit un jour la vieille Mme Vernet, avec cette intonation mi-figue, mi-raisin... »

« Une belle fracture spiroïde des deux os, mon cher ami, bien franche, bien caractérisée. Vous avez tout de même eu de la chance... »

Frédéric lui jeta un regard meurtrier...

« Une aubaine, autrement dit !... »

Le vieil homme rit sans se troubler.

« En ce qui me concerne, ça, oui... sans l'ombre d'un doute. La revanche de la médecine. Imaginez un peu que je n'aie eu jusqu'ici que des clients comme vous, dans le pays. Il ne me restait plus qu'à plier ma tente, où à me mettre à l'étude de l'agriculture. »

Il enfila la redingote et les manchettes dont il s'était débarrassé avant d'entreprendre l'examen.

« ... Non, non, mon cher, plaisanterie à part... continua-t-il, devant le menton féroce de son patient, je crois pouvoir conclure que vous vous en tirez relativement à bon compte : rien au crâne ; la plaie du cuir chevelu sera cicatrisée dans quinze jours. Les contusions de l'épaule ne comptent pas. En somme, il n'y a que cette jambe ; et je ne prévois aucune complication. Tout ira bien, vous verrez. Une immobilité de quelques semaines et vous en serez quitte.

« ... Allons, madame, dit-il à Ludivine, droite au chevet du lit, c'est vous qu'il faudrait

soigner, je crois bien, après cette émotion.
Vous êtes blanche comme les draps.

— Ma pauvre petite, je t'ai fait peur ? »

A tâtons, Frédéric prit une main glacée qui
pendait le long de la jupe, et en appliqua la
paume sur son front, au bord du pansement.

« ... Tu es fraîche. Ça fait du bien. »

Ludivine détourna les yeux de cette tête ban-
dée où les joues, un peu trop rouges, à présent,
accusaient de soudaines crispations grima-
çantes. Elle sentit, comme une caresse tacite,
s'accentuer sur sa main la pression de celle de
Frédéric. Comme ce front semblait chaud...

« Elle a été si forte, docteur, disait la voix
d'Adrienne. Depuis que les hommes ont monté
mon frère ici, c'est elle qui a tout fait, sans
accepter une aide. »

Adrienne... Elle était donc là ?... Et Mère
aussi, là-bas, au fond, dans son fauteuil... —
Ludivine découvrait leur présence. Jusqu'alors,
elle avait agi comme avec des œillères, isolée
de tout ce qui n'était pas, devant elle, ce corps
qu'on lui avait rapporté, ce corps effrayant et
précieux, épouvantablement reconquis.

« Je vais chercher le nécessaire pour opérer
la réduction, ce soir même. Puis-je donner
les instructions à Philo, pour qu'on fasse les

préparatifs, pendant ce temps, madame ? »

Le médecin s'adressait à Julia Vernet.

« Bien entendu, docteur. Je vous l'appelle.

— Il me faudra aussi quelqu'un pour m'assister, tout à l'heure. Mlle Adrienne, peut-être ?

— Moi, dit Ludivine, aussitôt.

— Non, ma chère enfant. Vous êtes lasse, éprouvée... Il vaut...

— Moi et personne d'autre, répéta-t-elle, les lèvres dures.

— Allons, allons, ce n'est pas raisonnable, mon petit. Vous...

— Laissez-la donc faire ce qu'elle veut, docteur », coupa Julia, avec une sécheresse inattendue.

Le vieux praticien s'inclina.

« Parfait, madame. »

Ces gens de Mogador... Depuis le temps qu'il en voyait naître et mourir... On ne pouvait pas leur reprocher de se dépenser en démonstrations. Mme Vernet avait toujours été comme ça : attirante et impossible. — « Et la jeune marche sur ses traces. Elle ne déparera pas la famille. »

XXI

La Sandrine, depuis la veille, ne comptait plus les répétitions de son récit.

« ... Et alors, moussu Frédéric arrive au galop en haut des oliviers. Il prend son élan pour sauter la murette, et tout d'un coup, Sainte Mère ! le temps d'un éclair, je le vois qui dégringole par côté, que j'en reste saisie. De suite après, je pousse un cri... mais un cri !... et vous pensez si je cours.

« ... Le pauvre, couvert de sang, il était. Assommé. Il remuait pas seulement. Je l'essuie avec mon jupon — pourquoi mon mouchoir, il était beaucoup sale —, il ouvre les yeux, il bouge un peu, le voilà qui se met à gémir. Je savais plus quoi faire. « Tu es bien brave, San-

« drine, il me dit, mais je pourrai jamais me
« relever. Aide-moi à me mettre un peu mieux,
« et cours chercher ton frère et Tonin. Ils doi-
« vent être à m'attendre au barrage. » En parlant, il se retournait, et le voilà qui devient si
blanc, avec une grimace, que j'ai cru qu'il me
passait entre les bras... »

Un auditoire sans cesse renouvelé frémissait,
compatissait, s'exclamait, tel le chœur antique.
Accoudés au manche de leur outil, les hommes
écoutaient un moment, puis s'en allaient,
secouant la tête. Leurs épouses, un coin du
tablier relevé sur le ventre, suspendues aux
lèvres de l'aède improvisé, en oubliaient la
tâche quotidienne et les apprêts du repas.

La belle fille, très fière, continuait :

« ... Et ce matin, la vieille maîtresse m'a fait
venir. Dans sa chambre, elle m'a reçue. Il a
fallu tout que je lui raconte. Elle m'en a posé,
des questions !... Et Mlle Adrienne était là. Et
elle m'a dit : « Sûrement ma belle-sœur voudra
« vous entendre aussi. Mais, pour le moment,
« elle ne peut pas. Elle ne quitte pas son mari. »
J'ai demandé comment il va. « Pas très bien,
« elle m'a fait. Il souffre beaucoup. Il a eu une
« mauvaise nuit. Il a la jambe cassée, vous
« savez... »

Durant les deux premier jours, Frédéric, que la douleur rendait fiévreux, se comporta en malade suffisamment docile. Son unique exigence concernait la présence continuelle de sa femme. Ludivine s'y soumettait avec un âpre bonheur, ne dormant pas, mangeant à peine, bien que l'état du blessé ne fût nullement inquiétant, aux dires du docteur Lapierre, et de Vincent Royer accouru pour le voir.

La souffrance persistait, très vive. Mais l'enflure de la jambe avait disparu. Dès le lendemain soir, on put procéder à la mise en place d'une gouttière plâtrée immobilisant le membre jusqu'à la cuisse.

« En voilà pour quelques petites semaines, dit le médecin, se débarrassant du tablier de cuisine emprunté à Berthe.

— Si longtemps ? »

Ludivine sentit l'irritation de son mari.

« Mais qu'est-ce que vous vous figurez, mon pauvre ami ? Une fracture est une fracture. Il faut tout de même donner au Bon Dieu le temps de faire ses raccommodages. »

Les traits de Frédéric laissaient percer tout autre chose que de la résignation chrétienne.

Ludivine posa la main sur ce poing refermé qui froissait le drap, tandis que le docteur poursuivait ses exhortations à la patience.

Radouci à ce contact, le chef de Mogador serra longuement les doigts de sa femme.

Adrienne reconduisit le vieillard.

« Cette nuit, je veux que tu te reposes, chérie, dit Frédéric, après leur départ. Tu entends. J'y tiens absolument. Je suis honteux de la vie que je te fais mener depuis quarante-huit heures.

« ... N'est-ce pas, Maman ?... Il faut qu'elle dorme. »

Il prenait à témoin sa mère, penchée sur lui pour l'embrasser.

« Oui, dit Julia, s'adressant à sa bru, d'un ton indéfinissable. Oui, maintenant, je crois que tu peux dormir tranquille. »

Par-dessus le blessé, le regard de Ludivine, ivre de fatigue, d'incertitude, et de défi, chercha celui de sa belle-mère. Celle-ci, le dos tourné, se dirigeait vers la porte.

Peu après, Adrienne revint pour emmener la jeune femme.

« Allons, viens, Philo a fait ton lit à côté.

— Va vite, mon amour, dit Frédéric. Je te promets d'appeler si ça ne va pas. »

Elle se laissa entraîner. Subitement, elle éprouvait avec intensité le besoin de quitter cette pièce, de respirer à fond un air vif, d'oublier tout...

« Quel temps fait-il, dehors ? »

Interloquée, Adrienne la dévisagea.

« ... Je voudrais... Je ne sais pas... Je voudrais aller me promener. J'étouffe... Je t'en prie, ouvre seulement les volets !... »

Une nuit profonde d'automne glaçait le ciel noir. Les branches du grand cèdre avançaient sournoisement dans les ténèbres. « L'autre matin, avant le déjeuner... » Elle s'était assise dessous, dans l'ombre de midi. Il y avait... Oh ! Dieu !... il y avait de cela des siècles. C'était un autre temps, dans une existence encore facile. « Depuis... » Depuis, elle était sortie du salon avec, dans son cerveau, la chose en marche, et la vie s'était accélérée comme une machine folle.

« *Vous l'avez échappé belle.* » C'était la voix du docteur qui avait dit cela. « *Quand on voit la plaie de la tête... Tête dure, n'est-ce pas, madame ?...* » Oui, dure !... — Cet air qu'il sifflait tranquillement, en s'éloignant, tandis qu'elle le regardait disparaître... Et il aurait pu... Ah !... — Tout son corps, **rétracté, refusait** l'hypothèse, et l'image qui s'imposait. « Frédéric, si vivant, si beau ! »

Elle s'écroula sur l'appui de la fenêtre, dans une effrayante marée de sanglots.

Adrienne, maternelle, la prit dans ses bras.

« Ma petite, ma pauvre petite... Cela te fait du bien. Pleure encore. Viens, allonge-toi. Je vais t'aider à te déshabiller. »

Peu à peu, Ludivine cessa de sangloter. Les larmes semblaient la laver ; elles effaçaient le cauchemar. Les draps avaient une fraîcheur apaisante. La veilleuse distillait une lueur douce. Plus rien à craindre. Frédéric était là, dans leur lit, de l'autre côté du couloir. Prisonnier de sa souffrance. Mais à elle, bien à elle. Reconquis sur la peur, l'absence, le danger... En fin de compte, elle triomphait. — Demain... — Avec l'intrépide espérance des forts, elle recommençait à penser : « Demain. » — Demain, elle saurait si bien le soigner, elle l'entourerait de tant de prévenances, elle accepterait si joyeusement son impatience, ses rebuffades, son amertume, s'il en avait...

Adrienne, en toilette de nuit, lui apporta un verre d'eau de fleur d'oranger.

« Tu verras, ma chérie, il va guérir très vite. Et, au fond, nous pouvons remercier Dieu d'avoir empêché qu'il nous quitte. »

Muette, Ludivine sentait monter en elle une sorte de grand rire sauvage : « Dieu !... »

Le sommeil fondit sur elle et l'emporta dans un trou noir.

Le lendemain, reposée, elle entra dans leur chambre, toute légère dans son déshabillé de batiste floconneuse et de dentelles.

Frédéric lança vers sa femme un coup d'œil hargneux.

« Peste ! inutile de te demander des nouvelles de ta nuit.

— Mais la tienne, mon amour ?

— Saumâtre. Je n'ai pas fermé l'œil. On me tenaille les chairs avec des pinces de feu, on me tord les muscles, on m'enfonce des pointes dans les os... Ah ! les distractions ne me font pas faute, je t'assure !... Ce que je ne parviens pas à comprendre, c'est ce qui a pu m'arriver. Il faut que ce soient les sangles qui aient cédé. Comment ? Ça, je me le demande... Je les ai resserrées moi-même, comme d'habitude. A-t-on rapporté ma selle ?...

— Je ne sais pas, dit-elle, pâle tout d'un coup. Je ne t'ai pas quitté.

— C'est vrai. »

Il l'attira doucement près de lui.

« Ma jolie petite femme ! C'est bon, tu sais, quand on est un paquet de pansements qui sent la maladie, d'avoir bien à soi quelque chose d'aussi joli à regarder. Une vraie fraîcheur.

— Ecoute, Frédéric, chuchota-t-elle, penchée sur lui, je voudrais que tu me croies : si je pouvais avoir mal à ta place... »

L'élan de tendresse qui accueillit cette déclaration, un peu trop impulsif, s'acheva en une grimace additionnée d'un juron contenu.

« ... Tu ne trouverais pas ça réjouissant du tout, mon cœur », affirma-t-il, en manière de conclusion, guettant encore les ondes de la douleur qui s'achevait en lui.

Victor entra, portant un plateau.

« Le petit déjeuner de Monsieur. Est-ce que Monsieur a faim ? »

Sa large figure majestueuse et toute son épaisse personne arboraient un air engageant.

« Oh ! oh ! remarqua Frédéric, touché, Berthe a bien fait les choses. »

En fait, il y avait de quoi tenter l'appétit le plus difficile, et rassasier un quarteron d'affamés.

« ... Il faut que je tâche d'y faire honneur, c'est bien le moins. »

Malgré sa bonne volonté, il ne réussit à avaler que peu de chose. Redressé sur son lit par les soins de Ludivine, les reins et l'épaule calés par des oreillers, il promenait autour de lui un œil mélancolique.

Son regard se fixa sur la valise béante dans un coin de la chambre. A travers l'affolement qui avait secoué la maison entière, elle était demeurée là, à demi pleine, dérisoire symbole d'une aventure avortée.

« Victor, vous m'enlèverez ça d'ici », souffla Ludivine.

Un discret hochement de tête affligé l'assura

de la compréhension du solennel et sensible majordome.

Une ruée imprévue vint heureusement couper court aux sombres méditations du blessé. Dans une bousculade véhémente, Christine, Anne et Isabelle se précipitèrent, arrêtées net, au spectacle de ce père inattendu, casqué de gaze blanche.

Adrienne suivait, portant Dominique, l'impétueux François accroché à sa jupe.

« Mes oiseaux... », sourit Frédéric, soudain détendu.

La matinée passa très vite. Après le départ des enfants, les soins et la toilette conduisirent le blessé jusqu'à la venue du médecin. Celui-ci sortait de la chambre de Julia.

« Je viens d'examiner Mme Vernet. Elle est étonnante. La façon dont elle a supporté ces émotions... Son cœur est presque normal, oui, vraiment, beaucoup mieux qu'il n'a jamais été depuis longtemps.

— Oh ! dit Frédéric, orgueilleusement, ma mère est admirable. C'est l'unique femme au monde dont j'aurais pu rester, toute une vie, démesurément amoureux... excepté toi, bien entendu, mon cœur... » glissa-t-il à Ludivine.

La jeune femme demeura sérieuse. Penser

à Julia lui était, à ce moment, une gêne qu'elle repoussait de toutes ses forces. Pour la première fois depuis son arrivée dans cette maison, leur alliance dénouée, elle se sentait entièrement solitaire dans son camp, avec une charge sur les épaules... la plus pesante qu'elle eût jamais eue à porter. Elle s'apercevait combien, jusqu'alors, à chaque période difficile, sa belle-mère avait été présente, à sa manière détournée, toujours efficace... Cette fois, il allait falloir apprendre à garder seule le fardeau. Machinalement, elle redressa le dos... Après tout, elle s'en était tirée. Quoi qu'il arrivât par la suite, rien ne lui serait jamais demandé qui lui fût plus pénible. Le chemin par où elle était passée rendait désormais toutes les routes accessibles.

Frédéric et le vieux médecin causaient ensemble. Le docteur Royer arriva en coup de vent.

« Cinq minutes, et je continue ma tournée.

— Ces jeunes..., le plaisanta son confrère. Vous aurez beau faire, allez, la mort va toujours plus vite à la course.

— Bah ! dit doucement Vincent Royer, elle a, plus souvent qu'on ne l'imagine, des charités de petite sœur.

— Toujours, mon cher ami, toujours, croyez-moi. Mais il est convenu de ne pas le dire.

— Je crois bien, vous autres surtout ! intervint Frédéric, crûment. Vous gâcheriez la profession. Mieux vaut retenir les gens dans cette vallée de larmes, avec des purges, des saignées et des clystères... sans compter les gouttières en plâtre, ajouta-t-il, rancunier.

— Exactement, conclut Vincent Royer. N'oubliez pas que c'est ici-bas que le paradis s'achète. »

Alors, pensait Ludivine, le mari d'Elise n'aurait vraiment pas payé sa part bien cher... Enfer, paradis... des mots ! L'un comme l'autre importait peu. Heureuse ou malheureuse, pourvu que je le sois avec Frédéric...

Midi sonnant, les trois hommes discutaient encore. Profitant de l'animation qui régnait autour du malade, Ludivine était allée s'habiller. Elle revint sans qu'aucun d'eux eût prêté attention à cette éclipse. — La manie qu'ils avaient tous de ces spéculations dans le vide, à perte de vue... Et ils prétendaient que leurs femmes étaient bavardes...

« Je vous enverrai Elise, demain, promit Vincent Royer, en prenant congé.

— J'en serai heureuse. Coment le trouvez-vous ?

— Aussi bien que possible. »

Il lui sourit d'un air rassurant.

« ... Il me semble que ses crampes muscu-
laires diminuent de fréquence. Elles paraissent
aussi moins violentes. La grande affaire, voyez-
vous, c'est le temps. Il lui faudra apprendre
la patience. A vous de l'aider. Après tout...
vous ne devez pas être fâchée de le garder
ici, n'est-ce pas ? Oui... c'était dur, pour vous,
ce départ... Mais il est tellement déçu, et mortifié... C'est aujourd'hui qu'il devait s'embar-
quer, je crois ?

— Non, demain. Il vous en a parlé ?

— A peine. C'est justement cela. On sent
que son esprit travaille. J'aurais mieux aimé...
vous comprenez ? »

Ludivine approuva de la tête.

« ... Enfin, vous saurez bien le distraire... »

Il lui donna une encourageante poignée de
mains, avant de sauter dans son cabriolet.

La jeune femme le regarda tourner devant
le perron. Un dernier petit signe d'amitié, et
la voiture s'éloigna vers la grille : « Ce Vincent... Il n'était pas exactement un homme du
monde. Il ne vous baisait pas le poignet avec
une aisance délicate. Il n'était ni très galant
ni très empressé... » Mais Ludivine découvrait
qu'on pouvait se sentir étrangement en
confiance auprès de lui, et plus solide, et plus
légère, et, quoi qu'il dît, mystérieusement
réconfortée.

Après le déjeuner, commença une série de visites. Les Vernet recevaient les marques de sympathie de tout le voisinage. Les gazettes locales avaient donné le récit de l'accident. On télégraphia de Tourvieille. Victor montait au blessé lettres, télégrammes, et cartes de visite. Frédéric causa longuement avec son ami Caussade, accouru d'Avignon. Un peu plus tard, Léon Vernet arriva de *La Sarrazine* : tous, là-bas, étaient bouleversés. Il ne repartit que le lendemain. Frédéric, cette nuit-là, avait dormi six heures consécutives, grâce à une potion calmante. Réveillé, il plaisanta avec son cousin.

L'existence s'organisait autour de son lit. Un cérémonial d'habitudes s'instaurait. Les enfants, multipliant leurs incursions, transformaient volontiers la pièce en terrain de jeux. Frédéric conseillait, arbitrait, participait, du haut de ses oreillers, s'amusant presque autant qu'eux.

« Tout ce tapage va te fatiguer, mon chéri...
— Encore cinq minutes... »

L'heure passait. Mlle Louise venait, timidement, reprendre possession de ses élèves. Le blessé suivait des yeux la sortie houleuse de la petite bande.

« ... A ce soir, mes chéris. Vous reviendrez un moment avant de vous coucher.

— ... Si vous êtes sages ! » ajoutait Ludivine.

Elle-même était presque continuellement auprès de son mari, attachée à ne laisser s'ouvrir aucune brèche par où les pensées eussent pu s'échapper.

La visite d'Elise occupa une bonne partie de l'après-midi. Frédéric adorait la taquiner :

« Juste pour vous voir rosir, ma chère Elise. »

Avec elle, il abandonnait cette attitude, faite d'un respect délibérément exagéré dans ses formes, qui s'aiguisait d'une coquetterie très cavalière :

« Tu es à gifler, avec les femmes, lui avait dit un jour Ludivine, au cours d'un entretien qui fleurait le soufre.

— C'est pour cela qu'elles m'aiment. »

L'évidence donnait raison à ce cynisme. Gracieux, il avait ajouté : « Belle méthode pour les rendre indulgentes à l'intérêt que te portent messieurs leurs maris. »

Un frémissement au bout des doigts, Ludivine, à ce moment-là, eût volontiers vengé l'espèce.

Mais, pour Elise, le système de conquête était mis de côté. Auprès d'elle, Frédéric se montrait toujours enjoué, gentil, affectueux, simple, d'humeur facile...

« Quel délicieux mari vous avez, chérie », disait naïvement la jeune femme à son amie.

Que faire, sinon acquiescer ?

Tous trois goûtèrent ensemble. Elise versait le lait, beurrait les tranches de brioche. Ludivine tournait la cuillère dans la tasse, faisant fondre le sucre, choisissait une grappe d'un raisin engageant, pelait une poire parfaite... Servi comme un potentat, Frédéric se laissait faire, en riant.

Elise rentra chez elle très tard. Elle aussi avait maintenant son boguet, attelé d'un joli poney.

« Que vont manger mes petits, si je ne suis pas là ? Henriette refusera sûrement sa bouillie.

— A bientôt, Elise. Revenez vite, chérie ! »

Le soir, très tôt, Frédéric déclara qu'il était las et qu'il voulait dormir. La veille, Eugénie avait dressé un lit pour sa maîtresse, dans la salle de bain. Ludivine se coucha peu après.

Sans savoir pourquoi, elle se sentait exténuée. Et il fallait qu'elle se levât de bonne heure, le lendemain, pour aller à *La Gloriette*... « Maintenant, il serait sur la mer... » Elle écouta la respiration égale qui lui parvenait par la porte ouverte. Vint un instant où elle n'entendit plus rien.

Le lendemain matin, dès l'aube, elle quittait Mogador en voiture, accompagnée de Ranguis.

« ... De toute façon, je serai rentrée de bonne heure, vous comprenez ?... Oui, il va bien. Je l'ai laissé encore endormi. Un bon sommeil calme... Vous me donnerez votre avis, là-bas. J'ai l'impression que ce jardinier me roule. Ou bien alors, il est incapable. L'un ne vaut pas mieux que l'autre. A mon sens, un voleur connaissant son métier serait encore préférable. J'y trouverais davantage mon compte. De toute manière, je le mets à la porte. Mais je veux d'abord savoir de quoi il retourne. »

Le soleil se levait. Un soleil orange, rond, et nu, à travers des traînées gris acier, dans le ciel blanc.

« On va voir ça. Un vrai temps de Toussaint, ce matin. C'est la semaine... »

Le baïle de Mogador tira une pipe de sa poche.

« ... Vous permettez, madame ? Ça réchauffe !

— Bien sûr.

— Et autrement, pour le barrage ?

— Voilà ce que nous allons faire : vous demandez le devis à Combas, immédiatement. En même temps... disons... demain matin, je vais avec vous et Tonin me rendre compte. Il faut que, la semaine prochaine, on puisse commencer. »

Une maîtresse petite femme, tout de même...
se disait une fois de plus Ranguis, les yeux
à demi clos, tétant sa bouffarde.

Vers dix heures et demie, ils étaient de
retour. Laissant à son compagnon le soin
d'emmener la voiture jusqu'à l'écurie, Ludivine
sauta à terre devant le perron.

« Je suis gelée, dit-elle à sa cameriste, qui
l'aidait à se défaire de son manteau. Monsieur
ne m'a pas réclamée ?

— Non, madame... », répondit la lente
Eugénie.

Déjà, sa maîtresse avait gravi là moitié de
l'escalier.

Hors d'haleine, Ludivine ouvrit la porte de
la chambre.

« C'est toi ? appela Frédéric, assis dans ses
coussins. Viens donc voir ça. »

Devant lui, sur la couverture, était posée
la selle.

Elle avança jusqu'au bord du lit, avec cette
démarche qu'on a dans les rêves.

« ... Tiens, là, regarde. » Sa découverte l'absorbait. « Qu'est-ce que tu en dis ? »

Ludivine se pencha sur les sangles intactes.

« C'est le cuir qui a cédé ?

— Cédé ?... Joliment !... Les deux boucles à
la fois ? »

La colère montait dans sa voix.

« ... Et cette coupure, hein ? Ce n'est pas usé, ça, ce n'est pas mâché. Coupé, bel et bien, ma petite ! Si je pouvais mettre la main sur le salaud qui... Taillardé au couteau. Tu vois ? Ça tenait juste assez pour que j'aie le temps de me lancer avant que tout craque. »

Dans la face blêmie de Ludivine, les prunelles énormes et noires, étaient un feu pétrifié.

Frédéric se méprit :

« ... Allons, voyons, ne t'affole pas. Le coup est raté, je m'en tire. On n'aura pas ma carcasse comme ça, je te le jure ! Attends seulement que je sois remis... »

Y avait-il donc encore un espoir ?... C'était fou qu'il pût croire...

« Tu sais bien que tu n'as pas d'ennemis... se surprit-elle à lui dire. — Qui donc, en elle, parlait à sa place comme pour la perdre ?...

— Pas d'ennemis ? »

L'objection parut enfantine à Frédéric.

« ...Tu crois ça ? C'est à voir. On a toujours des ennemis. Dans Fontfresque, et à Mogador même, j'en connais qui seraient capables... — Il y avait Cartelier, ce voyou, qui... et Frasse le cadet, jeté dehors avec la promesse d'une correction si jamais... Et aussi Guigue ?... Oui, Guigue surtout. » Mais cette histoire-là, évi-

demment, il ne pouvait pas s'en confesser à
sa femme...

Tout à ses réflexions, il allongea le bras
vers le mur, à la recherche du gland de
sonnette.

« Qu'est-ce que tu vas faire ? »

Le timbre de cette voix le fit sursauter.

« Dire qu'on m'envoie Florent tout de suite.
De toute manière, il est responsable. S'il
n'est pas fichu de vérifier une selle, ni de
savoir ce qui se passe dans son écurie... Je te
réponds qu'il va m'entendre !... D'autre part,
je veux l'interroger. Il vaudra mieux que tu
nous laisses, mon cœur. C'est une affaire entre
hommes. »

La terre se dérobait. Une seconde, Ludivine
eut la sensation que toute la pièce vacillait
au bord d'un précipice. Puis, les choses repri-
rent leur place. Elle respira un air curieusement figé, ouvrit la bouche, et s'entendit
prononcer brutalement :

« Laisse Florent tranquille. Il n'a rien à voir
dans tout ça. »

Stupéfait, il la regarda.

« Qu'est-ce qui te prend ? Qu'est-ce que tu en
sais ?

— C'est moi qui l'ai fait.

— Quoi ? »

Il la contemplait bouche bée. Il ne réagissait

pas. Visiblement la chose n'était pas entrée en lui.

« C'est moi, je te dis ! »

La rage du désespoir s'emparait de Ludivine.

« ... Inutile d'accuser Florent ou qui que ce soit. J'ai pris ton couteau, je suis allée à l'écurie en passant par-derrière, et je l'ai fait. Pendant que vous étiez dans le bureau. Parce que je ne voulais pas que tu partes, que je ne... Frédéric ! »

Epouvantée, elle recula jusqu'au pied du lit.

Le meurtre dans les yeux, a demi soulevé sur ses poignets, il semblait prêt à bondir sur elle.

« ... Frédéric ! Ne bouge pas... ta jambe !... Je t'en supplie, tu vas...

— Tu... c'était toi ! Tu m'as fait ça !

— Je n'ai pas cru... Je ne savais pas... Oh ! mon amour, j'étais folle, je voulais seulement te garder... »

Il retomba contre les coussins. On eût dit qu'il venait de fournir une terrible course. Une sorte de sifflement entrecoupé montait de sa poitrine, s'échappait de ses dents serrées... Le regard angoissé, suppliant, de Ludivine rencontra la haine jaillie des yeux gris, dans un reflet de lame.

« Garce !

— Frédéric !... »

Son intonation était méconnaissable. Une

matité la creusait, lui donnait un son déchirant.

« Sors d'ici ! Va-t'en !

— Frédéric, tu ne veux pas...

— Ne plus te voir, voilà ce que je veux !... Ne plus savoir que tu existes... Je regrette que tu ne m'aies pas tué. Monstrueuse... tu es monstrueuse !

— Mais je t'aime ! Frédéric, tu ne comprends donc pas ? Je t'aime. »

Cramponnée au bateau du lit, elle tendait vers lui sa figure où coulaient des larmes qu'elle ne sentait pas.

« Tu mens. Est-ce que ça s'appelle de l'amour, ça ?... C'est toi que tu aimes. Toi, et rien que toi... Le dernier des pauvres bougres a quelque chose à donner, quand il aime. Un chien aime : on reçoit de lui un dévouement, une affection désintéressée. Mais toi ! Tu es féroce. Qu'est-ce qui t'importe sauf ce qu'on te donne ? Tu marcherais sur des cadavres, pour obtenir ce que tu veux. Et ça ne te suffit jamais. » Il ricana. « Tu as aimé que je t'aime, ça, oui... Tu as eu du plaisir à être avec moi. J'étais ton bien. Annexé à tes propriétés. Si tu avais pu m'attacher à tes jupes, hein ?... me promener comme un roquet de manchon, au bout d'une chaîne. Et m'ouvrir le cerveau pour y écrire ton nom et le vider de tout le reste ?... Tu m'aimais ? Tu m'adorais ? Oui, n'est-ce pas ? Mais il a suffi que je te demande la permission de m'éloigner de toi, pendant quelques mois, pour aller faire mon travail d'homme, simplement, comme mon frère, comme tant d'autres... ça, jamais ! Plutôt me faire casser la figure, t'arranger pour me rendre infirme... Ah ! ça ne pèse pas lourd, dans tes mains, la vie de l'homme que tu aimes !

— Tais-toi, tais-toi ! au nom du Ciel... Je ne puis plus. Je ne peux pas supporter de t'entendre dire ça... »

D'un coup de poing, il envoya la selle au milieu de la chambre.

« Ah ! tu ne peux pas... Mais tu as pu supporter de me voir revenir sur un brancard ! »

Il n'y avait jamais eu de brancard. Mais Frédéric n'était pas en état de s'arrêter à un détail aussi négligeable. Hors de lui, les tempes gonflées par une fureur forcenée, dans son immobilité impuissante, il déchiquetait le beau drap d'apparat, au retour de dentelles, que Philo devait, plus tard, ravauder, retailler pour les lits d'enfant, la mort dans l'âme devant un tel massacre.

« ... Et de m'entendre gueuler de souffrance, ça ne t'a pas gênée, pour me tenir la main, pendant qu'on me triturait cette jambe. Tu l'as joué tranquillement, ton rôle d'épouse affligée. Et moi qui... Imbécile !... Ah ! tu ne peux pas

supporter ce que je te dis ? Fichtre, quelle
sensibilité !... Dix ans, que j'aurais dû te le
dire... Si je ne t'avais pas traitée comme une
reine, si j'avais renâclé devant tes caprices
d'enfant gâtée, si je m'étais conduit en mari,
en bon mari bien terre à terre, au lieu de
t'aimer comme une maîtresse... Nous n'en
serions pas, peut-être, là où nous en sommes. »

Quelque chose, en Ludivine, pantelait sous
les coups, la rendait incapable d'une défense...
« Ce qu'il disait... ces horribles reproches,
injustes, cruels... Leur ronde n'avait pas fini de
tourner dans sa tête. Elle ne faisait que
commencer. — Ah ! Dieu, ne peut-on revenir en
arrière ? Ne peut-il se faire qu'il n'ait rien dit,
que je n'aie pas avoué, que tout soit comme
avant ?... — Avant... Il y avait quelques
minutes. »

« Frédéric, se plaignit-elle, tais-toi... »

Et, cette fois, la plainte le fit taire.

« ... Ce n'est pas vrai, tu veux me le faire
croire, que, tout ce temps où nous avons vécu
côte à côte, tu pouvais penser cela de moi, et
m'embrasser, me prendre contre toi... Mon
amour, dis que ce n'est pas vrai... que tu cher-
ches seulement à me faire mal ?... »

Haussant les épaules, il se détourna de ce
regard qui demandait grâce.

« Crois ce que tu veux. Si tu savais combien

je m'en fiche. Tu m'as conduit à un point...
j'en ai la nausée. Quand je pense que j'aurais
pu épouser une femme bonne, douce, tranquille, qui eût été aussi une mère, une vraie...
Sans Adrienne, mes enfants seraient de petits
abandonnés.

« ... Et ma mère... »

Un paroxysme de fureur le secoua, réveillant
une crampe douloureuse dans la jambe. Le
contrecoup se traduisit par une contraction
grinçante des mâchoires.

« ... Ma mère, qu'est-ce que tu en faisais de
ma mère, au cas où l'on t'eût ramené un mort ?
Dieu merci, pour toi, ce n'était pas un drame
irréparable : jolie, encore très jeune, une cour
d'amoureux sous la main... Pardieu, tu aurais
fait une fringante veuve !... Quitte à reporter
sur un autre l'exclusivité de cette passion fou-
gueuse, n'est-ce pas, ma toute belle ? Mais elle,
ma pauvre mère, si fragile, avec son vieux cœur
malade, qui en a tant vu, déjà... Il aurait encore
fallu... »

La porte s'ouvrit subitement.

« Ah ! çà, dit Julia, petite silhouette étroite
et noire sur le seuil, qu'est-ce qui se passe ?
Tu vas te donner la fièvre, grand niais, à faire
tout ce tintamarre. Ludivine, tu ne peux donc
pas... »

Son regard tomba sur sa bru, effleura la selle

jetée sur le tapis. « Ah !... » fit-elle seulement.
— Revint à son fils...

Refermant la porte, elle s'avança, appuyée sur la canne qui, à présent, ne la quittait guère.

Sous l'effet de la surprise, Frédéric se taisait.

« ...Avance-moi le fauteuil, veux-tu, petite ? Là, merci. »

Ludivine se laissa tomber sur une chauffeuse basse, de l'autre côté du lit.

Dans la bergère, Julia s'installait avec la méthode et le soin d'un soldat qui prend position pour la bataille.

« ...Eh bien ? » questionna-t-elle, enfin.

Un silence lui répondit.

Impatientée, elle reprit :

« Est-ce que par hasard j'aurais opéré le miracle des Gorgones ? Vous voilà tous deux changés en pierres. Tu avais pourtant de la voix et du souffle, mon garçon, il y a une minute. »

Ludivine releva la tête et dévisagea son mari avec un désespoir ardent. La brûlure saline des pleurs séchait au coin de ses paupières.

« Maman... si vous saviez ! C'est tellement... »

Il fit un geste de découragement.

« ...Je ne peux pas... je vous assure. J'aurais honte d'en parler. Je vous en prie, ne me demandez rien.

— Alors, c'est moi qui vais le dire !

— Tais-toi ! ordonna Frédéric. Tu n'en as donc pas assez fait comme ça ? »

Ludivine ne parut pas l'entendre.

« Voilà... »

Le regard fiévreux, elle fit face à sa belle-mère.

« ... C'est moi qui l'ai fait tomber. J'ai scié le cuir des sangles avec son couteau. »

Le visage de Julia était un masque immobile.

« ... Je n'ai pas pensé qu'il pouvait en mourir, ni qu'il souffrirait, ni rien de tout ça. C'était seulement pour ne pas qu'il s'en aille. Il n'y avait plus que cela qui comptait. C'est en le voyant s'éloigner que j'ai commencé d'avoir peur, et après, tout le temps jusqu'à ce que... »

Elle frissonna.

« ... Je me sentais devenir folle... Tout ce qu'il m'a dit, tout à l'heure, ça ne m'a pas fait à moitié aussi mal, bien que... ce soit... »

Elle ne put finir sa phrase.

Impénétrable, la vieille dame écoutait avec attention.

Avec un regain d'énergie, Ludivine, se retournant vers son mari, soutint l'hostilité de cette face durcie.

« ... Ecoute-moi, Frédéric, je n'ai demandé, je n'ai attendu que toi au monde, depuis le jour où tu es venu me chercher. Tu étais mon mari, j'en avais le droit, il me semble ! Et qu'est-ce que tu m'as apporté ? Des soucis, de la peine, des enfants que je ne désirais pas... et ce n'est pas drôle, les mois de grossesse, et les douleurs pour accoucher. Je les acceptais, je recommençais, pour te donner le fils que tu voulais... Mais toi... une vraie parole d'amour qui m'aurait une fois donné la certitude, quand l'ai-je obtenue ? Est-ce ma faute si je suis restée sur ma faim ?

— Assez, assez, assez ! cria Frédéric, excédé. Je ne veux pas entendre tes reproches. Il fallait me les faire quand j'étais debout, si tu croyais en avoir à... »

Devant le regard acéré de sa mère, il s'interrompit brusquement.

« ... En définitive, ajouta-t-il, plus calme, avec une espèce de cruauté froide, je me demande ce que nous faisons ensemble.

— Ce que... »

Elle joignait les mains avec une telle force, que les os craquèrent, saillirent, blancs, sous la peau.

« ... Mais ça m'est égal d'être heureuse ! Tu n'as pas compris que je ne peux pas me passer de toi ?

— Et tu m'en as pourtant administré une sacrée preuve, hein ? »

Son rire forcé, méprisant, fouetta le sang de Ludivine.

« Tais-toi, Frédéric. » Le ton de Julia était sévère.

A nouveau, la jeune femme se tourna vers elle.

« Je vous remercie, Mère, de m'avoir permis de me défendre. Mais voyez-vous, ça m'est égal qu'on me comprenne ou non, si lui ne me comprend pas. Cette nuit, j'ai dormi, et la nuit d'avant et la précédente aussi. Je me disais : « Maintenant, il serait à Marseille... Mainte- « nant, nous nous séparerions... » Ainsi de suite. Et je le sentais là. Une paix, un soulage- ment... après je ne sais combien de jours... Ce que j'ai risqué était assez terrible pour que je puisse me passer de n'importe quelle approba- tion. Je l'ai fait parce qu'il m'y a poussée... Il m'a jeté les enfants à la tête, mais lui, il les abandonnait sans hésiter, en même temps que moi, pour des mots, une lubie, le simple plaisir d'aller courir l'aventure... Et le danger auquel je l'ai exposé, il ose en parler ! Le voilà devenu tout d'un coup bien ménager de sa précieuse vie... Mais, là-bas, est-ce que les Anglais avaient une raison spéciale pour faire leur guerre en épargnant Frédéric Vernet ? Parce qu'il avait promis de revenir, à sa mère, à sa femme ? Ils sont quelques-uns, comme ça, pourtant, je sup- pose, pour qui ça n'est pas entré en compte, au moment de régler l'addition... Et les Anglais,

« aussi », peut-être, ont des femmes et des
mères... Demandez donc à celui d'Hubert ce
qu'il en pense ; et combien il y en a, chez eux,
qui pleurent, chaque matin, sur les listes des
journaux... Qu'il le veuille ou non, il est sauvé,
lui. Et moi, je respire, Dieu sait que j'ai payé le
prix. Autant que lui, quoi qu'il en pense... Et
il peut me le faire payer encore plus cher.
Il n'y avait que ce moyen. Il fallait le faire.
Je ne le regrette pas. Je ne lui en demanderai
pas pardon...

— Garce, garce ! »

Il la giflait avec les mots, les poings fiévreu-
sement crispés sur le drap en lambeaux, tout
le buste bandé pour une impossible détente.
Leurs regards croisés flambèrent. Ludivine ne
baissa pas le sien.

« ... Je te le ferai regretter ! Chaque jour de
ta vie, tu le regretteras, de m'avoir empêché
de partir...

— Ca m'est égal, cria-t-elle; je te garde !

— Ah ! tu crois ? »

Frédéric écumait, captif bel et bien, dans ce
lit, ces coussins, et ce plâtre.

« ... Vous l'entendez, Maman ?... *Je te*... Dé-
mon, va !...

— Elle a bien fait ! » jeta âprement Julia.

Tous deux, saisis, la regardèrent, muets
devant l'expression de ce vieux visage.

« ... Elle a bien fait, redit-elle. Ton père, en 70... ton père, quand il est parti, crois-tu que je n'ai pas, moi aussi... ? Il était si plein de vie, si fort !... Le soir où il a décroché son fusil... Il y a des nuits où j'en rêve encore, et je retrouve ma peur et mon chagrin intacts. Ah ! ce soir-là... Philo aussi, s'en souvient... C'était son mari, à elle, qui a fait la valise ; et ils sont partis tous les trois, le mien, le sien, et son aîné, le seul qui lui restait. Le petit avait dix-huit ans, les hommes plus de quarante-cinq. Ils disaient : « Ça va si mal. Il faut que le « monde s'y mette. »

« ... C'est par le petit que ça a commencé. A Beaune-la-Rolande, en novembre. Deux mois jour pour jour, qu'ils avaient quitté la maison... Ton père, c'est au Mans qu'il a reçu ce coup de baïonnette ; avant de tomber, il l'avait rendu, et bien rendu. Ernest l'a traîné à un pan de mur. Cent fois ton père m'a raconté l'histoire. Je la sais par cœur : « *Il a pris mes cartouches en me disant : « Bougez pas, monsieur. J'en démolis quelques-uns pour faire le compte, et je reviens vous chercher. » Les obus tombaient comme s'il en pleuvait. Pauvre gars, il n'est jamais revenu.* »

« ... C'est le mien qui est rentré, tout seul, au printemps, encore bien pâle et bien maigre... Mais j'étais contente à en avoir honte devant

Philo. Je me cachais d'elle, pour respirer. Je pensais : « Je vais le soigner tant et si bien... « ce n'est rien, il en est retourné, il a échappé. » Pauvre sotte ! La guerre, ça ne lâche pas les hommes comme ça. Elle l'avait marqué lui aussi, mon Rodolphe. Peut-être qu'Ernest le savait, après tout : « *Je viens vous chercher.* » Mais moi, pouvais-je me douter de ça ? J'étais au monde pour être sa femme, comme celle-là est la tienne, je l'aimais autant qu'elle t'aime... Et lui, il était né pour vivre à mes côtés, et peiner sur ce domaine. Dieu ne lui réclamait rien d'autre. Trois ans... Il a mis trois ans pour se résoudre à me le prendre !

— Maman... », disait Frédéric.

Pâle, Ludivine se taisait.

« Je vous avais. toi. Henri, Amélia, Adrienne ; et Hubert, si petit... Tous, vous étiez mes petits. Dieu m'est témoin que je vous ai chéris. Mais... comment te dire ?... J'aurais pu vous perdre tous, et m'en consoler sur sa poitrine.

« ... Nous étions heureux. Heureux, tu m'entends, mon Frédéric ? On vit sans y penser. Et l'on ne sait qu'après ce que ça représente. Le bonheur, c'est toujours du passé... »

La vieille dame s'était levée ; elle vint jusqu'au lit et posa sa main, desséchée, encore belle de forme, sur l'épaule valide de son fils.

« Maman, que je vous plains... », murmura-t-il, prenant cette main dans la sienne.

Julia toussa un long moment, et pendant tout le temps que dura cette quinte, son fils la contempla sans mot dire, avec des yeux pleins de vénération inquiète.

Calmée, elle lui sourit et caressa les boucles de cheveux en désordre, échappées des bandelettes de toile.

« Vous autres, les garçons, vous parlez toujours du devoir, de l'honneur, du sacrifice... Mais ce que ça veut dire, nous sommes seules à le savoir. Et vous ne savez pas non plus ce que vous laissez derrière, une fois passé la porte de la maison.

« ... Ton père, lui, c'était pour nous, pour le pays... C'étaient les nôtres qu'il rejoignait. On ne peut pas dire : « Non » et rester en arrière, quand on voit son propre sol envahi, et ceux de la même race se faire tuer au-dedans des frontières. Je l'ai laissé partir comme je le devais, pour tout ce qu'il avait à défendre, côte à côte avec les maris des autres femmes...

« ... Mais toi, qu'est-ce qui te réclamait, là-bas ? Ta seule tâche à remplir, elle est ici, auprès des tiens. Qui te demande autre chose ? S'en aller se battre, ça peut être amusant, et, mourir, ce n'est sûrement pas si difficile, quand l'appel vous parvient tout d'un coup. En somme, ce n'est pas bien malin d'être un héros.

« ... Mon petit, moi j'ai commencé à mourir le jour où j'ai vu ton père disparaître peu à peu, parmi toutes ces têtes penchées, dans la fumée du train, en gare d'Avignon. Et depuis, cela dure ; et quelquefois je suis bien fatiguée. Ludivine s'est défendue, elle vous a défendus tous les deux. Comme elle a pu. Je ne lui en ferai pas de reproche. Je te le répète, il m'arrive de regretter de n'avoir pas eu, autrefois, cet égoïsme, ou ce courage... Quelle que soit ta décision, tu nous jugeras ensemble. »

Elle se tourna vers sa bru, arrêta un instant, sur ce visage glacé de larmes, la chaleur de son regard clair...

« ... Allons, ma fille, accompagne-moi. Il y a bien des années que je n'avais prononcé autant de paroles, et jamais sur ce sujet. Je voudrais n'avoir pas eu à le faire. Viens, donne-moi ton bras. »

FIN DU PREMIER TOME

IMPRIMÉ EN FRANCE PAR BRODARD ET TAUPIN
6, place d'Alleray - Paris.
Usine de La Flèche, le 05-06-1973.
1530-5 - Dépôt légal n° 2696, 2ᵉ trimestre 1973.
LE LIVRE DE POCHE - 22, avenue Pierre 1ᵉʳ de Serbie - Paris.
30 - 31 - 3717 - 01

Le Livre de Poche historique

(Histoire, biographies)